KB197180

10

비탄의 망령은

Nageki no bourei ha intai shitai

은퇴하고 싶다

~최약 헌터에 의한 최강 파티 육성술~

글 : 츠키카게

Chyko
일러스트 : 치코

《부동불변》
안셈 스마트

유그드라의 황녀
세렌 유그드라 프레스텔

《절영》
리즈 스마트

《방랑》
엘리자벡

각오를 다지고는 장치 쪽으로 다가갔다. 장치로 손
뻗으려 하자, 시트리가 소리쳤다.
"잠깐!"
"?!"
세렌이 움찔거리며 돌아보자
시트리가 낮은 목소리로 위협하듯이 말했다.
"아직·끼우면 안 돼요."

10

비탄의 망령은

Nageki no bourei ha intai shitai

은퇴하고 싶다

~최약 헌터에 의한 최강 파티 육성술~

 글 : 츠키카게

Chyko
일러스트 : 치코

CONTENTS

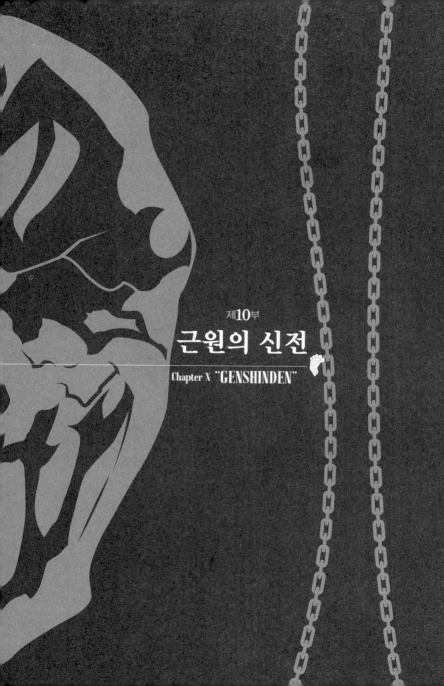

제10부

근원의 신전

Chapter X "GENSHINDEN"

Prologue   신

　세계수. 그것은 별의 중심에 존재하는 거대한 나무. 대지 아래에 혈관처럼 뻗어 있는 지맥에 흐르는 힘——— 마나 머티리얼은 최종적으로 세계수에 모이며, 그 힘을 전 세계에 분산시킨다.

　하지만, 마나 머티리얼의 힘으로 인해 하늘을 찌를 정도로 성장한 나무는 지금 칠흑의 신전에 삼켜져 있었다.

　수없이 솟아오른 칠흑 기둥과 금이 간 벽에 그려진 벽화.

　먼 옛날에 확실하게 존재했던 이상한 형태의 신을 모시고 강림시키기 위한 그것은 신전임과 동시에 왕의 귀환을 기다리는 성이기도 했다.

　세계수로 모인 마나 머티리얼이 축적된 결과 나타나 버린 존재, 세계를 리셋시킬 수 있는 재앙——【근원의 신전】.

　탐색자 협회에 알려지면 레벨 10으로 인정받을 그 보물전 최심부에 있는 제단에 가면을 쓴 팬텀들이 나란히 서 있었다.

　팬텀은 과거의 재현이다. 현세의 생물과는 다른 법칙으로 존재한다.

　그 모습은 다양했다. 이 세계에도 존재하는 개나 말, 용 같은 동물이나 마물 같은 형태를 띤 팬텀부터 왠지 종교적인 느낌이

드는 로브와 갑옷을 두른 인간형 팬텀까지. 그것들의 공통점은 가면을 쓰고 있다는 것 하나뿐이었다.

가면을 쓴 신의 권속. 그것들이 드러내는 것은 과거에 확실하게 존재했던 끔찍한 군림자에 대한 신앙이었다.

한때 세계를 지배하던 초월자들 중 하나. 전 세계에 떨치던 그 이름도, 생김새도, 힘도, 지금은 기억하는 자가 아무도 없을 만큼 망각된 재앙.

가면의 신, 케라.

과거에 신들 중 하나였다는 그 힘은 전 세계에서 모인 힘을 받아들였는데도 아직 완전해지지 않았다. 하지만 그 의식은 수많은 권속과 신도들의 신앙, 공물을 얻어 분명하게 싹이 트고 있었다.

검은 광택을 지닌 돌로 만들어진 제단. 세밀한 장식이 새겨진 그곳 바로 위에 어둠이 있었다.

척 보기에는 안개 같은 그것은 케라의 정신이었다. 아직 신으로서의 힘과 육체를 되찾지는 못했지만, 사고 능력을 지닌 채 신전 주위 정도는 파악할 수 있는 신의 알.

깊은 수면 속 바닥에서 몽롱했던 의식이 이상 사태를 감지하고는 약간 떠올랐다.

———권속들의 기척이 사라졌다.

마나 머티리얼로 현현한 권속 부대 중 일부가 갑작스럽게 나타난 침입자 부대와 동귀어진했다.

원래는 신경 쓸 필요도 없는 일이다. 전투에 참가한 권속들은 현재【근원의 신전】이 지닌 병력의 일부에 불과하다. 시간만 있으면 얼마든지 늘릴 수 있기에 사라지더라도 타격은 전혀 없다.

문제는 침입자가 '갑작스럽게' 나타났다는 점이다.

걸어왔다면 이해가 된다.【근원의 신전】과 그 주변은 이미 케라의 몸속이나 마찬가지다. 하늘을 날아서 침입했다 하더라도 금방 알아챘을 것이다. 하지만 이번에는 그렇지 않았다.

케라의 인식 영역 밖에서 갑작스럽게 나타났다. 나타날 때까지 감지하지 못했다. 소수라면 접근을 눈치채지 못했을 가능성도 전혀 없는 것은 아니지만, 그렇게 규모가 큰 무리였으니 놓칠 리가 없다.

지금까지는 경계할 만한 가치를 지닌 존재가 없었다.【근원의 신전】주위에는 나름대로 수준이 높은 마술 기술을 지닌 지적 생명체가 있고, 아신에 가까운 정령도 존재하지만, 그 정도라면 문제가 없었다.

아무리 완전하게 부활하지 못한 상태라 해도 케라는 신이다. 권속도 나름대로 늘어났기에 대적할 만한 상대가 그리 많지는 않을 것이다.

하지만, 상대가 마찬가지로 신격을 지닌 존재라면 이야기가 달라진다.

먼 거리에서 공간을 뛰어넘어 이동하는 공간 도약은 신의 영역에 한없이 가깝다.

힘을 거의 되찾지 못한 케라에게는 동격인 상대와 싸울 만한 힘은 없다. 지금은 아직.

판단에 할애한 시간은 잠깐이었다. 케라는 대기하고 있던 권속들에게 명령을, 신탁을 내렸다.

조금이라도 시간을 버는 것이다.

【근원의 신전】에 흐르는 힘은 막대하다. 완전한 부활까지는 멀었지만, 육체를 되찾을 때까지는 시간이 오래 걸리지 않을 것이다.

자, 어떻게 할까.

자연이 풍요로운 유그드라 거리를 동료들과 함께 걸어간다. 큰나무가 **빽빽**하게 늘어선 곳에 지어진 집들과 흐드러지게 피어난풀과 꽃. 하늘은 맑고, 내리쬐는 햇볕이 따뜻해서『퍼펙트 배케이션(쾌적한 휴가)』을 입고 있지 않은 상태로도 매우 쾌적했지만, 좋은생각은 전혀 떠오르지 않았다.

석화된 루크가 보물전으로 돌진해서 행방불명된 지 1주일. 상황은 여전했다.

애초에 크라이 안드리히라는 사람은 생각하는 것이 서투르다. 항간에서는 신산귀모의 《천변만화》라고 불리고 있지만, 내 결정이 좋은 방향으로 굴러간 적은 별로 없다.

"정말, 루크도 참⋯⋯ 여전하다니까━━."

"석화 상태에서 움직이다니, 어떻게 된 구조일까요."

리즈와 시트리가 어이없다는 듯이 이야기를 나누고 있다. 루크가 석상 상태로 최악의 보물전 안으로 들어가 버린 상황인데도 엄청나게 여유롭다.

우리가 움직임을 멈춘 것은 보물전과 애들러 일행, 그리고 루크의 상황을 살피기 위해서였다.

이번 상대는 전 세계로 따져도 얼마 없는 레벨 10에 해당되는 보물전과 마물을 조종하는 미지의 힘을 지닌 범죄자이기에, 아무리 경계를 해도 부족하진 않을 것이다. 우리 쪽 전력도 《비탄의 망령(스트레인지 그리프)》의 멤버 전원과 《별의 성뢰(스타 라이트)》, 전설의 도시 유그드라의 황녀까지 과거에 유례를 찾아보기 힘들 정도로 충실하긴 하지만, 적이 너무나도 강대한 존재였다.

왠지 적의 레벨이 점점 올라가고 있는 것 같은데, 내 착각인가?

상황의 추이를 지켜보는 건 내 몇 안 되는 특기다.

루크라면 알아서 돌아오려나, 생각했는데. 아무래도 그렇게 일이 잘 풀리진 않는 것 같네.

"그건 그렇고, 슬슬 움직여야 하지 않나요? 리더. 일주일이 지났는데도 돌아오지 않는 걸 보니 루크 씨를 구하러 가야 할 것 같은데요."

"그러게……."

세렌 일행에게는 1주라는 기한을 두고 상황을 지켜보겠다고 약속했다. 마나 머티리얼 멀미로 쓰러졌던 소꿉친구들도 무사히 부활했으니 슬슬 새로운 수를 써야 할 것이다.

시트리가 주먹을 꽉 쥐고는 세계의 위기에 직면했다고는 믿기 힘든 밝은 미소를 지으며 말했다.

"맞아요, 맞아요. 루크 씨에게는 이미 충분히 기회를 준 것 같거든요! 다음은 저에게 기회를 주세요! 제 성과를 크라이 씨께 보여드릴 수 있는 경우는 별로 없으니까요!!"

"아, 네."

무심코 고개를 끄덕여버렸다. 반짝거리는 미소에 패배해버리는 건 예전부터 있었던 나쁜 버릇이다.

그저 어쩌다 보니 나온 긍정에 대해 시트리는 황홀한 듯한 표정으로 말했다..

"마나 머티리얼 교반장치…… 위험해서 실험도 별로 못했지만…… 그래도 저희 계산은 완벽해요. 이럴 때를 대비해서 장치의 제조도 최대한 간략화했거든요!【흰 늑대 소굴】에서의 성공 사례도 일단은 있고——— 뭐, 이번에는 보물전을 강화시키는 게 아니라 약화시킨다는 차이가 있고 마나 머티리얼의 양도 천지차이이긴 하지만, 이번에도 반드시 성공시킬게요! 크라이 씨께서도 분명 만족하실 거예요!!"

"시트, 너 한 번 정도 더 체포당하는 게 낫지 않을까? 안 그래? 크라이?"

리즈가 동의를 요구했지만, 코멘트는 삼가도록 해야겠다.

내가 할 수 있는 건 시트리를 믿고 모든 것을 맡기는 것 정도뿐이다. 재주가 많은 그녀라면 이런 상황도 어떻게든 해결해줄 것이다. 이번에는 글러먹지 않은 쪽 시트리라면 좋을 텐데———.

뭐, 체포당하는 게 나을 것 같다는 말은 좀 과장 아닐까? 시트리도 연구 이야기가 나오면 약간 지나친 느낌이 들긴 하지만, 체포당할 만큼 나쁜 짓은 하지 않았을 거라고. 하지 않았을 거라 믿고 싶다.

우리 일행 중에서 가장 연하이자 휘말리는 형태로 끌려온 티노를 보았다.

티노는 시트리가 한 말을 듣고 왠지 모르게 새파랗게 질린 상태였다.

가만히 바라보고 있자니 한순간 눈이 마주쳤고, 그녀가 재빨리 눈을 피했다. 어쩌면 시트리가 제시한 작전에 대해 내가 모르는 위험성을 느낀 건지도 모르겠다.

나는 시트리의 작전의 위험성을 잘 모르지만, 상황이 여전히 심각하다는 건 알고 있다고 생각한다. 처음에 비해 루크의 석상이 우리 곁을 떠났다는 걸 감안하면 더 안 좋아졌다고 할 수 있을지도 모르겠다.

내가 할 수 있는 건 여전히 아무것도 없다. 하지만, 아무것도 할 수 없기 때문에 적어도 티노와 다른 사람들이 불안해하지 않게끔 자신감이 가득 찬 하드보일드한 태도로 말해야 한다.

그것은 《비탄의 망령》의 리더로서 내게 주어진 몇 안 되는 역할이다.

시트리 못지않게 밝은 미소를 지으며 소꿉친구들을 둘러본 다음, 나는 애써 밝은 목소리로 말했다.

"레벨 10 보물전—— 모처럼 신의 팬텀과 싸울 기회가 생겼잖아. 연구 성과에 자신도 있는 모양이니까, 지휘는 시트리에게

맡길게. 나도 할 수 있는 만큼은 뒤쪽에서 보조해줄 테니 열심히
해봐."

뭐, 시트리의 계획이 실패하더라도 내게는 아직 비장의 수가
남아있다. 리즈가 재빠르게 제도로 돌아가서 아크 일행을 불러오
는 것이다.

제도까지는 꽤 멀리 떨어져 있고, 아크도 바쁠 테니 제도에 있
을지 여부는 모르겠다.

불확정 요소가 많은 작전이긴 하지만 상대는 신. 우리도 신을
맞부딪힐 수밖에 없겠지.

제1장　메마르게 하는 자

　유그드라의 중심부에 존재하는 세렌의 저택. 작전실을 겸하고 있어서 널찍한 거실에 지금 멤버들이 모두 모여 있다.

　먼 옛날부터 세계수를 지키는 역할을 맡아온 유그드라의 황녀이자 현재 유그드라에서 가장 뛰어난 마도사(마기). 세렌 유그드라 프레스텔.

　제도 제블디아에서도 이름이 널리 알려진 정령인(노블) 파티. 평균 레벨이 그리 높진 않지만, 실력이 뛰어난 마도사들이 모인 《별의 성뢰》.

　높은 사기와 주옥 같은 재능. 레벨이 높은 보물전을 찾아 전 세계를 돌아다니며 거의 100퍼센트에 가까운 의뢰 성공률과 악명을 자랑하는 《비탄의 망령》.

　《시작의 발자국(퍼스트 스텝)》의 유망주. 불쌍한 티노.

　마도사의 숫자가 좀 많긴 하지만, 어지간한 보물전이라면 공략하는 데 문제가 없을 정도로 쟁쟁한 멤버들이라 할 수 있다.

　하지만, 실내에는 답답하고 묵직한 분위기가 감돌고 있었다.

　저번 루크 저주 해제 작전 때 【근원의 신전】이 얼마나 무시무시한지 알게 되기도 했고, 내가 1주일 동안 상황을 지켜보기로 결정했기 때문이기도 할 것이다. 딱히 마음대로 행동하는 것에 참견할 생각은 없지만, 실력이 좋은 헌터들이라 그런지 통제를 잘 따르는 모양이었다.

라피스가 코웃음 치며 여전히 거만한 말투로 말했다.

"흥. 뭘 기다리나 싶었다만, 상황에는 아무런 진전도 없이 1주일이 지났나. 네놈치고는 신기하군그래?"

"··········뭐, 허사는 아니었어. 얼른 세계수의 폭주를 막고 싶어하는 사람들은 답답했을지도 모르겠지만———."

애초에 나는 이런 상황에서 대기를 선택하는 경우도 자주 있는데.

"아뇨······ 상관없습니다. 그것이 최종적인 승리로 이어진다면요. 수단이 어찌 됐든 그렇게 강한 팬텀의 군세를 쓰러뜨리는 것도 사실이니——— 이기기 위해서라면 저희 쪽 감정 같은 것은 사소한 것에 불과합니다."

【근원의 신전】에서 군세를 쓰러뜨린 건 내가 아니라《천귀야행 (나이트 퍼레이드)》이라고 확실하게 말했을 텐데, 아무래도 세렌은 그런 것 따위는 상관이 없는 모양이었다.

눈 아래쪽에 생긴 다크서클. 1주일 동안 대기했을 텐데도 세렌의 표정에는 매우 피곤한 기색이 드러나 있었다.

아마 내가 상황을 지켜보기로 결정하고 나서 느긋하게 쉴 시간도 없이 계속 일을 했을 것이다.

유그드라의 황녀인 세렌의 여린 어깨에 실린 막중한 책임을 일개 클랜 마스터인 내가 이해할 순 없지만······ 당장에라도 쓰러질 것 같네. 쉬는 능력은 내가 더 뛰어난 것 같다.

그때, 상황을 지켜보던 기간 중에도 몇 번이나 【근원의 신전】

을 조사하러 다녀온 모양인 엘리자가 지친 듯이 한숨을 쉬며 말했다.

"현재 상황을 정리할게. 결론부터 말하자면, 현재 【근원의 신전】에 정면으로 침입하는 건 불가능해."

루크의 저주 해제 작전을 결행하기 전에도 보물전을 몇 번이나 조사하러 갔었지만, 침입이 불가능할 거라고 딱 잘라 말하진 않았잖아.

나를 보고 엘리자가 약간 나무라는 듯한 말투로 말했다.

"루크의 저주 해제 작전 이후로 날마다 경계가 삼엄해졌고, 지금은 눈으로 확인할 수 있는 거리까지 다가가는 것조차 힘들어. 통제도 잘 되고 있으니 분명히 들킬 거야."

"역시 신전형 보물전이야, 팬텀의 질도 지금까지와는 다른 느낌인데."

리즈가 감탄한 듯이 말하자 티노가 불안한 듯이 두리번거렸다.

그것은 인간이나 마물 상대라면 모를까, 팬텀 상대로는 별로 발생하지 않는 현상이었다.

팬텀은 생물이 아니다. 과거의 재현인 그들은 종족의 보존을 목적으로 삼지 않고, 소멸에 대한 공포도 희미하고, 부모로부터 태어나지 않았기에 소속감이라는 것도 희박하다.

트레저 헌터가 팬텀이 우글거리는 보물전에 침입할 수 있는 것도 팬텀들이 기본적으로 개별적인 움직임을 보이기 때문이다. 유일하게 침입자에 대한 적의만은 공통적으로 갖추고 있기에 지성이 뛰어난 팬텀들이 무리를 짓는 경우가 전혀 없는 건 아니지만,

그런 경우도 보통은 몇 마리, 많게는 수십 마리 정도에 불과하고 군세라는 수준까지 규모가 커지는 경우는 없다.

"크, 그 팬텀들은 아마 한 마리 한 마리가 따로 생긴 게 아닐 거야. 그건 무리이자 개체야. 통제 같은 수준이 아니야. 지금 그들은 분명 뛰어난 지성을 지닌 채 우리를 적으로 간주하며 대비하고 있어. 하지만 내가 침입하는 게 불가능하다고 말한 이유는 그게 아니야."

엘리자가 한숨을 크게 쉬고는 그녀의 아름다운 연보라색 눈으로 이쪽을 빤히 보며 말했다.

"오늘 확인했더니…… 강력한 결계가 보물전을 둘러싸고 펼쳐져 있었어. 《별의 성뢰》나 루시아가 온 힘을 다해 공격 마법을 날리더라도 거의 흠집도 나지 않을——— 그런 종류의 결계가."

세렌이 눈을 크게 떴다. 예상하지 못한 말에 나도 깜짝 놀랐다.

보물전에 강력한 결계가 펼쳐진다. 있을 수 없는 일은 아니지만 보물전 전체를 둘러싸는 거라면 이야기가 달라지며, 그 결계가 《별의 성뢰》나 루시아 같은 마도사가 온 힘을 다하더라도 뚫을 수 없는 결계라면 전례가 없는 경우다.

"내 예상으로는 아마 현대의 마술 체계에 따른 결계는 아닐 거야. 보물전을 빙 두르고 있어서 빈틈도 없고, 정령인이라 해도 그 마법을 해석하려면 시간이 좀 걸릴 것 같아. 튼튼한 게 아니라 아마 공격이 전혀 통하지 않을 거야. 아마도…… 공간이 차단되어 있는 것 같아."

공간 차단. 골치 아픈 정보를 듣고 라피스가 불쾌하다는 듯이 말했다.

"공간 차단이라——— 흥…… 한순간이라면 모를까, 그런 것이 오랫동안 지속되고 있다면 엘리자가 말한 대로 현대의 마술로 펼칠 수 있는 결계는 아니겠군. 만약 쉴 새 없이 그것을 계속 펼칠 수 있다면 녀석들의 능력은 우리의 상상을 훨씬 뛰어넘는다."

"…………아마 유그드라가 만들어낸 신수 미로와 마찬가지로——— 세계수로 흘러들어오는 힘을 이용한 거겠죠. 마력(마나)이 바닥날 일도 없을 테고요."

세렌이 심각한 듯한 표정으로 자신의 생각에 대해 말했다.

"그만큼 우리를 경계하고 있는 거겠지만——— 그래선 안으로 아무도 들어갈 수가 없어."

강한 주제에 방심도 하지 않는다니, 정말 똑똑한 팬텀이다. 【길 잃은 여관】의 팬텀처럼 유쾌하지도 않은 것 같으니 절대로 싸우고 싶지 않은 상대다.

혹시 루크도 그래서 돌아오지 못하고 있는 건가? ……아니, 그건 아니겠지. 장벽이 펼쳐진 시기가 오늘부터인 모양이니까.

모두가 침묵한 와중에 입을 연 사람은 의외로 크류스였다.

그녀가 눈을 흘기며 이쪽을 보고는 말했다.

"약한 인간, 너, 어떻게 할 생각이냐, 입니까? 상대가 결계를 펼칠 때까지 기다리다니———."

"……어?"

결계를 펼칠 때까지…… 기다렸다고? 내가? 왜?

공간을 차단하는 결계를 펼치는 보물전 같은 이야기는 처음 들어본다. 애초에 과거의 자취인 팬텀의 생각 같은 걸 예측할 수 있을 리가 없다.

눈을 동그랗게 뜨고 있자니 크류스가 입술을 삐죽대며 말했다.

"예전부터 뭔가 작전이 있으면 말하라고 했잖아, 입니다! 리더라고 해서 무슨 짓을 해도 괜찮을 거라 생각하면 곤란하지, 입니다!"

"?! 네에?! 그, 그런 것까지 작전대로인가요…… 신산귀모라는 이야기는 들었습니다만———."

왠지 크류스가 나를 높게 평가해주는 것 같은데.

내 작전이라는 걸 의심하지 않는 크류스의 순수한 눈빛 때문에 세렌이 속고 있다. 상대가 태세를 완벽하게 갖출 때까지 기다린다니, 잠깐만 생각해 봐도 말도 안 되는 소리라는 걸 알 수 있을 텐데———.

리즈를 힐끔 보자 리즈가 어이없다는 듯한 표정으로 보란 듯이 한숨을 쉬었다.

"뭐, 크라이를 상식으로 판단하려 하지 말라는 거지. 뒷배도 없이 평범하게 활동하면서 이 나이에 레벨 8이 될 순 없잖아?"

"마스터어는 신!"

…………아니, 내가 레벨 8이 된 건 너희가 너무 열심히 활동했기 때문인데———.

"뭐, 나는 할 수 있는 일을 할 뿐이야. 이런 기본적인 부분이 중요한 경우가 많거든."

다시 말해, 내가 무슨 말을 하고 싶은 거냐면, 힘들 것 같으면 곧바로 포기한다는 뜻입니다.

내가 어정쩡한 미소를 짓고 있자니 세렌이 주위를 힐끔거리다가 당황한 듯이 말을 꺼냈다.

"유, 유그드라에도…… 일단은 공간 차단을 해결할 방법이 있긴 합니다."

매우 초조해하고 있다. 딱히 그럴 생각은 아니었는데———.

세렌은 심호흡을 크게 하고는 진지한 표정을 지으며 나를 보았다.

가늘고 째진 눈가와 투명한 느낌이 드는 눈동자. 눈 아래에는 다크서클이 진하게 생겼고, 표정에는 분명히 피로한 기색이 느껴지지만 《별의 성뢰》의 정령인들과 비교해도 한층 더 아름답다.

각오를 다진 듯한, 나쁘게 말하자면 절박한 듯한 표정. 신이 부활할 때까지 아직 100년이나 남았는데, 그녀는 언제부터 이런 표정을 계속 짓게 된 걸까?

세렌은 살짝 헛기침을 한 번 하고는 자신의 손에 손바닥을 대고 말했다.

"유그드라에는——— 공간 전이의 비술이 있습니다. 그 비술이라면 공간 차단의 결계를 뛰어넘어 세계수까지 사람을 보낼 수 있을 겁니다. 여러 번 사용할 수는 없습니다만……."

공간 전이…… 사용할 수 있는 사람이 거의 없는 전설 같은 마법이다. 루시아도 쓰지 못할 텐데.

하지만, 기뻐하긴 이르다. 강력한 마법에는 대가가 따르기 마련이다. 내가 빤히 바라보자 세렌이 계속 말했다.

"단점은…… 소모가 크다는 점입니다. 제가 온 힘을 쥐어 짜내더라도 한 번에 보낼 수 있는 건 잘해봐야 한 명, 한 번 사용하면 저는 한동안 움직이지 못하게 될 겁니다."

"……………………………응, 그래, 안 되겠네."

"…………네?"

세렌이 멍한 표정을 지었다.

차마 봐줄 수가 없네. 아무리 나라도 퇴짜를 놓을 수준이야.

나도 확실하게 알 수 있을 정도로 말이 안 된다. 한 명밖에 못 보내는 시점에서 말도 안 된다.

그렇게 위험한 곳에 혼자만 보내는 걸 기뻐할 만한 사람은 우리 멤버들뿐이고, 만약에 루크의 석상을 구출해낸다 하더라도 세렌이 움직이지 못하게 되면 누가 루크의 저주를 풀어주지?

그럴 여유가 있다면 그 비술로 저를 집까지 보내주세요.

나는 한숨을 크게 쉬고는 하드보일드한 표정을 지으며 말했다.

"세렌, 이런 말을 하고 싶진 않지만, 너는 좀………… 시야가 좁아진 것 같아. 무슨 목적으로 상황을 지켜보는 시간을 만들었을 것 같아? 좀 더 어깨의 힘을 빼지 않으면 좋은 아이디어도 떠오르지 않을 거라고."

뭐, 세렌을 쉬게 하기 위해서 상황을 지켜보는 기간을 둔 건 아니지만 말이지.

"?! …………저, 저는 유그드라 최후의 황족인데요? 제게는 세계수의 관리자로서 이상 사태를 해결할 책임이 있습니다."

세렌의 볼에 붉은 기운이 감돌고, 그녀의 목소리가 떨리고 있었다. 정말, 퍼펙트 배케이션은 나 같은 녀석이 아니라 그녀에게 필요할 것 같다.

시간이 100년이나 있으니까 몇 년 정도는 쉬더라도 불평할 사람은 없을 텐데.

"⋯⋯그렇게 따지면 나는 클랜 마스터니까 클랜을 원활하게 운영할 책임이 있어."

"???"

하지만 그런 책임을 에바나 다른 멤버들에게 전부 떠넘기고 이렇게 뻔뻔하게 살아가고 있다. 고레벨 헌터로서의 책임도 전혀 지고 있지 않고, 임명한 녀석들 잘못이라 생각하기까지 한다.

나와 세렌의 책임감을 합쳐서 둘로 나누면 딱 좋을 것 같다.

그녀는 물론 실력이 매우 뛰어난 마도사겠지만, 이렇게 말하긴 좀 그렇긴 해도 이번에는 별로 기대하지 않는다. 어찌 됐든 이번 건은 유그드라의 마도사들이 수백 년에 걸쳐서 온 힘을 다했는데도 해결할 수 없었던 문제니까━━━.

그리고 아무리 애를 써도 어떻게 해볼 수 없는 사건에 휘말리는 심정은 항상 비슷한 처지에 있는 나도 정말 잘 안다. 내가 이번 이변을 해결할 수 있는 능력을 지니고 있는 것도 아니니까 내게 맡기라는 말은 입이 찢어지더라도 할 수 없겠으나 정신적인 부담을 조금 줄여주는 것 정도는 가능할 것이다.

몇 번이나 말하지만, 이럴 때 중요한 건 아무리 마음속으로 불안해지더라도 겉으로는 자신만만한 태도를 보이는 것이다. 안절부절못하다가는 잘될 것도 잘되지 않는다. 뻔뻔하다고도 할 수 있다.

"한 명밖에 전이할 수 없다면 별로 도움은 안 되니까 세렌은 한동안 얌전히 있어. 다크서클도 엄청 심한데, 좀 자지 그래? 나중에 뭔가 협력해줄 필요가 있을지도 모르니까———."

만약에 쉬는 법을 잊어버렸다면 퍼펙트 배케이션을 빌려줄 수도 있다. 내가 쾌적하지 않게 되어버리겠지만, 뭐 토할 것 같아지는 건 익숙하니까.

세렌은 한순간 멍해졌다가, 곧바로 얼굴을 붉히며 다그치는 듯이 소리쳤다.

"제, 제가…… 이곳 유그드라의 황녀인 제가, 쓸모가 없다, 그렇게 말씀하시는 겁니까?! 당신에게 어떤 힘이 있다는 거죠?"

그런 말은 안 했잖아…………. 아니, 했나?

나는 씨익 웃고는 쓸데없이 자신만만하게 말했다.

"이번 주역은 따로 있다는 뜻이야."

내게 힘이 있다면 그것은——— 연줄이다. 어떤 상황이라 하더라도 꺾이지 않을 만큼 강한 동료들이다.

내가 나설 차례는 여기까지다. 역할은 다 했으니 이제 허수아비가 되어야겠다.

시트리를 보자 그녀가 꽃이 피어나는 듯한 미소를 지으며 또렷한 목소리로 선언했다.

"네. 제가 주역이에요!!"

"?!"

나는 눈치채고 있었다. 결계 이야기를 하는 도중에도 시트리의 눈이 빛나고 있었다는 걸.

역시 믿음직한 소꿉친구가 최고라니까.

일을 마친 기분으로 방긋방긋 웃고 있자니 시트리가 달아오른 듯한 목소리로 프레젠테이션을 시작했다.

"저는 이런 상황이 있을까 하는 생각에 예전부터 마나 머티리얼이나 지맥을 조작하기 위한 연구를 해왔어요. 크라이 씨의 제안을 받고――― 그 연구 성과 중 하나로 마침 이런 사태에 딱 맞는 게 있거든요. 마나 머티리얼 교반장치라고 하는데요―――."

오~, 내 제안을 받고 말이지. 그건 처음 듣는 이야기인데…… 그런 적이 있었나?

아무리 생각해봐도 제안한 기억이 없지만, 시트리가 그렇게 말했으니 제안을 한 모양이다.

성과물을 실전에 투입하게 된 것이 즐거운지, 시트리는 볼을 붉게 물들인 채 목소리가 들뜬 것 같았다.

"지맥에 설치함으로써 눈에 보이지 않는 마나 머티리얼을 휘저어서 흐르는 마나 머티리얼을 늘리거나 줄일 수 있죠! 아직 실험이 부족하긴 하지만, 실제로 보물전 한 곳을 바꿀 수도 있었고요. 이걸 활용하면 공간 차단의 결계 같은 건 아무런 상관도 없어요. 세계수로 흘러가는 마나 머티리얼을 크게 감소시켜서【근원의 신전】을 약화시킬 수 있을지도…… 아니, 약화시킬 수 있어요!"

"…………잠깐만. 이봐, 그건 범죄잖아, 입니다."

크류스의 말에 주위가 조용해졌다.

수많은 시선이 방긋방긋 웃고 있는 시트리에게 쏠렸다.

범죄, 범죄란 말이지··············· 그, 그렇긴 하네!

마나 머티리얼 조작은 그것에 대해 연구를 하기만 해도 제블디아에서 가장 무거운 죄인 10대 중죄에 해당되고, 다른 나라에서도 대부분 금지하고 있다. 리즈가 좀 전에 체포당하는 게 낫겠다고 말한 건 혹시———.

···········아니, 아니. 냉정하게 생각해보자. 시트리는 꽤 실수하지 않는 애이고, 연구 때문에 죄를 추궁당할 만한 애도 아니다. 아닐 것이다. 너무 큰 범죄가 될 만한 행동은 하지 않을 것 같은데····· 아마도. 그리고 만약 범죄에 해당되는 연구라 하더라도 그녀는 발이 넓고, 프림스 마도과학원을 비롯한 여러 기관과도 연줄이 있다. 분명 특별한 허가를 받아서 연구를 했겠지.

"자, 자, 크류스, 진정해. 시트리가 허가도 받지 않고 위법 연구를 했을 리가 없잖아. 애초에 아무리 시트리라도 그런 연구를 몰래 혼자서 하는 건 힘들었을 테고······."

"···········10대 중죄 위반이란 말이다, 입니다. 어디 사는 누가 그런 연구를 허가하겠냐고, 입니다."

그럴싸한 의견이네. 나도 상상이 잘 안 되긴 해.

크류스가 수상쩍은 것을 보는 듯한 표정으로 시트리를 보았다.

시트리는 자신만만하게 가슴을 펴고 말했다.

"그야 물론·········· 크라이 씨죠!"

?! 나한테 무슨 권한이 있다는 건데····· 그리고 허가 같은 걸

해준 기억도 없고.

크류스가 깜짝 놀란 듯이 나를 보았다.

시트리는 전혀 거짓말을 하는 듯한 낌새를 보이지 않았다. 보아하니 진심으로 내가 허가해주었다고 생각하는 것 같았다. 머리가 잘 돌아가고 기억력도 좋은 시트리가 그런 표정을 지으니 왠지 내가 잘못 생각하는 것 같다는 생각조차 들었다.

혹시 잊어버렸을 뿐이고 허가를 해줬었나?

"…………."

과거의 자신조차 믿지 못해 침묵한 나를 보고 크류스가 눈살을 찌푸리며 입을 열려 했다. 그때, 세렌이 끼어들었다.

"잠깐만 기다려 주세요. 지금은 법 같은 것을 신경 쓰고 있을 때가 아닙니다. 세계에 파멸의 위기가 닥쳐오고 있잖아요?!"

"……빨라도 100년 뒤지."

"맞아요! 겨우 100년밖에 안 남았습니다! 애초에 어느 정도 위험은 각오한 바이고요."

아니, 뭐, 그런 의도로 말한 건 아니지만………… 시트리의 계획을 진행하는 게 불가능해진다 해도 대안은 없다. 아크를 불러오면 공간 차단의 결계도 없애주려나?

세렌의 말에 감화된 건지, 《별의 성뢰》 멤버들이 제각각 맞장구를 쳤다.

"세렌 황녀 말이 맞다. 지금은 인간이 만든 규칙에 얽매일 때가 아니지."

"신이 나타나는 상황을 잠자코 보고만 있을 수는 없다. 인간에게도 피해가 생길 텐데?"

"그, 그건⋯⋯."

크류스는 말을 얼버무렸다. 그러자 숨통을 끊으려는 듯이 라피스가 이쪽을 보며 말했다.

"그리고⋯⋯ 흥. 무슨 걱정을 하는 거냐, 크류스. 이 남자는 온갖 사건에 고개를 들이밀어서 전부 해결해낸 《천변만화》잖나? 네 놈이 우리에게 말했지, 이 남자는 신뢰할 만한 가치가 있다고."

"뭐어?! 그, 그런 말은 안 했다, 입니다!"

크류스가 이상한 목소리를 내며 나를 보았다. 그녀는 정말로 경계심이라는 걸 좀 가질 필요가 있을 것 같다. 지독한 일에 휘말리게 만든 기억밖에 없는데⋯⋯.

사실대로 말하자면 나는 자기 자신을 믿지 못하고 있지만, 그렇게까지 말해주니 그 신뢰에 부응할 수 있게끔 최선을 다할 수밖에 없다. 어찌 됐든 선택지가 없으니까.

나는 어깨를 살짝 으쓱인 다음, 미소를 지으며 조용히 기다리고 있던 소꿉친구에게 말했다.

"보아하니 이야기는 정리된 모양이야. 시트리, 설명을 부탁할게."

"네. 맡겨만 주세요! 크류스 씨도 걱정하실 필요는 없어요. 이론상으로는 분명히 잘 될 거니까요. 장치를 준비해두진 않았으니 만드는 단계부터 시작해야 하겠지만, 제조 방법도 제 머릿속에 확실하게 들어있으니까요! 간단하진 않지만요!"

이론상으로는, 말이지. 만드는 단계부터⋯⋯ 왠지 갈 길이 멀어 보이네.

반짝반짝 빛나는 눈으로 주먹을 꽉 쥐며 딱 잘라 말하는 시트리.

범죄라는 이야기에 약간 제정신으로 돌아온 내게 리즈가 속삭였다.

"크라이, 왠지 이상한 스위치가 켜져버린 것 같은데, 괜찮을까?"

이번 시트리는 글러먹은 시트리일까, 괜찮은 시트리일까, 판단하기 힘드네.

그리하여 마나 머티리얼 교반장치를 이용한 지맥 약화 작전이 시작되었다.

"시간이 좀 걸리긴 하지만, 신을 상대하는 것보다는 훨씬 편할 거예요."

그렇게 말한 다음 시트리가 제시한 작전은 단순명쾌했다.

이 별을 맴도는 지맥의 중심——— 세계수. 지나치게 축적된 마나 머티리얼로 인해 나타난 추정 레벨 10 보물전【근원의 신전】은 지맥을 통해 흘러드는 막대한 힘으로 인해 유지되고 있다.

보물전은 유지에도 힘이 필요하기 때문에 흘러드는 마나 머티리얼의 양만 어떻게든 하면 보물전이 서서히 힘을 잃게 되고, 최종적으로는 소실된다. 그것은 극히 드문 현상이긴 하지만, 대규모 지각 변동 등으로 인해 지맥의 위치가 바뀔 경우에 실제로 발생하는 현상이기도 했다.

"지금까지 연구를 통해 보물전에 대해 알아낸 게 있어요. 강력한 보물전일수록 마나 머티리얼 공급이 지체되었을 때 소멸하는 속도가 빠르죠. 게다가!! 보물전에 마나 머티리얼 공급이 사라졌을 때, 보물전은 팬텀을 마나 머티리얼로 되돌려서 자리를 유지하려는 경향이 있어요. 【근원의 신전】은 지금 시점에서도 꽤 오랫동안 마나 머티리얼을 축적했겠지만, 그래도 흘러드는 마나 머티리얼만 끊을 수 있다면 팬텀이나 강력한 결계도 금방 유지할 수 없게 될 거예요. 이론상으로는! 그렇죠? 크라이 씨?"

"응, 그래. 이론상으로는 그렇지."

"으음……."

'이론상으로는'이라고 연달아 말하는 시트리를 보고 안셈이 왠지 불안한 듯이 목소리를 냈다.

왠지 몰라도 시트리가 흥분하는 정도에 비례해서 세렌의 표정이 불안해지는 것 같은데, 다른 묘안도 없다. 시트리의 제안을 부정하려면 대안을 제시하라고(자포자기).

"제가 소속되어 있던 연구소에서 개발한 마나 머티리얼 교반장치는 지맥에 흐르는 마나 머티리얼에 작용해서 원래는 지각 변동으로만 발생하는 지맥의 변화를 재현해요. 이 작전에는 단계가 두 개 있습니다. 제1단계에서 해야만 하는 게 장치의 제작과 현지 조사예요."

제1단계라, 갈 길이 먼 것 같네. 다들 힘내라고!

"장치는 적당히 설치해봤자 의미가 없죠…… 아니, 역효과가 생길 가능성도 있어요. 장치를 설치할 곳은 제가 계산하겠지만, 장소를 적절하게 이끌어 내려면 【근원의 신전】 주변의 현지 조사를 통해 대지에 흐르는 힘의 양이나 지맥의 구조를 알 필요가 있거든요."

팬텀이 우글거리는 숲을 조사해야만 하는 건가…… 간단하진 않을 것 같네.

세렌이 세계수를 중심으로 한 주변 지도를 가지고 왔다.

세계수가 존재하는 곳은 대수해의 한복판이다. 마나 머티리얼도 그에 맞게 진하고, 시야도 안 좋다. 마수나 환수도 나타날 것이다. 아무리 정령인이 숲의 탐색에 익숙하다고 하더라도 한도라는 게 있다.

전력도 《비탄의 망령》과 《별의 성뢰》뿐. 출발하기 전에는 든든한 줄 알았지. 어째서 다들 강해지고 있을 텐데 항상 헌팅이 힘들기만 한 건지 이해가 안 된다.

"팀을 나누도록 하죠. 현지 조사를 맡을 팀과 장치를 제조할 팀. 장치 제조는 저만 할 수 있으니 저와 저를 보조해줬으면 하는 루시아는 제조 팀이에요. 현지 조사는 범위가 넓고 위험하니 최대한 그쪽에 전력을 할당해야겠죠."

그 말을 들은 라피스가 동료들을 힐끔 보고는 지도를 내려다보았다.

세계수는 정말 컸다. 어느 정도 범위를 조사할지는 모르겠지만, 환수, 마수에게 대처하며 돌아다니기만 해도 고생 좀 할 것 같다.

"그렇다면 다른 멤버들은 조사를 맡는 건가? 그래도…… 이 정도 범위를 조사하기에는 일손이 부족하군."

"애초에 대지에 흐르는 힘을 계측한다는 게 어떤 느낌인데? 대충 힘이 강한 곳 정도는 알아볼 수 있을지도 모르겠지만, 정확한 정보가 필요한 거잖아? 나나 티는 그러기 힘들 것 같은데?"

"아니…… 우리 정령인들도 힘들다. 우리는 마력을 볼 수 있긴 하지만, 마나 머티리얼을 볼 수 있는 건 아니니까."

"그렇게까지 세밀한 수치는 필요하지 않지만—— 음…… 어디 근처에 두꺼운 지맥이 존재하는지 정도는 필요하겠네요."

"마물은 어떻게 하지? 입니다. 아무리 그래도 이렇게까지 마나 머티리얼이 진한 곳이면 나타나는 마물의 힘도 장난이 아닐 텐데, 입니다."

완전히 장식이 되어버린 내 앞에서 저마다 논쟁을 벌이기 시작한 시트리와 다른 사람들.

곧바로 과제가 생긴 모양이긴 하지만, 좀 전 같은 약간 답답한 분위기는 사라졌다.

토론을 거듭하다 보면 해결책도 찾아낼 수 있을 것이다. 동료가 뛰어난 사람들이라 정말 다행이다.

뭐, 그렇게 나눈다면 나는…… 제조 팀이려나. 전투력도 없고, 마나 머티리얼의 흐름을 보는 눈을 지니고 있는 것도 아니고, 애초에 꽤 방향치다. 이렇게까지 조사에 적성이 없는 헌터는 거의 없을 것 같다. 제조 팀에서 할 수 있는 것도 응원 정도밖에 없겠지만.

나는 마침 화장실에 가고 싶어져서 일어섰다.

이야기를 나누는 도중에 미안하지만, 어차피 토론에 참가하지도 않았으니 나는 없어도 될 것 같다.

"미안, 잠깐 나갔다 올게. 금방 돌아올 테니까."

곧바로 방을 나선 뒤에 화장실로 향했다.

화장실은 현관 바로 옆이다. 이미 유그드라에 온 뒤로 이 저택에는 몇 번이나 왔었다.

큰 나무 위에 지어진 세렌의 저택은 제도의 귀족 저택처럼 넓진 않다. 콧노래를 흥얼거리며 화장실에 도착해서 문에 손을 대려던 순간, 갑자기 현관문이 세차게 열렸다.

"오래 기다리게 한 모양이군, 《천변만화》."

소리가 너무 커서 나도 모르게 굳은 뒤에 천천히 그쪽을 보았다.

그곳에 있었던 것은 본 적이 있는, 그리고 두 번 다시 보고 싶지 않은 사람들이었다.

모두 합쳐서 세 명. 선두에 선 건 야성미가 넘치는 외모의 여자였다.

등에 멘 칠흑의 창. 날카로운 두 눈과 입술에 바른 검은색 립스틱.

1주일 전, 갑자기 【근원의 신전】에 나타나서 팬텀의 군세와 싸우나 싶더니 어느새 사라졌던 범죄자——— 애들러가 두 눈을 가늘게 뜨며 씨익 웃고는 손거울 같은 물건을 들어 올리며 큰 소리로 외쳤다.

"후후…… 기뻐하라고. 당신을 내 스승으로 삼아주지!"

트레저 헌터라는 직업에 '절대'는 없다.

라피스 일행, 《별의 성뢰》가 고향 숲을 떠나 헌터가 된 이후로 시간이 꽤 지났다.

헌터가 하는 일은 미지와의 조우의 연속이다. 레벨이 낮은 보물전이라면 힘으로 밀어붙일 수도 있겠지만, 레벨이 높아지면 팬텀의 힘이나 기믹 같은 것도 단순하지 않다.

레벨이 높은 헌터에게 가장 필요한 힘은——— 대처 능력. 어떻게 해볼 수 없는 사태에 처했을 때, 그 헌터의 진가가 시험받는 것이다.

그런 의미에서 이번에 유그드라에 온 자들은 틀림없이 일류다. 제도에서 젊은 헌터들 중 최강 파티 중 하나로 알려진 《비탄의 망령》은 당연하고, 라피스 일행인 《별의 성뢰》도 인간 세계에서 수많은 의뢰를 수행해왔다는 자부심이 있다.

하지만 지금은 먼 옛날부터 유그드라에 전해져 내려왔다는 지도를 앞두고 모두가 굳은 표정을 짓고 있다.

지도는 세계수를 중심으로 유그드라를 포함한 주변을 나타내고 있다. 대략적인 지도 같지만, 그것만으로도 세계수의 크기와 필요한 조사 범위가 얼마나 드넓은지 알 수 있었다.

시트리가 제안한 작전은 단순하지만, 넘어야만 하는 허들이 몇 가지 있었다.

강대한 환수, 마수가 수없이 우글거린다는 것과 우리를 경계하고 있을 팬텀의 존재도 문제지만, 제일 먼저 해결해야만 하는 것은———.

"흥………… 골치 아픈 문제로군. 지맥을 알아보는 건 우리도 힘들다."

"세렌 씨는 한 분밖에 안 계시니까요……."

시트리가 세렌을 힐끗 보고는 곤란하다는 듯이 눈살을 찌푸리며 말했다.

첫 번째 문제. 그것은 지맥의 상태를 파악할 수 있는 멤버가 부족하다는 점이다.

그 멤버는 세계수 주변에 서식하고 있는 환수, 마수의 습격을 헤쳐나갈 수 있을 만한 실력을 지니며 지맥과 그곳에 흐르는 마나 머티리얼의 양을 판단할 수 있어야만 한다.

전자는 그렇다 치더라도 후자 쪽 스킬을 지니고 있는 건 이 안에서 유그드라의 황족으로서 특수한 눈을 지닌 세렌뿐이다.

정령인도 마력을 볼 수 있는 눈을 지니고 있긴 하지만, 대상이 마나 머티리얼일 경우에는 이야기가 달라진다.

마나 머티리얼은 마력의 근원이나 마력 그 자체는 아니다. 시간을 투자하면 마력의 양을 통해서도 지맥을 알아낼 수 있을지도 모르겠지만, 강력한 마수가 만연한 숲에서 느긋하게 확인할 시간은 없을 것이다.

아무리 인원이 많다 해도 파악할 수 있는 힘을 지닌 자가 없다면 결국 세렌이 숲속을 뛰어다니며 눈으로 직접 지맥을 확인해야 한다. 현실적이지 못한 방법이다.

애초에 시트리는 어떻게 그 문제를 해결할 생각으로 그런 계획을 제안한 거지?

시트리는 라피스의 의문을 꿰뚫어 본 듯이 말했다.

"사실…… 유그드라에 그쪽 정보가 있으면 좋겠다고 생각했는데요…… 마나 머티리얼 관련 기술은 유그드라 쪽이 더 뛰어날 것 같고, 신수 미로의 술식을 만드는 데도 필요한 정보였을 테니까요."

시트리의 시선을 느낀 세렌이 한숨을 쉬었다.

"500년 전 정보라면…… 있긴 합니다. 하지만, 세계수 주변은 지맥이 밀집되어 있기 때문에 힘의 흐름이 자주 바뀌니까요."

"힘의 흐름이 바뀐다………… 그렇다면 조사에 시간을 길게 투자할 수는 없겠네요."

"음………… 내가 업고 뛸까?"

"?! 마, 말도 안 되는 소리 하지 마라, 입니다! 애초에 리즈가 온 힘을 다해 뛰면 세렌이 산산조각 나버리잖아, 입니다!"

"세계수 주변은 매우 위험해. 아무리 《절영》이라 하더라도 사람을 업고 뛰는 건 현실적인 방법이 아니야."

말도 안 되는 제안을 한 리즈에게 크류스가 태클을 걸고, 엘리자가 나무랐다.

라피스 일행도 유그드라에 올 때 준비를 하고 왔지만 그래도 이런 상황이 될 줄은 상상도 하지 못했다.

그리고 물론, 연금술사(알케미스트)로서 이름난 시트리도 이런 상황까지는 예상하지 못했을 것이다.

시트리가 한숨을 크게 쉬고는 어쩔 수 없다는 듯이 말했다.

"주변의 지맥을 전부 조사하는 건 힘들 것 같네요. 그러면 세렌

씨 혼자서 얼만큼 정확하게 조사할 수 있을지? ———조사 정확
도가 높으면 높을수록 적절한 곳에 장치를 설치할 수 있는데요."

"…………그리고 보니 장치를 적절한 곳에 설치하지 않으면 어
떻게 되는 거냐, 입니다."

"……뭐, 이런저런 가정을 해볼 수 있겠지만——— 최악의 가
능성으로는 세계수에 마나 머티리얼이 축적되는 속도가 빨라질
수도 있겠죠?"

생각지도 못한 대답에 동료들이 깜짝 놀랐다.

신이 나타나는 시기를 앞당기는 건 주객전도다.

조금이라도 조사 정확도를 높이기 위해 다들 각각 의견을 제시
했다.

"하늘에서 확인하는 건 어떨까요? 카 군——— 마스터의 플라
잉 카펫(하늘을 나는 융단)도 있으니까요."

"으음……."

"힘들 거다. 주위는 숲이니 나무들에 가려져서 하늘 위에서는
땅바닥을 볼 수가 없다. 그리고 하늘에서 확인하게 되면 눈에 띄
겠지. 지상에서 공격하기 딱 좋은 표적이다."

"……아예 숲을 전부 태워버릴까요?"

"?! 루시아 양, 노, 농담하지 마라, 입니다."

"수, 숲을 태우겠다니, 무슨 그런 말씀을…………."

작전도 아닌 수준의 제안에 세렌이 야만스러운 존재를 보는 듯
한 눈빛으로 루시아를 보았다. 그녀 말고도 크루스를 포함한 동
료들의 시선을 통해 자신이 얼마나 비상식적인 말을 한 건지 눈

치챈 듯, 루시아가 부끄러워하며 볼을 붉혔다.

어쩌면 루시아는 라피스가 생각하는 만큼 이성적이지 못한 걸지도 모른다.

시트리가 숨을 살짝 내쉬고는 말했다.

"애초에 숲을 태우려 하면 보물전의 팬텀들이 우리 쪽 동향을 눈치채고 뭔가 움직임을 보일지도 모르니까요………… 그리 현명한 행동이라 할 순 없겠네요."

"…………크윽."

다양한 의견이 나왔지만, 라피스가 보기에도 결정적이지 못했다.

그리고 이건 아직 작전의 최초 단계. 확실히 난감한 작전이다.

지금은 세렌 혼자서 어떻게 지맥을 조사할 것인지에 대해 초점을 맞추고 있지만, 애초에【근원의 신전】주위를 돌아다니는 것만으로도 매우 위험하다. 도적(시프)만이라면 돌아다닐 수 있을지도 모르겠지만 인원이 늘어나면 은밀 행동이 힘들어진다. 호위에 전력을 얼마나 할당해야 할지도 모호하다.

이건 지혜나 책략으로 어떻게 해볼 만한 문제가 아니다. 근본적인 문제인 것이다.

그때, 티노가 주위를 두리번거리며 손을 들었다.

"저기…… 마스터가 오시고 나서 다시 의논하는 건 어떨까요?"

"티…… 지금 그 말을 하면 안 돼! 그리고 크라이 씨의 사고를 쫓아가는 것도 공부가 되니까!"

"크라이에게만 의존하다가는 머리가 둔해지잖아!!"

"?! 죄, 죄송합니다, 언니⋯⋯."

시트리와 리즈가 질책하자 티노가 몸을 움츠렸다.

이런 상황에서 진가를 발휘하는 그 남자는 잠깐 나간다며 방을 나선 뒤 아직 돌아오지 않았다. 시트리에게 설명을 맡긴 뒤로 계속 입을 다물고 있었으니, 여전히 무슨 생각을 하는 건지 알 수가 없다. 하지만, 애초에 이 작전도 《천변만화》가 뭔가 손을 써둔 게 틀림없다. 그렇다면 이 문제에 대해서도 파악하고 있을 것이다.

《천변만화》에 대해 가장 잘 알고 있을 것 같은 여동생, 루시아가 눈살을 찌푸리며 말했다.

"⋯⋯⋯⋯하긴, 이번에 리더는 평소보다 보구를 많이 가지고 왔으니 이런 상황을 어떻게든 해결할 수 있을지도 모르겠네요."

"⋯⋯약한 인간은 묘한 보구를 잔뜩 가지고 있으니까, 입니다. 황제를 호위할 때도 보구를 자랑하곤 했고."

"보구 정도로 이 상황을 타개할 수 있을 것 같진 않다만⋯⋯ 흥. 보구 콜렉터⋯⋯ 여러 보구를 조합하면 해결할 수 있는 건가?"

일반인도 마나 머티리얼을 볼 수 있게 만들어주는 보구나, 원거리에서 마음대로 지맥의 상황을 확인할 수 있는 보구처럼 형편 좋은 보구가 있다면 이 상황을 해결할 수 있을지도 모른다.

라피스가 아는 한, 그런 보구는 존재하지 않지만———.

그렇게 생각하고 있자니 마침 《천변만화》가 돌아왔다.

여전히 패기가 없어 보여서 신기한 분위기다. 모두의 시선이 일제히 그쪽으로 쏠리자 《천변만화》가 움찔거리며 눈썹을 움직였다.

시트리가 손을 마주 모으며 물었다.

"어서 오세요, 크라이 씨. 볼일은 어떤 거였나요?"

시트리가 묻자 《천변만화》가 한숨을 크게 쉬고는 어깨를 으쓱이며 말했다.

"음…… 화장실. 다녀오는 김에 제자?를 데리고 왔어."

"?! 네? 제자??"

무슨 소릴 하는 거야? 이 인간이.

깜짝 놀라 방금 들은 이야기의 의미를 생각하는 라피스. 그리고 《천변만화》의 뒤에서 예상하지 못했던 모습이 나타났다.

"그래, 그래, 실례 좀 하자고. 재미있는 일을 하려는 모양이잖아."

"?! 뭐어?! 크라이, 어떻게 된 거야아?!"

리즈가 날카로운 목소리로 말했다.

《천변만화》 뒤에서 당당하게 들어온 것은 유그드라에 오던 도중에 여러 번 교전했던 《천귀야행》이었다.

선두에 서 있던 사람은 거대한 고대종 지네를 조종하며 '마왕'이라 자칭하던 리더, 애들러 디즈라드. 그 뒤에는 리즈에게 기절당했던 남자와 하얀 로브를 입고 마도사 비슷한 차림새를 한 소녀가 있었다.

저번에는 환수와 마수들도 잔뜩 데리고 다녔는데, 지금은 인간밖에 없다.

마물들이 없어도 상당한 힘이 느껴지긴 하지만, 지금이라면 라피스 일행이라도 그들을 붙잡을 수 있을 것이다. 그들의 강점은 거느리고 있는 군세이고, 라피스 일행은 스스로 싸우는 헌터니까.

하지만 그 사실은 《천귀야행》 멤버들도 알고 있겠지.

《별의 성뢰》 동료들이 일어서서 방심하지 않고 자세를 취했다. 일촉즉발의 분위기가 흐르자 세렌이 심호흡을 한 번 크게 하고는 《천변만화》를 바라보며 말했다.

"……설명, 부탁드릴 수 있을까요."

"그래. 이 사람들은 여기로 오던 도중에 여러 번 습격해왔던 범죄자———《천귀야행》 여러분이야. 뭐가 뭔지 잘 모르겠지만, 제자로 삼아달라고 해서 말이지. 그럭저럭 강하니까 도움은 될 거야."

"크크크…… 그럭저럭, 강하다고? 그럭저럭? 말재주가 좋군 그래."

애들러가 목소리를 억누르며 웃었다. 하지만 눈이 웃고 있지 않다.

뭐가 뭔지 모르는 건 라피스 일행 쪽이었다. 《천변만화》가 방에서 나간 지 20분밖에 지나지 않았다. 어떻게 겨우 20분 만에 《천귀야행》 멤버들을 제자로 삼아서 데리고 올 수 있었을까?

"?! 오빠?! 제자로 삼아달라고 해서 제자로 삼아버린 건가요?!"

"아니………… 현관에서 딱 마주쳐서 제자로 삼아달라며 다그치면 제자로 삼을 수밖에 없잖아? …………무섭기도 하고."

"이, 이해가 잘 안 돼요, 마스터어……."

배포가 크다거나 그런 수준이 아니다. 《천귀야행》은 범죄자다. 언제 배신할지 모르는 범죄자를 제자로 삼다니, 굳이 생각해보지 않아도 위험한 행동이다.

게다가 무섭다고? 무섭다고? 레벨 8이고, 그렇게 많던 팬텀의 군세를 상처 하나 입지 않고 해치운 헌터가, 무섭다고?

애들러는 씨익, 사나운 미소를 짓고는 적에게 둘러싸인 상황 같지 않게 느릿느릿 테이블 앞으로 나섰다. 또렷한 목소리에는 분명 일종의 카리스마가 있었다.

"들었어, 이제 곧 신의 팬텀에게 도전한다면서? 그 작전, 우리도 끼워달라고."

"…………목적이 뭐죠?"

시트리가 그럴싸한 질문을 던졌다.

영문을 알 수가 없다. 신의 팬텀의 힘은 싸우는 자라면 모두가 알고 있을 것이다. 그런 존재에게 맞서는 게 얼마나 무모한 행동인지도.

《천변만화》는 레벨 8이지만, 신과 정면으로 맞서 싸워서 쓰러뜨리는 건 힘들 것이다. 라피스 일행이 싸웠던 애들러가 이끄는 군세도 숫자와 질, 양쪽 모두 무시무시했지만 그럼에도 불구하고 아마 부족하겠지.

하지만, 애들러의 표정에는 공포가 없었다.

무모함 때문일까, 아니면 뭔가 승산이라도 있는 걸까――― 시트리가 묻자 애들러가 입술을 낼름 핥으며 말했다.

"신의 팬텀은 내가 갖겠어…………라고 하고 싶지만, 이번에는

《천변만화》에게 양보하지. 우리는 그 전투 양상을 지켜보기만 해도 된다."

"…………약한 인간, 너, 이상한 녀석들하고만 엮이는구나, 입니다."

"엮인 게 아니라 저쪽에서 먼저 다가온 거라고………… 아니, 이상한 녀석이 또 있었나?"

"케챠가 있잖아, 입니다."

"아핫…… 크라히 씨도 있어요, 크라이 씨."

"……뭐라고 따질 수도 없네. 그래도 협력해준다니까 거절할 이유는 없잖아."

실내에 침묵이 가득 찼다. 지금, 모두의 마음은 아마 '아니, 거절할 이유는 있지'로 일치되었을 것이다.

상대방은 지극히 위험한 범죄자다. 애초에 어떤 교섭을 해야 한번 철저하게 공격해서 물리친 범죄자를 동료로 끌어들일 수 있는지 모르겠지만———.

세렌을 구해낸 이후로 《천변만화》에게 꽤 부담을 느끼고 있는 것 같은 아스톨이 감정을 억누른 듯한 목소리로 말했다.

"하, 하지만………… 이자들이 이끌던 군세가 있다면 전력 문제는 해결되는 건가?"

"흥…… 공교롭게도 군세는 거의 전멸했어. 유덴——— 성식지네도 회복되려면 시간이 좀 걸리고. 보충하려 해도 그런 군세를 다시 만들려면 고생 좀 하겠지."

"?! 그, 그런가………."

무슨 일이 있었는지는 모르겠지만, 여기까지 오던 도중에 치열한 전투를 벌이기라도 했나?

범죄자의 전력이 줄어들었다는 건 좋은 소식이라 해야 하겠지. 그래도, 애초에 마물 군세가 없는 애들러 일행이 뭘 할 수 있다는 거지?

그런 분위기에 애들러 뒤를 따라온 하얀 소녀의 표정이 굳었다.

보아하니 이상한 건 리더뿐인 것 같았다.

애들러는 싸늘해진 분위기를 무시하며 테이블 위에 있던 지도를 내려다보고는 흥미롭다는 듯이 고개를 끄덕였다.

"그렇군…… 여기 중심이 세계수——— 우노가 말했던 '신수 미로'에 흘러 들어가고 있는 힘의 근원인가? 설마 전설을 보게 되는 날이 올 줄이야———."

……그건 그렇고 이 인간, 대체 어떻게 여기까지 왔지?

신수 미로라는 단어 자체가 정령인 이외에는 알려지지 않았을 것이다. 그리고 알고 있다 하더라도 길잡이가 없으면 길로 들어오지 못할 텐데———. 아니, 그렇구나.

신수 미로에 들어오기 전에 생겼던 문제가 생각났다. 《천변만화》가 누군가에게 줘버린 길잡이다.

일부러 유그드라로 불러들인 건가? 하지만 무슨 이유로?

이해하기 힘든 상황에 눈살을 찌푸리고 있던 라피스 앞에서 애들러가 손거울 같은 물건을 꺼내고는 크게 소리쳤다.

"어디, 어디, 한번 보여줄까. '현인경'——— 세계수 최심부에 있는 신의 모습을 비추어라!"

"?!"

애들러가 들어 올린 척 보기에도 낡은 거울이 빛을 내뿜었다. 거울 표면이 흐려지고 영상이 떠올랐다.

"이건, 미처 짐작할 수가 없죠………… 크라이 씨."

시트리가 조용히 중얼거렸다. 하지만 나는 완전히 애들러가 가지고 있던 거울에 시선이 사로잡혀 버렸다.

거울이 비추기 시작한 것은 칠흑의 제단이었다. 보고 있자니 가슴이 어수선해지는 듯한, 기묘한 장식이 전면에 새겨진 사악한 제단. 주위에는 가면을 쓴 팬텀들이 수없이 많았고, 제단 위에는 검은 안개 같은 게 휘몰아치고 있었다.

라피스가 깜짝 놀라며 거울을 바라보고 말했다.

"이건………… 설마. 세계수——— 【근원의 신전】의 최심부인가?"

"'현인경'은 소유자가 원하는 걸 보여주지."

애들러가 아무렇지도 않다는 듯이 말했다.

사용자가 원하는 것을 보여주는 거울.

뭔가 제한이 있긴 하겠지만, 그 성능이 사실이라면 가치를 매길 수조차 없는 물건이다. 상인도, 기사단도, 헌터들도, 모든 사람들이 그것을 욕심내며 피비린내 나는 싸움을 벌일 게 틀림없다.

유용성으로 따지면 도시조차 집어삼키는 저장 용량을 자랑하는 보물상자형 매직 백(시공 가방), 미믹 군에 필적하겠지. 요즘 시대에는 강력한 보구와의 만남이 영웅의 자질이라고도 한다. 마물을 복종시키는 것만으로도 무시무시한 능력인데, 그렇게 강력한 보구까지 가지고 있을 줄이야―――.

애들러가 제자로 들어온 건 반쯤 억지였다. 동료가 없는 상황에서 《비탄의 망령》으로부터 무사히 도망칠 정도로 무시무시한 범죄자에게 협박당했기에 받아들일 수밖에 없었는데, 설마 마물 군세 말고도 이런 비장의 수가 있었다니…….

"우노, 어때?"

애들러가 뒤에 서 있던 동료 소녀에게 말을 걸었다.

제자로 받아줬으면 한다는 이야기를 들었을 때, 멤버들이 자기소개를 했었다.

우노. 성령술사 우노 실버. 고도의 변장으로 내게서 길잡이를 가로챈 그 소녀는 눈을 한껏 크게 뜨고는 홀린 듯이 거울을 보고 있었다. 희미하고 신기한 빛이 보이는 눈이다.

그 자그마한 입술에서 떨리는 목소리가 새어 나왔다.

"엄청난 마나 머티리얼이――― 거센 힘의 물결이 보여요. 무시무시한――― 이렇게 강력한 마나 머티리얼의 수렴은 지금까지 본 적도 없어요."

"!! 인간…… 마나 머티리얼이 보이나?"

"우노의 눈은 특제거든."

"원격 시야와 마나 머티리얼을 볼 수 있는 눈…… 부족했던 것이………… 갖춰졌네요."

시트리가 조용히 중얼거렸다. 잘 모르겠지만, 애들러 일행을 받아들인 게 정답이었던 모양이다.

뭐, 신전형 보물전에 도전하려는 거니까 멤버는 많을수록 좋다. 그게 범죄자인 게 문제이긴 하지만………… 뭐 그건 나중에 생각하도록 하고.

그리고 나는 애들러 뒤에 서 있던 마지막 한 사람을 보았다. 나와 나이가 비슷한 것 같은 흑발 청년이다. 키도 나와 비슷하지만, 눈매가 날카롭고 몸도 다부지다.

《천귀야행》 중 한 명, 장군, 퀸트 겐트. 처음 싸웠을 때 리즈가 쓰러뜨렸다는 검사(소드맨)일 것이다.

나는 살짝 헛기침을 하고는 입을 다물고 있던 퀸트에게 말을 걸었다.

"그래서, 너는 뭘 할 수 있어?"

"시………… 시끄러워."

아, 네. 죄송합니다.

이쪽을 노려보며 나를 밀쳐내고 애들러 옆에 선 퀸트. 아무래도 그는 아무것도 할 수 없는 모양이다.

뭐라고 하진 않을게…… 나도 마찬가지니까. 하지만, 마찬가지라 해도 리즈가 보기에는 퀸트도 나름대로 실력 있는 검사인 모양이다. 나와는 다르다.

【근원의 신전】에서 그 팬텀 무리와 싸웠는데도 이렇게 살아남은 걸 보니 실력은 확실할 것이다. 루크가 있었다면 신이 나서 베려 했을 텐데………… 없어서 다행이네.

나중에 벌어질 전투 때 활약하는 걸 기대해야지.

그런데 거기 서면 거울이 안 보인다고……. 말을 꺼낼 분위기가 아니구나.

뭐, 내가 봐도 아무것도 모를 테니 상관없겠지. 나는 자조하는 미소를 지으며 살짝 한숨을 쉬었다.

아래쪽을 내려다본 순간, 애들러가 살짝 신음 소리를 냈다.

"윽?! 이, 이건———?!"

———그것은 한눈을 팔고 있던 나도 확실하게 알 수 있는 변화였다.

모두의 표정이 바뀌었다. 정체를 알 수 없는 압박감이 실내를 침범했다. 거울 주위에 모여서 들여다보고 있던 라피스 일행이 경계하듯 뒤로 물러났다. 그리고, 쩌적. 작은 소리가 들렸다.

거울에서 뿜어져 나오던 빛이 사라졌다. 얼어붙었던 분위기가 원래대로 돌아갔다.

우노가 비틀거리다가 무릎을 꿇었다. 애들러가 거울을 탁자 위에 거칠게 내려놓았다.

애들러의 얼굴이 새파랗게 질린 상태였다. 크게 벌어진 동공.

목소리를 내고 나서 겨우 몇 초밖에 지나지 않았는데도 온몸이 식은땀으로 축축해졌다.

대체 무슨 일이 일어난 거지?

상황을 전혀 이해할 수 없어서 눈을 깜빡이고 있던 내게 애들러가 약간 떨리는 목소리로 말했다.

"큰일이네………… 눈이 마주쳤어. 보여버렸다고. 설마 현인경의 원격 시야를 눈치채다니………… 아니, 그게 아니야. 어설펐어. 어떻게 했는지는 모르겠지만, 인간도——— 이 남자도 할 수 있었으니까. 신이라는 녀석이 그러지 못할 리는 없는 건가."

테이블 위에 놓아둔 거울에는 커다란 금이 가 있었다. 좀 전까지는 낡긴 했어도 흠집은 없었는데, 대체 어느새———.

"윽………… 그게, 우리의 적, 인가. 적의는 없었다만——— 흥."

"와, 완전하게, 나타나기 전에, 의식이 있다니———."

항상 여유로운 태도를 보이는 라피스도 땀 때문에 앞머리가 이마에 달라붙어 있었다. 세렌은 그렇지 않아도 쓰러질 듯한 모습이었는데, 당장에라도 죽을 것 같은 표정이다.

그제야 대충 상황을 파악했다.

신에게 보여버린 건가. 고레벨 보물전을 여럿 공략하고 지금까지 몇 번이나 생명의 위기를 헤쳐온 리즈 일행의 표정도 지금까지보다 더 심각했다. 아무래도 거울을 보지 않았던 건 나뿐인 것 같다.

안 봐서 다행이긴 한데, 왠지 나 혼자 뒤처진 듯한 기분이네.

모두가 말문을 잃었다. 잠시 기다렸지만 아무도 입을 열 낌새를 보이지 않았다.

어쩔 수 없이 살짝 헛기침을 하고는 입을 열었다.

"뭐라고 해야 하나…… 꽤 대단했지."

"야, 약한 인간, 너, 그걸 보고도 그런 감상이 나오냐?! 입니다. 평소하고 표정이 전혀 달라지지 않았다고, 입니다!"

"어……?"

말투는 평소와 크게 다르지 않지만, 크류스도 확실하게 초췌해진 상태였다. 호흡도 흐트러졌고 왠지 볼도 여위어 보였다. 【길 잃은 여관】에 갔을 때와 비슷한 반응이다.

루시아가 쥐어 짜내는 듯한 목소리로 말했다.

"정신 오염 계열 공격과 비슷하네요. 이 정도로 끝난 게 다행이 겠죠. 만약에 그걸 당한 게 일반인이었다면…… 제정신을 유지하지 못했을 거예요."

"…………제가 생각했던 것 이상이네요. 완전히 인식당했어요. 이미 늦긴 했지만, 그 거울로 신을 보지 않는 게 좋겠네요………… 어떻게 하실 건가요? 크라이 씨."

크게 심호흡을 하며 마음을 가라앉히려 하고 있는 시트리.

그녀는 유능하지만, 전투 능력으로 따지면《비탄의 망령》중에서는 약한 편이다. 그렇기 때문에 상황을 파악하는 능력이 뛰어나다.《비탄의 망령》의 브레인은 겉치레가 아니다.

시선이 이쪽으로 쏠렸다. 새삼 관찰해보니 모두가 비슷한 상태였다.

안셈만은 갑옷 때문에 알아볼 수가 없지만, 보구 너머로 보인 (?) 것만으로도 고레벨 헌터들이 이렇게까지 큰 영향을 받다니――― 왠지 진짜, 나만 제대로 거울을 보지 않아서 미안해. 그렇지…… 보통은 한눈을 팔진 않지…….

금이 간 거울에 손을 대고 들어 올렸다. 균열이 생긴 거울 표면은 내 어쩡쩡한 얼굴을 조용히 비추고 있었다.

보구는 마나 머티리얼로 이루어진 과거의 재현이며, 이 세계의 물질이 아니다. 튼튼해서 부서지는 경우는 거의 없지만, 만약 힘을 잃을 정도로 파괴될 경우에는 흔적도 없이 사라지게 된다.

처음 들어본 보구지만 이 현인경이라는 것도 마찬가지일 것이다. 금이 간 정도로 끝난 게 불행 중 다행이겠지.

대체 어디서 손에 넣었을까. 무슨 시대의 보구일까. 보구 콜렉터로서 미지의 보구에는 흥미가 있다. 부디 나중에 이런저런 이야기를 해줬으면 좋겠다.

고개를 크게 끄덕이고는 미소를 지으며 시트리를 보았다.

"좋아, 아직 써먹을 수 있겠네. 시트리, 작전 다음 단계는?"

내가 그렇게 말하자 시트리가 한순간 눈을 크게 뜬 다음에 눈을 내리깔며 대답했다.

"……그렇죠. 어쩌면…… 이번에는 저보다 크라이 씨께서 지휘를 맡으시는 게 나을지도 모르겠어요. 제 추측이 맞다면 그 신의 팬텀은 이미 힘을 꽤 되찾은 상태일 거예요. 적어도 의식이…… 지성이 있죠. 저로서는 역부족일지도―――."

연금술사로서 대성하고 난 뒤에는 좀처럼 보여주지 않게 된 시트리의 연약한 표정을 보고 눈을 동그랗게 떴다.

그렇게 자신만만하게 시험해 보고 싶은 게 있다고 했는데, 거울 너머로 본 신이라는 녀석이 그런 것조차 능가할 정도로 충격적이었나?

하지만, 내게 지휘를 맡기는 건 자살이나 마찬가지다.

시트리의 작전으로 역부족일지도 모르는 상대를 내 지휘로 어떻게 해볼 수 있을 리가 없다.

시트리가 어떻게든 지휘를 맡아줘야 하는데.

한동안 생각해 보았지만, 잘 설득할 방법이 생각나지 않았다.

우선 시트리가 기운을 차릴 수 있게끔 말했다.

"……뭐, 무슨 일이 생기면 내가 책임지고 엎드려서 빌 테니까 시험 삼아 해봐. 자랑은 아니지만, 내가 엎드려서 빌면 신에게도 효과가 있거든."

그런 부분은 【길 잃은 여관】에서 이미 실험해 보았다. 아마 이번 상대도 기도를 받은 적은 있어도 엎드려서 비는 모습을 본 적은 없을 것이다.

물론 가능하다면 그런 상황이 되기 전에 도망치고 싶긴 하지만, 최악의 상황이 되면 망설임 없이 엎드려 빌 거라고, 나는.

내가 지휘를 맡는다는 건 말도 안 된다는 마음이 통한 걸까? 시트리는 내가 한 말을 듣고 한순간 눈을 크게 떴지만, 심호흡을 크게 하고는 두 손으로 자신의 볼을 때리며 힘을 냈다.

"…………알겠습니다. 크라이 씨께서 엎드려 빌게 만들 수는 없으니까요. 그리고, 이렇게까지 조건을 갖춰주신 이상, 못한다고 할 순 없겠죠."

"응, 그래, 그렇지. 뭔가 필요하면 도울 테니까 열심히 해. 아무리 해도 안 될 것 같을 때는 일찌감치 말해주면 좋을 것 같고."

아크를 부르러 가는 데도 시간이 필요할 테니까.

입가에 드리워진 긴장한 듯한 미소. 밝으면서도 약간 무리하고 있는 듯한 목소리.

하지만, 시트리는 지금까지 다양한 수라장을 헤쳐온 일류 헌터다.

그녀라면 해낼 것이다.

시트리는 의자에 앉아서 살짝 헛기침을 한 다음, 작전에 대해 다시 설명하기 시작했다.

"어흠. 아무튼, 애들러 씨 덕분에 지맥 조사도 가능할 것 같네요. 그 신은 우리를 인식했습니다. 위험도가 높아지긴 했지만, 현인경을 사용하면 현지에 가지 않고도 지맥을 조사할 수 있을 거예요. 마나 머티리얼을 볼 수 있다는 우노 씨가 있으면 세렌 씨의 부담도 덜 수 있고요. 조사반이 조사를 하는 동안, 저는 장치를 준비하고 자세한 작전을 세우겠습니다. 유그드라가 지니고 있는 마나 머티리얼 관련 지식이 있다면 작전의 성공률은 꽤 올라가겠죠."

"…………범죄자들 따위가 장난 아닌 보구를 가지고 다니네. 전부 끝나면 크라이에게 넘겨."

짜증을 전혀 숨기지 않는 리즈의 목소리. 한번 적대시한 상대와 함께 행동한다는 게 싫은 모양이다.

트레저 헌터는 오감을 전부 사용해서 적이나 함정을 감지하지만, 시각으로 얻는 정보가 크다는 건 마찬가지다. 현인경은 상황에 따라 그것 하나만으로도 전황을 뒤엎을 만큼 강력한 보구라 할 수 있을 것이다.

나도 수백 개의 보구를 가지고 있긴 하지만 같은 보구는커녕 비슷한 기능을 지닌 보구조차 없다. 루시아의 마법으로도 재현은 불가능할 것이다. 범죄자가 가지고 있게 하기에는 너무나도 위험한 보구다.

애들러는 리즈의 말을 듣고 눈살을 찌푸리고는 불쾌한 듯한 표정으로 말했다.

"보구………… 보구라. 현인경을 평범한 보구라고 생각하면 곤란하지. 당신들 리더가 데리고 다니는 그 보물상자와 마찬가지로 말이야."

"어……? 아, 미믹 군 말이구나…… 뭐, 현인경이면 미믹 군과 필적할지도 모르지."

보아하니 미믹 군도 본 모양이었다. 상식에서 벗어난 힘을 지닌 미믹 군은 최대한 숨겨두고 싶었지만, 원격 시야로 봐버렸다면 어쩔 수가 없다.

그렇고말고. 현인경도 그렇고, 미믹 군도 평범한 보구가 아니다.

…………꽤 위험한 보구지.

애초에 거울형 보구는 꽤 위험한 능력을 지니고 있는 게 많은

데———.

그때 내 말을 듣고 무슨 생각을 한 건지, 애들러가 나를 노려보며 험악한 목소리로 말했다.

"오해하면 귀찮으니까 미리 말해두지. 《천변만화》, 이번에는 당신을 따르겠어. 우리가 부탁하는 입장이니까…… 그래도 알고 있겠지만, 우리 사이에 상하관계는 존재하지 않아. 당신은 실력이 꽤 대단하긴 해. 동류 중에서는 격이 비슷한 존재를 처음 봤으니까. 하지만 당신의 미믹 군?이 강력하긴 해도 내 현인경도 뒤처지진 않는다고."

"아…… 네."

갑자기 왜 이러는 거지? 딱히 애들러 일행을 얕잡아본 기억은 없는데…….

그리고 이 사람은 제자라는 단어의 의미를 약간 착각하고 있는 것 아닐까? 스승님을 대하는 태도가 아니잖아? 그리고 동류라는 건 뭔데? 아무리 나라도 범죄자에게 동류라는 말을 들으니 좀 충격인데…… 게다가 제자가 되어서 뭘 원하는지도 모르고.

가까이에서 그 솜씨를 보여달라고 하던데, 엎드려 비는 모습이라도 보여주면 되는 건가?

한번 적대했던 헌터들에게 둘러싸인 상황에서도 여전히 시비조로 말하는 리더를 보고 우노가 당황하며 나무라는 듯한 목소리로 말했다.

"자, 자, 애들러 님. 이번에는 원만하게 가자고요~. 크라이 씨는 우리보다 약간 앞서가고 있는 모양이니까……."

응, 그래, 알겠어. 파티에 개성이 강한 사람이 있으면 고생하지.

애들러는 어깨를 살짝 으쓱이고는 진지한 표정으로 말했다.

"……뭐, 좋아. 다시 하던 이야기로 돌아가서——— 내 현인경을 계획에 포함시키는 건 상관없어. 이 거울은 살아있으니까, 금이 간 것도 금방 나을 거야. 하지만 한 가지 문제가 있지."

문제? 그리고, 살아있다고?

미지의 보구의 정보를 듣고 무심코 몸을 앞으로 내민 내게 애들러가 비밀을 속삭이는 듯한 목소리로 계속 말했다.

"이 현인경은 강력하지만——— 만능은 아니야. 이 거울에 명령할 수 있는 건 우리나 이 《천변만화》처럼 힘을 지닌 자들뿐이고, 거울이 비출 수 있는 건 '표적'뿐이지."

"표적? 그게 무슨 소리죠?"

"이 거울로 지정할 수 있는 건 어느 정도 한정된다는 뜻이야. 사람이나 보물전의 최심부에 있는 신을 비출 수는 있지만, 지도의 어느 한 지점을 비출 수는 없어. 거울을 이용해서 조사한다 하더라도 누군가 한 명, 거울의 표적으로 지정할 대상이 필요해."

시트리의 질문에 술술 대답하는 애들러.

보구의 성능 파악은 최우선 상황이긴 하지만, 정말 잘 알고 있는 것 같다. 함부로 감정사에게 의뢰할 수 있을 만한 능력도 아니니 스스로 확인했을 것이다. 왠지 약간 동질감을 느끼는데.

그렇게 생각하던 나는 눈치챘다.

현인경은 강력한 보구다. 유그드라까지 따라온 이상, 아마 그녀는 우리를 계속 관찰하고 있었을 것이다.

그런 상황에 나를 동류라고 부른다면——— 설마 애들러도 보구 사용자인가?

마물을 조종하는 능력도 보구 덕분이지 않을까? 그러고 보니 그런 보구의 소문을 들은 적이 있다. 직접 마물을 길들였다는 것보다 훨씬 더 설득력이 있는 이야기다.

그리고 그렇게 생각하면 좀 전에 애들러가 내게 불평한 이유도 이해가 된다. 내가 그녀의 자랑스러운 보구와 미믹 군을 비교하는 말을 했던 게 거슬렸던 거겠지.

나도 제도에서는 나름대로 이름난 보구 콜렉터다. 보구에 대해서라면 내가 애들러에게 가르쳐줄 수 있을지도 모르겠다. 정말 곤란하긴 하지만……

나는 범죄자에게 가르쳐주기 위해 보구에 대해 배운 게 아니거든?

리즈가 혀를 차며 애들러를 노려보았다.

"그러면 아무 의미도 없잖아. 결국 실제로 가야만 하다니——— 크라이, 이 녀석 진짜 제자로 삼을 필요가 있는 거야?"

"아니, 딱히 현인경을 노리고 제자로 삼은 건 아니라서……"

"……뭐, 세렌 씨를 현지로 데리고 가는 것보다는 안심이 되겠죠. 적이 우리를 인식한 이상 무슨 일이 벌어질지 모르니까요. 발목만 붙잡……… 전투에 익숙하지 않은 사람을 데리고 가는 건 위험해요."

고레벨 보물전에 나타나는 팬텀들의 지성은 얕볼 수 없다. 이미 상대는 지맥의 힘을 이용해서 고도의 장벽을 펼치고 있지만,

그 이상의 수를 쓸 가능성도 충분히 있다.

상대는 신의 팬텀이니 아무리 경계해도 부족하진 않을 것이다.

"장치 제조나 작전 입안은 내가 중심이 되어서 할 테니까 조사는 언니가 주도해줘. 애들러 씨 일행은 조사반으로 확정. 이렇게 팀을 나누죠. 이쪽은 그렇게 사람이 많이 필요하진 않을 것 같은데……."

"쳇…… 어쩔 수 없지. 이렇게 매서운 수행을 할 수 있는 기회는 좀처럼 없으니까. 도적 중 누군가가 조사하러 가서 거울의 표적이 되면———."

"잠깐만 기다려."

뼛속까지 도적인 리즈가 그렇게 말하려고 하자 애들러가 멈추게 했다.

그녀는 눈살을 찌푸리며 이쪽을 보고는 말했다.

"우리는 《천변만화》의 솜씨를 보기 위해 제자로 들어왔어. 따로 행동하라는 지시를 거부할 생각은 없지만———《천변만화》, 당신은 우선 어떻게 움직일 생각이지? 설마 아무것도 하지 않을 생각은 아니잖아?"

너, 내 이야기 듣긴 했어? 내가 시트리에게 맡기겠다고 했잖아!

현인경으로 우리를 감시하고 있었을 텐데, 어째서 아직 내게 그런 기대를 품고 있는지 이해가 잘 안 된다.

시트리가 내 마음을 대변해주려는 듯이 말했다.

"애들러 씨, 크라이 씨께서는 제게 맡기겠다고 말씀하셨———애초에 아직 준비 단계예요. 크라이 씨께서 나서실 때는 항상 절체절명의 위기에 처했을 때죠. 아직 일러요."

어? 절체절명의 위기에 처하면 나서야 하는 거야? 아크는?

항상 좋아서 절체절명의 위기에 처하는 것도 아닌데…….

"【근원의 신전】의 팬텀 앞에서 절체절명의 위기에 처하면 이미 늦은 상황일 것 같은데요~. …………그건 좀, 저희가 이끄는 마물들과 비교해도 격이 달라서요~."

"우리는 정보를 공개했어. 당신만 힘을 숨기는 건 공평하지 못하지."

위험한 헌터 파티와 위험한 범죄자들이 모였는데도 상대가 더 위험한 건가? 위험하네, 위험해.

그래서 어떻게 할까. 애초에 나는 힘을 보여달라는 말을 한 번도 한 적이 없는데.

팔짱을 낀 채 생각에 잠겼다. 뭐, 솔직히 방법은 많다고 본다.

무난한 건 리즈가 말한 대로 리즈 같은 도적들 중 누군가를 파견해서 그 사람을 현인경으로 비추는 것. 그 밖에도 루시아가 부리고 있는 정령을 보내는 방법도 있고, 안셈에게 눈에 띄지 않게끔 작아진 채 달려가라고 하는 방법도 있다. 정 뭐하면 나는 수백 년 전의 정보를 토대로 밑져야 본전식으로 장치를 설치하자는 말도 아무렇지도 않게 꺼낼 수 있는 남자다.

물론 평소에는 이런저런 핑계를 대면서 기대를 피하겠지만——그렇지.

애들러가 보물 사용자라면 나도 보구를 써야 할 것 같다.

한숨을 크게 쉰 나는 하드보일드한 미소를 지으며 말했다.

"어쩔 수 없네. 애들러에게 내 힘을 보여주지."

"!!"

애들러가 제자로 들어온 건 솔직히 별로 내키지 않는 상황이다. 범죄자를 제자로 받는다니 헌터로서도 인간으로서도 말도 안 되는 상황이고, 최대한 신속하게 연을 끊을 필요가 있다.

다행히도 나는 이번에 보구를 잔뜩 가지고 왔다. 높은 평가를 받는 거라면 모를까, 낮은 평가를 받는 거라면 간단하다. 이런 상황에서 써먹을 수 있는 보구 중에서 제일 하찮은 걸 꺼내면 된다.

보구 사용자로서 뒤처지는 모습을 보이는 건 약간 자존심에 상처가 나긴 하겠지만, 그런 건 아무래도 상관이 없을 정도로 애들러 일행은 너무 위험하다.

무슨 보구를 선보일지는 이미 마음속으로 정해두었다.

가슴에 달고 있던 그 보구를 떼어내서 테이블 위에 올려놓았다.

"뭐, 이번에는 이 정도려나."

"어?"

우노가 눈을 동그랗게 뜨며 살짝 목소리를 냈다.

내가 선택한 것은 가지고 있는 보구들 중에서도 최고참 중 하나, 『독 체인(개 사슬)』이었다.

사슬이 느릿느릿 움직이며 그 이름처럼 개 형태가 되었다. 은빛으로 빛나는 사슬과 끄트머리에 달린 추. 처음 손에 넣었을 때 느꼈던 감동은 지금도 기억하고 있다.

원래는 카 군이나 미믹 군급으로 내 말을 듣지 않았던 독 체인도 루시아의 엄한 조련으로 인해 충실한 시종이 되었다. 손가락을 튕기자 독 체인이 뒷다리로 일어서서 포즈를 취했다. 멋지다고 하고 싶지만, 크기가 그리 크지 않기 때문에 굳이 말하자면 약간 귀엽다.

원래, 독 체인은 적을 포박하기 위한 보구다. 그런데 손가락을 튕기기만 해도 포즈를 취하게 만들 수 있다.

『리빙 체인(살아 있는 사슬)』계열 보구는 유명하고 결코 희귀하지도 않지만, 이 보구를 이렇게까지 다룰 수 있는 사람은 별로 없을 것이다. 별로 강하지도 않은 보구이고.

애들러가 멍한 표정으로 한 발짝 뒷걸음질 쳤다.

그 한순간에 방금 한 행동이 얼마나 뛰어난 수준인지 이해했을 것이다. 그리고 물론, 동류라면 이 보구를 이렇게까지 다룰 수 있게 되는 데 시간을 얼마나 투자했을지도 이해했을 게 분명하다.

원래 목적으로 이 보구를 쓸 거라면 이렇게까지 할 필요는 없다. 이 영역에 도달할 때까지 얼마나 이 보구에 시간을 낭비했는지, 기억도 나지 않는다.

낭비는 오락이다. 다시 말해, 내게 있어서 보구는 오락이었다.

설마 이렇게 하찮은 보구를 꺼낼 줄은 몰랐는지, 애들러 일행뿐만이 아니라 《별의 성뢰》나 세렌까지 굳었다.

하지만 어쩔 수 없다.

그리고 생각하기에 따라서는 최소한의 위험 부담으로 최대의 성과를 얻을 수 있을지도 모른다.

독 체인을 쓸 필요는 전혀 없지만.

나는 어흠, 헛기침을 한 번 하고는 자신만만하게 제안했다.

"이 녀석에게 지맥을 따라 달리게 해서 그 모습을 현인경으로 확인하며 지맥의 상황을 확인하자. 어때?"

작전 회의를 마치고 《천변만화》가 의기양양하게 나갔다.

문이 닫혔다. 애들러는 몇 분 동안 입을 다문 채 생각하고 있다가 테이블 위에 방치된 사슬을 다시 한번 보고는 입을 열었다.

"······················독 체인···········? ·····················어째서지?"

실내에는 아직 《천변만화》 이외의 멤버들이 남아있다. 하지만, 애들러의 질문에는 아무도 대답하지 못했다. 작전 입안을 맡은 시트리를 보았지만 눈을 피해버렸다.

테이블 위에 놓인 사슬은 마치 생물처럼 움직이며 개 형태를 이루고 있지만, 애들러가 거느리고 있는 마물과는 다르다.

보구다. 애들러도 알고 있을 정도로 유명한 사슬형 보구──── 『리빙 체인』의 일종.

독 체인.

기동시키면 마치 생명을 불어넣은 것처럼 움직이기 시작하며 대상을 포박하는 사슬 보구다.

독 체인이 애들러 쪽으로 고개(?)를 돌리고는 앉았다.

개와 비슷하게 생겨서 조금 귀엽긴 하다.

하지만, 생명을 불어넣은 것 같다고 해도 그것은 결코 생명이 아니다.

《천변만화》가 뛰어난 지모를 지닌 헌터라는 사실은 알고 있다. 그러나 몇 분 동안 생각해 보았는데도 그 남자가 독 체인을 쓰려는 이유를 전혀 알 수가 없었다.

보구라는 것은 기본적으로 융통성이 없다. 『리빙 체인』 또한 살아있는 것처럼 행동하지만 세밀한 지시를 내리지는 못할 것이다……『리빙 체인』을 표적으로 원격 시야를 이용하면 사고가 발생했을 때도 우리 쪽 전력이 줄어들지는 않지만, 다시 말해 그건 『리빙 체인』이 전력이라 하기에는 부족하다는 뜻이다.

애초에 독 체인의 원래 기능은 대상의 포박이다. 그것을 정찰에 이용하다니, 임무를 달성할 수 있을지조차 의심스럽다.

적어도 애들러가 《천변만화》의 입장이라면 '리빙 체인'을 이용하는 선택지를 고르지는 않을 것이다.

그렇지 않아도 상대는 현인경의 원격 시야를 간파할 정도로 무시무시한 존재다.

현인경이 비춘 보물전의 최심부. 칠흑의 제단 위에 피어오르던 까만 안개.

애들러와 다른 사람들이 바라보던 와중에 갑작스럽게 드러난 거대한 눈동자는 분명히 애들러와 다른 사람들을 포착하고 있었다. 우연이라는 말로는 넘길 수 없을 정도로 또렷하게.

초월자.

전투 능력만으로 두려움을 사던 성식 지네와는 다른, 사악한 신의 편린이 그곳에 있었다.

애들러가 《천변만화》에게서 원하던 것은 그 힘을 보이는 것——말하자면 능력의 공개다.

인도자에게 있어서 마물이란 무기임과 동시에 최대한 숨겨야만 하는 능력이다. 원래는 공개해선 안 되겠지만, 애들러는 《천변만화》에게 협력하기 위해 현인경이라는 마물을 공개했고 그 힘에 대해 자세히 이야기했다. 그렇다면 《천변만화》 또한 애들러에게 그 힘을 보여주어야만 한다. 그가 거느리고 있는 강대한 마물을.

예상이 빗나갔다. 현인경의 힘이 있으면 조사 같은 건 어떻게든 된다. 이 타이밍에 그 남자의 힘은 반드시 필요한 게 아니다. 하지만, 설마 이런 상황에서 자신의 능력을 감출 정도로 비겁하게 나오다니.

당황한 마음이 조금씩 사라지고 짜증이 솟구쳤다. 그때, 애들러와 마찬가지로 《천변만화》의 결정이 마음에 들지 않는다는 듯한 표정을 짓고 있던 우노가 눈을 깜빡이며 자신이 없는 듯이 말했다.

"애들러 님, 어쩌면………… 보구를 사용할 필요가 있는 건지도 모르겠어요. 굳이 말할 필요도 없겠지만, 《천변만화》에게는 그 밖에도 많은 선택지가 있었죠. 그중에서 '리빙 체인'을 선택했고요."

"보구를 쓸 필요가 있는 이유가 뭔데?"

"그야…… 저도 모르겠지만…… 팬텀과 보구는 같은 마나 머티리얼로 구성되어 있죠. 어쩌면 그 신에게 있어서 보구가 적으로 인식되지 않을지도 모르니까요~."

"그런 이야기는 들어본 적도 없는데? 근거라도 있는 거야?"

퀸트가 한 말을 듣고 우노가 기분 나쁜 듯한 표정을 지었다.

"…………아뇨. 하지만, 그렇게라도 생각하지 않으면 독 체인을 쓸 이유를 전혀 모르겠다고요~."

우노가 한 말은 분명 일리가 있었다. 애들러는《천변만화》에게 인도자로서 더 강한 힘을 추구하며 제자로 들어가겠다고 요구했다. 그 사실을 알고 있을《천변만화》가 다음 수로 인도자의 능력과는 상관이 없는 보구를 선택했다면 그에 맞는 이유가 있어야 한다. 어쩌면 보구를 사용하는 게 팬텀을 굴복시키기 위한 순서 중 하나일 가능성도 있다.

그 남자는 이 방에 있던 모두를 얼어붙게 만든 신의 눈을 보고도 태도가 바뀌지 않았던 유일한 사람이다. 그건 그 신에게 이길 수 있는 방법을《천변만화》가 지니고 있다는 사실을 의미한다.

시선을 느끼고 고개를 들었다. 애들러 일행을 보고 있던 것은 같은 방에서 함께《천변만화》가 한 말을 들은 동료들이었다.

악명이 자자한《비탄의 망령》과 아름다운 정령인 파티.

한 번 교전을 했기에 그 실력은 알고 있다. 아니——— 그러지 않았더라도 일류 헌터들은 그 몸가짐을 통해 짐작할 수 있는 법이다.

어찌 됐든, 이제 와서《천변만화》의 제자를 그만둘 생각은 없다.

예전에는 적이었던 자들 앞에서 한심한 모습을 보일 수는 없다. 입술을 핥고 눈을 가늘게 뜨며 말했다.

"흥…… 재미있어지는데. 당신들 리더의 실력, 확인하도록 하겠어……."

"당신들은…… 크라이 씨에 대해 아무것도………… 몰라요."

"……뭐라고?"

시트리의 목소리에 담긴 감정을 느끼고, 애들러가 무심코 눈을 부릅떴다.

흥분과 두려움. 그리고——— 강한 의지.

그 눈은 리더의 행동을 전혀 의심하지 않았다.

아니, 의문은 섞여 있을지언정 그 밑바닥에는《천변만화》에 대한 신뢰가 있었다.

시트리가 두 손을 모으고는 미소를 지으며 말했다.

"크라이 씨의 행동은 잘못되지 않죠. 그러니 저희는 애들러 씨 일행도 받아들일 거예요. 일반인들은 크라이 씨의 생각을 상상할 수가 없어요. 지금은 해야 할 일을 해요."

"…………너희들은, 아직, 마스터어가 얼마나 무시무시한지 몰라……."

"윽?!"

제일 뒤쪽에 있던, 흑발을 리본으로 묶은 소녀가 집게손가락을 들이대며 마치 협박처럼 말했다.

하지만 그 표정은 이곳에 있던 그 누구보다 죽을 것 같아 보였다.

보물전은 미지의 세계다. 그 공략 난이도는 기본적으로 마나 머티리얼 농도에 비례해서 올라간다고 알려져 있지만, 일정 이상의 수준일 경우에는 꼼꼼한 준비나 조사를 하지 않으면 도전하는 게 힘들어진다.

　보물전 공략은 때로 퍼즐로 비유되곤 한다. 레벨이 매우 높은 보물전에서는 정해진 순서를 따르지 않으면 공략할 수 없는 경우도 있다. 트레저 헌터는 조금씩 공략할 보물전의 레벨을 올림으로써 그러한 전투 이외의 스킬도 단련하는 것이다.

　그리고 우선 때리고 보면 된다고 생각하는 사람들이 많은《비탄의 망령》멤버들 중에서는 시트리 스마트가 그런 스킬을 높은 수준으로 보유하고 있었다.

　【근원의 신전】은 예외적인 보물전이긴 하지만, 분명 이번 경험은 향후 모험에서도 도움이 될 것이다.

　이번 시트리의 작전에 따라 멤버들은 양쪽으로 나뉘었다.

　지맥의 조사와【근원의 신전】의 상황 조사를 담당하는 리즈 그룹과,【근원의 신전】을 약화시키기 위해 필요한 도구의 제조, 설치를 담당하는 시트리 그룹이다.

　내가 참가하게 될 곳은 당연히 별로 위험하지 않을 것 같은 시트리 그룹이다. 리즈 쪽도 일단은 독 체인을 사용할 테니 위험하지 않을 것 같지만,《천귀야행》사람들과 같은 공간에 있고 싶지 않다.

유그드라의 입구 근처에는 리즈 일행, 조사 팀이 모여 있었다.

리즈, 티노, 엘리자 같은 도적 그룹과 애들러 일행인 《천귀야행》. 그리고 성격이 까다로운 《별의 성뢰》, 도저히 사이좋게 지낼 수 없을 것 같은 멤버들이다.

왠지 정말…… 가슴이 조마조마해!

"이제 다 됐네, 그럼………… 뒷일은 부탁할게. 나는 시트리 쪽을 도울 테니까———."

"잠깐만, 기다려——— 크라이?!"

독 체인을 발동시켜서 조사하라고 명령한 다음, 말리는 것도 뿌리치고 시트리 그룹 쪽으로 향했다.

시트리는 마술 실험을 하기 위해 만들었다는 야외 작업장에서 루시아와 세렌, 안셈과 함께 작전 준비를 하고 있었다. 역시 아무리 생각해도 이쪽 그룹에 참가하는 게 낫겠지…….

근처에는 병원 역할도 겸하고 있는 마술 연구소도 있고, 유그드라의 마도 기술의 정수가 담겨 있다고 한다.

"마술의 촉매로 보관되고 있던 보석입니다. 질이 좋은 것들은 이미 사용해버렸습니다만———."

"아뇨, 충분해요! 정령인들이 지닌 보석은 힘이 강하다고 들었는데——— 루시아, 이것 봐!"

세렌에게 받은 다양한 색의 보석을 보고 시트리가 환호성을 질렀다.

지명당한 루시아는 싸늘한 눈초리로 보석을 확인하고는 한숨을 쉬었다.

"평범한 보석이 아니니까요. 정령의 힘이 축적되어 생성되는 정령석은 마술 촉매로 가장 적합하니까."

"아, 루시아, 시트리. 준비는 순조로워?"

세계의 운명이 달려 있을 정도로 중요한 작업 중이다. 최대한 애써서 밝은 목소리로 말을 걸며 작업장으로 들어갔다. 리즈 일행 쪽은 《천귀야행》 때문에 분위기가 살벌했지만, 이쪽은 평소와 마찬가지다.

세계수와 이어져 있는 지맥은 흘러드는 막대한 마나 머티리얼을 증명하는 듯이 두껍고, 거기에 사용할 장치도 크기가 꽤 커질 거라고 들었다.

지금부터 만들겠다고 하던데, 보아하니 재료 같은 건 보이지 않았다.

시트리는 여전히 꽃이 피어나는 듯한 미소를 지으며 나를 맞이해 주었다.

"크라이 씨, 좋은 아침이에요! 언니들 쪽은 괜찮던가요?"

"응, 뭐…… 살벌한 분위기긴 했지만, 알아서 잘하겠지."

낯선 파티나 사이가 안 좋은 파티끼리 임무를 수행할 때 조심해야 하는 행동 중에 현지 행동 중 배신이라는 게 있다.

전투 중에 뒤에서 기습을 당하거나 마물을 떠넘긴다는 이야기는 이 업계에서 흔한 일이다. 게다가 이번에는 손을 잡은 상대가 범죄자이니 신용이고 뭐고 없다.

하지만, 이번에는 정찰 담당을 독 체인에게 맡겼기에 그러한 문제도 발생하지 않는다. 처음에 독 체인을 파견하기로 결정했을 때 그런 것까지 고려한 건 아니긴 한데, 사실 이번에는 내 머리가 잘 돌아가는 건가?

"그건 그렇고, 실버에게 정찰을 맡기다니, 매번 이상한 짓을…… 그 애는 그렇게까지 똑똑하지 않은데요?"

독 체인을 길들인 장본인인 루시아가 약간 불만이라는 듯이 눈살을 찌푸리며 말했다.

참고로 실버라는 건 루시아가 독 체인에게 붙여준 이름이다. 은색이라 그런 모양이다. 단순하네…….

"아하하…… 물론 나도 알아. 하지만, 분명 괜찮을 거야. 루시아가 훈련을 시켜주었으니까."

"……그런 저한테 잘될 것 같다는 자신이 없다고요."

『리빙 체인』 시리즈는 유명하지만, 재주를 가르칠 수 있다는 사실을 아는 사람은 별로 없다.

루시아가 공들여서 길들여준 실버는 독 체인 중에서도 꽤 똑똑한 편이다. 세계수 주위를 한 바퀴 빙 도는 것 정도는 할 수 있을 것이다――― 몸집도 작아서 눈에 잘 띄지 않고, 그럭저럭 빠른 속도로 뛸 수 있기에 이번 임무에 필요한 성능은 최소한 갖추고 있다 할 수 있을 것이다.

아침에 들렀을 때 애들러 일행이 내게 보낸 의심의 눈초리를 떠올려 봐도 내 계획은 성공한 것 아닐까.

이렇게 그들의 기대를 계속 배신하다 보면 조만간 그들이 스스로 파문 이야기를 꺼낼 것이다.

"그런 것보다, 우선은 이쪽이지. 장치는 만들 수 있을 것 같아?"

"네! 유일하게 문제였던 촉매도 예상대로 손에 넣었어요. 이렇게 질이 좋은 돌이라면 커다란 장치도 만들 수 있죠. 전부 크라이 씨 덕분이에요!"

"아니, 나는 아무것도 한 게——— 뭐, 됐어. 장치는 어떻게 제조하는데? 내가 도울 만한 게 있을까? 그리 대단한 건 못하지만."

시트리가 과대평가하는 건 항상 있던 일이다. 가볍게 흘려넘기고는 일단 물어봤다.

내게는 지식이나 스킬, 경험이 없지만, 잡일 정도는 할 수 있겠지.

내가 묻자 시트리가 어제 보여주었던 약간 불안한 표정은 거짓말인 듯한 미소를 지으며 기운차게 말했다.

"네. 괜찮아요! 뭔가 문제가 생기기 전까지는 제가 해볼 테니 크라이 씨는 지켜봐 주세요! 계속 기대기만 하진 않을 거거든요?"

"······적당히 해야 된다?"

무슨 문제가 생겼을 때 나한테 떠넘길 셈인가······.

현실도피를 하며 그냥 미소만 짓고 있던 내게 시트리가 설명해 주었다.

"장치 제조는 세밀한 작업이에요. 하지만, 다행히도 이 장치는 아카샤 골렘 같은 것들과는 달리 재료만 있으면 마도사 몇 명이서 만들 수 있게끔 설계되어 있어요. 제조의 편의성도 중요한 요소니까요. 어떤 보물전이든 간단히 조정할 수 있게끔 한 게 컨셉이죠! 이제야 시험해볼 수 있겠네요!"

"……오, ……오빠, 시트를 확실하게 감시해 주세요?"

루시아가 너무 동요한 나머지 나를 오빠라고 부르고 있다.

듣자 하니 꽤 위험한 장치 같긴 하다. 나는 시트리가 위법 행위 같은 걸 저지르지 않을 거라 믿고 있지만, 연금술사는 윤리관이 꽤 희박한 경우가 많은 모양이니까…….

…………뭐, 지금은 유사시니까 넘어가기로 하자. 신고할 사람도 없고…….

루시아의 말을 듣고 시트리가 눈을 동그랗게 뜨며 의아하다는 듯이 말했다.

"무슨 소릴 하는 거야? ……만들 사람은 루시아인데."

"……뭐, 뭐어? 왜 내가——— 아니, 어떻게———."

"그야 나는 마력량이 부족하니까……. 안심해. 장치를 만들기 위한 술식은 내가 알고 있고, 크기 같은 파라미터 변경은 나도 할 수 있으니까. 문제는 없을 거예요."

"…………."

루시아가 매우 싫은 기색을 드러내며 시트리를 보았지만, 시트리의 미소는 무너지지 않았다.

둘 다 정말 사이가 좋네…… 세렌이 완전히 따돌림당하고 있어.

"재료는 제가 가지고 온 것들을 제외하면 마술의 촉매로 사용할 보석하고——— 유리뿐이에요. 보석은 세렌 씨에게 받은 걸로도 충분할 테니 이제 장치의 본체를 구성하게 될 대량의 유리만 있으면———."

대량의 유리………… 유리란 말이지. 그때 나는 눈치챘다.

유그드라에 유리 같은 게…… 있나?

제도라면 간단히 구할 수 있겠지만, 내가 아는 한 유그드라에선 창문에 유리를 쓰지 않는다.

내 생각을 읽었는지, 세렌이 눈살을 찌푸리며 곤란하다는 듯한 표정으로 말했다.

"유리…… 유리 말씀이신가요? 안타깝게도…… 유그드라에서는 유리를 거의 사용하지 않습니다. 소량이라면 있습니다만——."

역시 그리 형편 좋게 있진 않으려나. 얼마나 필요한지도 문제지만, 안타깝게도 이번에는 항상 필요 이상으로 이것저것 가지고 다니던 나도 유리는 가지고 오지 않았다.

하지만, 시트리는 그 말을 듣고 왠지 모르게 나를 보며 의기양양하게 말했다.

"괜찮아요, 유리는 짐작 가는 곳이 있으니까요. 그렇죠? 크라이 씨."

…………어?

활활 타오르는 화톳불이 시트리의 옆얼굴을 비추고 있었다. 생명의 기운이 없는 무인 도시. 그 중심을 가로지르는 큰길 한복판에서 시트리가 큰 소리로 지시를 내렸다.

"깨도 되니까 일단 많이 모아주세요!"

"키르키르……."

"으음……."

성큼성큼 발소리를 내며 키르키르 군과 안셈이 뛰어가기 시작했다. 목표는 이곳저곳에 늘어서 있는 건물이다.

유리를 손에 넣기 위해 우리가 온 곳은 미믹 군의 몸속에 존재하는 도시였다.

미믹 군의 몸속에 존재하는 이 도시는 넓다. 그리고 어느 시대에 삼킨 건지 알 수가 없긴 하지만, 이 도시의 건물 창문에는 유리가 달려 있다.

그렇구나…….

나는 감탄해야 할지 어이없어해야 할지, 애매한 기분으로 작업을 구경하고 있었다.

모든 건물의 유리를 회수하면 필요한 분량을 금방 모을 수 있을 것이다.

그래도 너무 사정없는 거 아니야? 꽤 분위기 있는 도시인데…….

"후후후…… 실은 처음 들어왔을 때부터 눈독을 들였었거든요! 어딘가에 써먹을 수 있지 않을까 하고요! 그래서 마나 머티리얼 교반장치가 필요하게 되었을 때 바로 감이 왔어요! 어떤가요?"

"응, 그래, 그렇지."

그렇게 예전부터 이 도시의 건물을 해체할 생각이었구나…… 나도 몇 번 오긴 했지만, 이 도시를 그런 형태로 활용할 생각은 해보지도 못했어. 이러다 언젠가 공터가 되어버릴 것 같은데.

일단 리즈가 다음에 탐험하고 싶다고는 하던데…… 말리는 건 힘들겠네.

참고로 부수기 전에 미믹 군에게 유리를 꺼내 달라고 해봤지만, 역시 그러진 못했다. 어디까지가 미믹 군의 기능인 건지 전혀 모르겠다.

유리를 회수하는 데는 시간이 오래 걸리지 않았다. 키르키르 군도 안셈도 체력은 무한대다. 대충 다 깬 다음, 바깥으로 나가서 미믹 군에게 깨진 유리를 꺼내 달라고 했다.

작업장에 나타난 깨진 유리가 산더미처럼 쌓인 채 햇빛을 받아 반짝반짝 빛나는 모습은 약간 특이한 보석 같았다.

그 산더미를 보고 만족스럽게 고개를 끄덕이는 시트리와 의욕 없이 한숨을 쉬는 루시아.

루시아가 지팡이로 땅바닥을 툭툭 두드리고는 시트리에게 물었다.

"……그래서, 내가 이제 뭘 하면 되는 거야? 제조는 내가 한다고 하던데———."

"설계도가——— 장치를 만들기 위한 술식이 있어요. 연금술이라는 건 모든 사람들을 위한 기술이니까요…… 몇 가지 파라미터를 변경하면 성능이나 크기를 마음대로 조정할 수 있죠."

"………………어디서 연구한 건지는 모르겠지만, 터무니없는 장치구나."

친구에게 보여주어서는 안 될 만큼 확 깬 듯한 표정을 지은 루시아. 나도 얼마나 중대한 일인지 이해할 수 있는 두뇌가 있었다면 비슷한 표정을 지었을지도 모르겠다.

마술도 그렇고 연금술도, 이 세상의 진리는 너무 어렵다. 그리고 내 주위에는 위험한 것들이 너무 많다.

시트리는 슬쩍 분필을 꺼내고는 입술을 한 번 핥고 나서 땅바닥에 그림을 그리기 시작했다.

정체를 알 수 없는 기하학적인 문양. 커다란 원을 중심으로 내부에 본 적이 없는 복잡하고 기괴한 그림들이 수없이, 끊임없이 그려져 나갔다.

의미를 알 수 없는 행동을 시작한 소꿉친구를 보고 깜짝 놀란 나와는 달리 루시아는 눈썹을 움찔거렸다.

"이건......... 마법진? 마도사라면 만들 수 있다니, 설마————."

"저희는 재료를 토대로 마술로 장치를 가공하기 위한 마법진을 고안해냈어요. 책은 처분되었고, 제 머릿속에만 남아있지만——."

대규모 마법을 발동시킬 때는 복잡한 준비가 필요한 경우가 많다.

'마린의 통곡'을 정화하려고 시도했을 때 광령교회에서도 견고한 결계를 펼치기 위해 마법진을 사용했는데, 마법진이라는 건 간단하게 말하자면 마술의 설계도 같은 것인 모양이다.

나는 그런 쪽에 대해 잘 알지 못하지만, 모든 사람들이 복잡한 마술을 확실하게 발동시킬 수 있게끔 만들어낸 거라고 들은 적이 있다.

시트리가 그린 마법진의 복잡한 문양은 전혀 의미를 알 수가 없었다. 글자 같은 게 보이긴 하지만, 한 글자도 이해 못 하겠다.

이런 그림을 토대로 마술을 구축할 수 있다니 마도사는 대단하네.

고개를 끄덕이고 있자니 시트리가 활짝 웃으며 말했다.

"!! 알아보시겠어요? 크라이 씨?! 이 마법진에 담긴 획기적인 마술식을요!"

"응, 그래 그렇지. 정말 획기적이야."

솔직히 웃음이 나올 정도로 잘 모르겠지만, 시트리가 이렇게까지 자신만만한 표정을 짓는 걸 보니 획기적이지 않을 리가 없다.

미소를 보고 일단 맞장구를 치고 있자니 루시아가 조심조심 말을 꺼냈다.

"시트……? …………이 마법진, 발동시키는 데 다섯 명은 필요하잖아요? 그………… 이 술식, 베이스에 서로 다른 마술이 다섯 개———."

"맞아! 그렇다니까! 마도사 다섯 명이 발동시키는 마법진이야! 재료를 가공할 때 다섯 속성 마법을 동시에 흘려 넣을 필요가 있어서……. 다섯 명을, 그것도 호흡이 잘 맞는 마도사를 모으는 게 힘들다는 건 알고 있었지만, 아무리 애를 써도 그 이상 줄일 수가 없어서———."

마도사 여러 명이 협력해서 고위 마술 하나를 발동시킨다. 의식 마법이라 불리는 마도사의 오의 중 하나다.

그렇구나, 획기적인 효과를 얻으려면 평범한 술식으로는 부족한 모양이다.

이거 정말 대단할 것 같은데.

그러고 보니 루시아의 마술을 이렇게 전장이 아닌 곳에서 차분히 보게 되는 건 오랜만일지도 모르겠다.

"그럼 바로 보여주면 좋겠는데~."

"부탁해요! 루시아!"

나와 시트리가 그렇게 요구하자 루시아가 몸을 움찔거리며 말했다.

"?!! 저, 저기…… 제 이야기를 듣긴 했나요? 저는, 이 마법진을 발동시키는 데 다섯 명은 필요하다고 했거든요?"

"어? ……그래도 루시아의 마력은 5인분 이상은 되잖아?"

루시아는 마술 쪽으로 천재다. 《별의 성뢰》나 《마장(히든 커스)》에서 권유가 오는 건 물론이고, 연구 기관이나 학술 기관에서도 끊임없이 스카우트가 들어오고 있다.

압도적인 마력량과 세밀한 술식 구축. 탐욕스럽게 지식을 흡수하며 온갖 마술을 익혔을 뿐만이 아니라 스스로 새로운 마술을 여러 개 개발했다. 재원이라는 말은 그야말로 그녀를 위해 존재하는 것이다.

내가 한 말을 듣고 루시아가 미간을 찌푸리며 엄청난 표정으로 말했다.

"이미 알고 계시겠지만, 마력량은 상관이 없어요. 다른 마술을 두 가지 동시에 사용한다는 건 굳이 말하자면 두 손으로 동시에 각각 다른 글자를 쓰는 거나 마찬가지라서———."

"…………넌 양손잡이잖아."

루시아는 예전부터 뭐든 잘하는 애였다. 서투른 건 먼 친척이었다가 안드리히 가문에 입양되었다는 경력 때문에 뭐든지 참으려고만 하는 그 성격뿐이다. 이미 가족인데.

"네에? 제가 양손잡이긴 하죠! 오빠! 두 개까지라면 어떻게든 될지도 모르겠지만, 안타깝게도 제 손은 다섯 개가 아니라서요!!"

"…………그러고 보니 그렇네."

그렇게 말하면 뭐라 할 말이 없다. 나도 손이 다섯 개인 여동생을 둔 기억은 없다.

"음…………."

두 개라면 어떻게든 된다는 시점에서 루시아는 탁월한 마도사일 것이다.

애초에 여기에는 세렌도 있고,《별의 성뢰》멤버들도 있다. 시트리는 왠지 모르겠지만 루시아에게 시키고 싶어 하는 것 같은데, 루시아 한 명에게 맡길 필요는 전혀 없다.

오히려 루시아가 맡을 필요가 없을 가능성도 있는 거 아닌가?《별의 성뢰》멤버들끼리만 하는 게 연계하기도 편할 테고.

눈살을 찌푸리며 하드보일드한 표정으로 그런 생각을 하고 있자니 루시아가 참다못한 듯이 소리쳤다.

"아~, 아~, 아~, 정말! 알겠어요! 하면 되잖아요! 하면!"

"어? 그래도 돼?"

"…………어떻게든 할게요. 오빠의 억지에는 이미 익숙해졌으니까요."

무리하지 않아도 되는데…… 향상심 덩어리인가?

걱정이 되어서 무심코 바라보았지만 이미 루시아는 집중하기 시작한 상태였다.

굳은 표정으로 술식을 내려다보며 혼잣말을 중얼거리기 시작한 루시아. 이렇게 되면 그녀는 한동안 움직이지 않는다.

시트리가 그 모습을 보고 왠지 모르게 만족스러운 표정으로 말했다.

"마술을 5중 기동할 수 있게 된다면 루시아도 드디어 인간을 벗어난 느낌이 되겠네요."

남의 여동생을 인간에서 벗어나게 만들지 말아주세요. 그건 그렇고 마술 다섯 개를 동시에 기동할 수 있게 되면 인간에서 벗어나는 건가…….

냉정하게 생각해 보니 루시아에게 억지를 부리는 건 내가 아니라 시트리 아닌가? 사이가 좋은 만큼 놀리기도 잘하고, 시트리가 새로 개발한 아이템에 루시아가 휘둘리는 모습은 자주 보는 광경이다.

그때, 계속 조용히 이야기를 듣고 있던 세렌이 살짝 헛기침을 하고는 시트리에게 물었다.

"인간, 저도 뭔가 도울 수 있는 일이 없을까요? 이래 봬도 마술에는 자신이 있습니다."

"아뇨………… 장치 제조에는 정령인들이 꺼리는 불의 마술이 필요하고, 애초에 이건 루시아의 시련이라서─── 맞다, 일단 과거에 조사했다는 근처 지맥 정보를 주실 수 있을까요?"

"그, 그런가요…… 알겠습니다."

정보만 달라고 하자 상처 입은 듯한 표정을 지은 세렌. 보아하니 다들 할 일이 있는데 자기만 없는 게 신경 쓰이는 모양이다. 나는 전혀 신경 쓰지 않는데, 정말 성실하구나.

이대로 내버려 두면 괜히 이상한 생각을 할 것 같았기에 일단 위로해주었다.

"어깨 힘을 빼. 이럴 때 동료를 믿고 지켜보는 것도 리더가 할 일이야."

"그, 그렇군요………… 그런 건가요?"

"무슨 일이 생기면 무슨 일이 생겼다고 말할 테니까…… 세계의 파멸이 다가와서 초조해진 것도 이해가 되지만, 신 앞에서 일개 인간이――― 정령인이 할 수 있는 건 거의 없다고."

"…………뭐, 저 같은 경우에는 보물전에 도전하는 동료들을 믿고 지켜본 결과, 유그드라의 전사들이 아무도 돌아오지 않았습니다만―――."

……비장한 에피소드를 꺼내시네.

《별의 성뢰》도 그렇고, 정령인들 중에는 용감한 사람이 많은 모양이다.

고개를 숙이고 입을 다물어버린 세렌.

아무래도 그녀는 너무 비관적인 것 같다. 미인이긴 하지만, 이렇게 항상 슬픈 표정만 짓고 있는 걸 보니 나까지 슬퍼져 버릴 것 같잖아.

애초에 세렌이 그런 표정을 짓는다 하더라도 유그드라의 동료들은 돌아오지 않는다. 그러기는커녕, 그렇게 항상 의기소침해 있다가는 병에 걸려버릴 것 같다.

헌터 또한 일상적으로 목숨이 위험한 직업이다. 죽는 사람이 생기는 경우도 종종 있다.

그렇기 때문에 헌터는 동료의 죽음을 길게 끌지 않는다. 슬픔을 계속 끌다가는 자기까지 죽을 수도 있기 때문이다. 그 대신,

우리는 동료의 혼을 이어받아서 가슴을 펴고 당당하게 미래를 향해 걸어가는 것이다.

물론 내가 세렌에게 그런 이야기를 해준다고 해도 아무런 위로도 되지 않겠지.

그때, 나는 예전부터 생각하던 게 떠올랐다.

"맞다, 세렌 같은 사람에게 안성맞춤인 보구가 있거든! 빌려줄게."

"네? 보구, 말씀이신가요……?"

"『퍼펙트 배케이션』이라는 보구인데…….

"퍼펙트…… 배케이션?"

퍼펙트 배케이션. 그것은 내가 마음에 들어 하는 셔츠형 보구다.

그 보구가 지닌 힘은 입은 대상을 강제로 쾌적하게 만들어버리는 것.

기온이나 습도, 진동, 마나 머티리얼이나 마물의 살의 같은 외적 요인은 물론이고 슬픔이나 분노처럼 사용자 본인에게 원인이 있는 요소까지, 온갖 '불쾌함'으로부터 사용자를 지켜주며 쾌적함으로 덮어씌워 버리는 그 보구는 헌팅 중은 물론이고 휴식에도 안성맞춤인 보구다.

그야말로 지금 세렌에게 필요한 물건. 뭐, 그 대신 내가 쾌적해지지 않게 되어버리겠지만 전투에 참가할 생각이나 뭔가 할 예정도 없으니 문제는 없을 것이다. 루크의 저주를 해제하기 위해【근원의 신전】으로 갔을 때도 입고 있었는데, 보아하니 이름을 몰랐던 것 같다.

여담이지만, 퍼펙트 배케이션은 리즈나 다른 사람에게 몇 번이나 권했는데도 써주지 않았던 보구다.

효과는 강력하지만 아무래도 다들 그 생김새가 마음에 들지 않았던 모양이다. 그야 좀 화려하긴 한데, 괜찮잖아…… 꽤 멋지지 않아?

"세렌에게 딱 맞을 것 같아. 자, 바로 빌려줄 테니까…… 시트리, 장치 쪽은 맡길게."

사실대로 말하자면, 다른 사람도 꼭 좀 그 힘을 체험해줬으면 하는 생각이 있었다.

어차피 나는 할 일이 없고, 세렌도 없다. 그렇다면 유그드라의 황녀인 세렌의 몸 상태를 조금이라도 좋게 만드는 게 지금 내가 해야 할 일인 게 틀림없다!

"네, 네…………… 그러면, 그쪽은 맡길게요……."

시트리가 좀 전과는 달리 약간 의욕이 떨어진 듯한 목소리로 말했다.

뭘 맡기겠다는 거지? …………뭐, 상관없어. 곧바로 세렌에게 보구를 시험해 달라고 해야지.

잘하면 보구 동료가 늘어날지도 모른다.

나는 당황한 세렌의 등을 밀면서 의기양양하게 그곳을 떠났다.

햇빛도 거의 비치지 않을 정도로 울창하게 우거진 숲. 먼 옛날부터 존재했다는 그 대수해는 정착한 정령인들조차 그 전모를 알지 못하고, 특이한 마수나 환수, 정령들이 특수한 생태계를 이루고 있다고 한다.

【근원의 신전】공략 작전 1단계. 사전 준비.

애들러 일행은 지맥의 상태를 확인하기 위해 현인경에 비친 채 조용히 지나가는 풀과 나무들을 바라보고 있었다.

아니, 정확히 말하자면 보고 있는 건 풀과 나무가 아니다. 보이지 않을 뿐이다.

대지에 흐르는 막대한 힘을 충분히 받아들인 풀과 나무는 올려다봐야 할 정도로 크게 자랐고, 현인경의 표적으로 삼은 자그마한 독 체인은 큼직한 풀 속에 완전히 가려져 있었다.

풍경의 이동속도로 보아 뛰어가고 있는 건 틀림없겠지만, 다른 사람이 보기에는 수풀이 부스럭거리며 움직이는 것처럼 보이기만 했다.

독 체인을 정찰 보낸 이후로 수십 분. 지금까지는 큰 문제가 발생하지 않았다.

그 특별한 눈으로 거울을 바라보고 있던 우노가 감탄한 듯이 말했다.

"잘도 뛰어가네요~. 설마『리빙 체인』에 이런 숨겨진 기능이 있었을 줄이야———."

"……써먹을 방법이 생각나지 않지만 말이지. 비슷한 크기라 해도 더 똑똑한 마물은 얼마든지 있다고."

"그렇긴 하지."

퀸트의 말에 맞장구를 쳤다.

애들러가 상상했던 것보다 더 잘 풀리고 있긴 하다. 하지만, 그건 지금 단계까지는 문제가 발생하지 않았다는 것뿐이다.

지시에 따라주는 『리빙 체인』이 재미있긴 하지만 재미있을 뿐이다. 더 빠르고 똑똑하고 힘이 센 마물은 얼마든지 있고, 애초에 지금 이렇게 도움이 된다 하더라도 애들러 일행의 현인경 덕분인 데다 일부러 이런 상황에서 보구를 사용할 이유가 되지는 못한다.

"잔소리는 됐고! 크라이가 편한 길을 갈 리가 없잖아. 불평할 여유가 있다면 너희들 일이나 제대로 해!"

애들러 일행을 감시하듯 뒤쪽에 서 있던 리즈가 혀를 차며 소리쳤다. 그 날카로운 눈초리에서는 애들러 일행을 경계하고 있다는 느낌이 확실하게 들었다.

그럴 만도 하다. 애들러 일행은 딱히 《천변만화》의 아군이 아니다. 단지 이익이 있기에 따르고 있을 뿐이다. 친근하게 대해준다면 그것이야말로 맥이 빠지는 상황일 것이다.

마찬가지로 경계를 숨기지 않고 있던 정령인 파티 중 한 명이 물었다.

"그래서…… 지맥은 제대로 보이는 거냐, 입니까?"

"그건 문제없어요~. 하지만………… 아직 보물전까지 거리가 멀리 떨어진 이곳에서도 마나 머티리얼의 농도가 터무니없이 높네요. 강약을 구분하는 게 꽤 힘들지도 모르겠지만~."

세계수 주위에는 지맥이 밀집되어 있다. 이번에 애들러 일행이

찾아내야만 하는 것은 그중에서도 마나 머티리얼이 특히 많이 축적되고 있는 지점――― 세계수로 모이는 지맥이 합류해서 하나의 커다란 지맥이 되는 그 점이다. 유그드라의 우두머리―――우노와 마찬가지로 특별한 눈을 지닌 세렌 황녀의 이야기에 따르면 그곳에는 보면 확실하게 알 수 있을 정도로 강한 힘이 모여들고 있다고 한다.

거울 속으로 들어갈 것처럼 빤히 바라보고 있던 사람――― 이름이 티노인 것 같은 소녀가 조심조심 중얼거렸다.

"그런데, 동물이 전혀 없네요………… 이렇게 마나 머티리얼이 진한 숲인데……."

"흥…… 마나 머티리얼이 진하기 때문일지도 모르지. 강력하고 지성을 지닌 환수일수록 경계심이 강한 법이다. 생태계의 정점이 이미 바뀌었다는 사실 정도는 이해할 수 있겠지."

라피스가 어깨를 으쓱였다. 분명히 이 숲은 평범한 상황이 아니긴 했다.

만약 전문가인 도적이나 애들러 일행이 거느리는 마물이었다면 지금 이 숲에 위화감을 품었겠지만, 독 체인은 그런 걸 눈치채지 못하며 앞으로 나아가고 있었다.

공포는 위기감을 불러일으킨다.

그것을 느끼지 못한다는 것은 장점이자 큰 단점이기도 하다.

"……저번에 숲을 탐색했을 때는 생물이 좀 더 있었어. 하지만 지금은――― 시체조차 없어."

멍하니 거울을 바라보고 있던 엘리자가 조용히 말했다.

터무니없는 무언가가 일어나고 있다는 건 틀림이 없었다.

"아무리 지성을 지닌 환수가 도망쳤다 하더라도——— 이렇게까지 조용한 건 부자연스럽지. 굳이 말하자면 '쫓겨났을' 가능성이 클 거야."

역시 가장 큰 난관이라 불리는 신전형 보물전이다. 지금까지 애들러가 지니고 있던 상식에서 벗어난 일들이 차례차례 일어나고 있다.

신전 입구에서 맞서 싸웠던《천변만화》가 이끄는 팬텀 군세가 떠올랐다.

생각해 보니 그건 일종의 시험 같은 것이었을지도 모르겠다. 같은 인도자로서 애들러가 협력자가 될 만한 실력을 지니고 있을지 파악하기 위한 실험.

그리고 아마 애들러는 동귀어진이라는 형태로 아슬아슬하게 합격했겠지. 그렇지 않다면 제자로 받아달라는 제안을 쉽사리 승낙했을 리가 없다.

어찌 됐든, 지금 애들러는 군세를 잃은 상태다.

이 현상을 일으킨 팬텀과 마주치는 건 피해야 한다. 적어도 유덴이 회복되고 새로운 군세를 구성할 때까지는———.

그때, 엘리자가 수상쩍어하는 듯한 목소리로 말했다.

"……이 애, 예정된 루트에서 벗어났어."

"?!"

다시 거울을 확인했다.

독 체인은 망설이지 않고 똑바로 나아가고 있는 것처럼 보였다.

애초에 숲은 주위가 비슷하게 생겼기에 길을 잃기 쉽다. 거울에 비친 광경이기에 전혀 눈치채지 못했지만, 레벨이 높은 도적이 그렇게 말했으니 아마 진실일 것이다.

《천변만화》는 독 체인에게 지시를 내릴 때, 지도 위의 선을 따라서 조사 루트를 제시했다. 그렇게 간단한 명령만으로도 괜찮을지 의문이었는데, 아무래도 별로 괜찮지 않았던 모양이다.

이대로 루트에서 크게 벗어나 버리면 조사의 의미가 없다.

전문가인 도적을 파견했다면 있을 수 없었던 광경이다.

정말 어째서 독 체인 같은 걸 사용한 거지?

눈살을 찌푸린 채 생각에 잠겨 있자니 문득, 티노가 굳은 표정으로 말했다.

"언니………… 저기…… 제가 착각한 거라면 괜찮겠지만요, 이애………… 보물전 쪽으로 가고 있는 것 같은데요…………."

"에휴………… 티, 너, 지금까지 뭘 봐온 거야? 다시 한번 말하지만, 크라이가 편한 길을 선택할 리가 없잖아!"

떨리는 목소리로 말한 티노에게《절영》이 어이없다는 듯이 어깨를 으쓱였다.

독 체인은 아직 길을 잘못 들었다는 사실을 눈치채지 못한 것 같았다. 이대로 방치하면 골치 아픈 일이 생길 것이다.

현인경으로 할 수 있는 건 감시뿐이다. 대상에게 명령을 전달할 능력은 없다. 리즈를 보며 말했다.

"《천변만화》를 불러. 이런 상황을 예상 못 했을 리가 없잖아?"

애들러 같은 인도자는 마물을 조종할 때 다양한 수단을 동원한다. 예를 들어 퀸트라면 손가락 피리로 자세한 지시를 내릴 수 있고, 그러지 못하는 애들러는 애초에 지능이 낮은 마물을 멀리 보내지 않는다.

애들러는 독 체인의 능력에 대해 자세히 알지 못한다. 정찰을 할 수 있다는 것도 몰랐으니 먼 곳에서 명령을 내릴 수 있을 가능성도 있을 것이다. 아니, 그렇게 간단한 지시만 내려서 조사에 파견했으니 뭔가 생각이 있어야만 한다.

하지만, 애들러가 한 말을 듣고 리즈 일행이 보인 반응은 예상치 못한 것이었다.

세 도적은 뭐라 말하기 힘든 표정으로 서로 얼굴을 마주 보며 한숨을 쉬었다.

대체 어떻게 된 거지? 눈을 동그랗게 뜬 애들러에게 어제 지나치면서 협박하는 듯이 말했던 티노가 살짝 헛기침을 하고 나서 말했다.

"물론, 당연히 예상하셨겠지. 당신들은 신산귀모를 너무 얕보고 있어. 애초에 마스터는 독 체인이 길을 잃는 것조차 예상하셨을 거야. 그러니까 부를 필요는 없어."

"…………뭐?"

길을 잃는 것조차 예상했다고? 그게 무슨 뜻이지?

우노도 애들러와 똑같은 생각을 한 건지, 반신반의하는 표정으로 말했다.

"⋯⋯⋯길을 잃는 것조차 예상했다니, ⋯⋯⋯일부러 길을 잃게 만들 이유가 있나요~? 다른 길을 조사할 거라면 처음부터 그렇게 명령하면 되잖아요~."

"⋯⋯마스터의 생각은, 판단은, 일반인들이 도저히 이해할 수 없을 정도로 아득히 높은 수준에 있어. 다시 말해서 마스터는 신."

영문을 알 수 없는 말을 하는 티노. 하지만 그녀가 드리운 표정을 본 애들러는 깜짝 놀랐다.

마치 절체절명의 위기에 처한 것처럼 심각한 표정. 그것은 결코 아군에 대해 이야기할 때 지을 만한 표정이 아니었다. 마치 당해낼 수 없는 괴물에 대해 이야기하는 듯한―――.

마물을 조종하는 인도자는 뛰어난 지휘 능력을 갖출 필요가 있다. 《천변만화》가 신산귀모라 불리는 것도 인도자로서 지닌 지휘 능력 덕분이라고 생각했지만, 방금 그 표정을 보니 조금 어설픈 생각이었을지도 모르겠다.

어찌 됐든, 상황을 지켜보는 게 좋을 것 같다.

"그렇게까지 말한다면⋯⋯ 재미있는 걸 볼 수 있을 것 같군."

"⋯⋯⋯분명히, 재미는 없을 거다, 입니다⋯⋯."

크류스라 불리던 정령인 소녀가 은근히 두려움이 담긴 목소리로 조용히 중얼거렸다. 《별의 성뢰》도 《천변만화》와 같은 클랜 멤버였을 텐데.

적에게 두려움을 산다면 이해가 되지만, 아군이 이렇게까지 두려워하다니―――.

그때, 거울을 잠자코 지켜보고 있던 엘리자의 표정이 바뀌었다.

눈을 크게 뜨며 짤막하게 소리쳤다.

"무언가가 와…………!"

모두가 거울에 집중했다. 거의 동시에 흔들리던 수풀이 멈췄다. 독 체인이 멈춰 선 것이다.

보구인 독 체인에게는 감정 같은 것이 없을 터. 그렇다면, 어째서 멈춰 선 것일까.

발소리는 들리지 않는다. 하지만, 불길한 바람이 불었다.

거울 속에서 일어나고 있는 일인데도 모두가 숨을 멈췄다. 정체를 알 수 없는 강한 압박감.

──그리고 모두가 바라보고 있던 와중에 나무 그늘에서 그것이 나타났다.

처음 보인 것은 나뭇잎 사이로 새어 들어온 햇빛을 빨아들이는 칠흑의 가면이었다.

디자인은 【근원의 신전】에서 싸웠던 팬텀들이 쓰고 있던 것과 마찬가지였지만, 색이 달랐다.

인간형 팬텀이었다. 기장이 짧은 칠흑의 로브와 날씬하게 뻗은 팔다리. 애들러 일행을 괴롭혔던 그 기사 팬텀과는 달리 차림새가 마도사 같았고, 몸동작도 왠지 세련되어서 폭력적인 분위기가 느껴지지는 않았지만 거울 너머로도 느껴지는 그 압박감이 예사롭지 않았다.

추악하고 까만 가면을 쓴 어둠의 마도사. 척 보기에도 졸개가 아니다.

아마도 유덴을 두 동강 낸 기사 팬텀과 동격인 존재일 것이다. 가면의 색은 다르지만 틀림없다.

그때, 저 팬텀과 마주치지 않아서 다행이다. 진심으로 생각했다.

인도자가 지닌 힘의 본질은 수로 압도하는 것이다. 일기당천의 기사도 강했지만, 일기당천의 마도사는 애들러 일행에게 있어서 천적이라 할 수 있다. 광범위 공격 마법 한 방에 군세가 전멸할 가능성조차 있다. 자칫하다가는 애들러 같은 인도자들까지 함께 끝장날 것이다.

───욕심난다.

갑자기 애들러의 마음속에 강한 욕구가 솟구쳤다.

신의 팬텀에도 흥미가 있긴 하지만, 애들러의 군세에는 마도사가 거의 없다. 애초에 마술을 쓸 수 있는 마물 자체가 귀중하다.

저 팬텀을 지배할 수 있다면 《천귀야행》도 더욱 높은 경지에 도달할 수 있다.

강한 감정 때문에 일그러질 뻔한 표정을 겨우 태연하게 유지했다.

아직 팬텀이 눈앞에 나타났을 뿐이다.

팬텀을 지배하는 데 있어서 어떤 공정이 필요한 건지도 아직 모른다.

어쩌면 《천변만화》는 독 체인을 이용해서 팬텀을 떠보려 한 건가?

이번 목적과는 약간 어긋났지만, 그렇게 생각하면 독 체인을 정찰에 내보낸 이유도 납득할 수가 있다.

강력한 마물은 인도자에게도 귀중한 존재다. 함부로 소모시킬 필요는 없고, 애초에 생물이라면 이 팬텀의 기척을 느낀 시점에서 그쪽으로 다가갈 생각은 하지 않을 것이다. 보구라면 파괴되더라도 다시 사면 되고, 강력한 팬텀 앞에서 겁을 먹지도 않을 것이다.

지금까지는 생각해 보지도 못했던 선택지다. 애들러도 비슷한 기능이 있는 보구를 찾아봐야 하나…… 그렇게 생각하던 와중에 팬텀 바로 위에서 까만 것이 천천히 내려왔다.

연한 먹색 구체. 한순간, 거대한 풍선인가 하는 생각이 들었지만, 그렇지 않았다.

이건………… 뭐지?

본 적이 없는 물체다. 하지만, 그 주변의 분위기가 부자연스럽게 일그러져서 보고 있기만 해도 마음이 어수선해졌다.

문득 옆을 보니, 우노가 눈을 있는 힘껏 크게 뜨고 있었다.

그 특별한 눈에는 애들러와는 다른 무언가가 보이는 건가?

라피스가 비틀비틀 거울 쪽으로 다가간 다음, 테이블을 힘차게 손으로 짚으며 떨리는 목소리로 말했다.

"마…… 말도 안 돼………… 이건, 정령이다. 게다가 최상위 정령——— 유그드라의 수호 정령——— 미레스와 동격인!"

정령. 힘의 덩어리. 살아있는 자연. 온갖 비경을 여행해 온 애들러 일행도 거의 본 적이 없는 최강의 존재들 중 하나. 그중에서도 최상위 정령은 각지에서 신앙의 대상이 되며, 신에 필적하는 힘을 지니고 있다고 한다.

그 말이 사실이라면 위험한 사태다. 최상위 정령은 애들러의 군세가 완벽한 상태라 하더라도 이길 수 있을지 알 수가 없는 상대이기 때문이다.

정체를 알 수 없는 그 정령은 마치 팬텀을 지키려는 듯이 주위를 둥실둥실 떠다니고 있었다.

"⋯⋯⋯⋯쳇. 역시 이건 뭔가 대책을 세워야━━━."

"안 돼. 다가가기도 전에 당할 거야."

역시 상성이 안 좋다는 건 알고 있는지, 리즈가 혀를 찼고 엘리자가 나무라는 듯한 말투로 말했다.

마도사 팬텀만으로도 버거운데 고위 정령이 함께 있다니. 너무 불리한 상대다.

팬텀이 크게 자란 풀숲을 헤치며 천천히 걸어갔다. 그것만으로도 주위의 식물들이 점점 색을 잃고, 말라 비틀어졌다. 마치 식물로부터 생명력이라도 빼앗고 있는 것처럼.

뭔가 하는 것 같진 않다. 팬텀의 힘일까, 아니면 정령의 힘일까.

단 한 가지, 확실하게 말할 수 있는 게 있다면━━━ 그 존재는 그저 거기에 있는 것만으로도 주위의 목숨을 해치고 있다는 사실.

무시무시한 힘이다. 특히 무리를 짓는 《천귀야행》과 상성이 안 좋다.

갑작스럽게 마주쳤다면 패배했을지도 모른다.

우노가 뭔가 말하고 싶어 하는 표정으로 애들러를 보았다. 애들러는 고개를 한 번 끄덕이고는 다른 사람들을 둘러보았다.

저 팬텀의 힘이 강대하긴 하지만, 미리 알고 있다면 뭔가 수를 쓸 수도 있다.

"골치 아픈 능력 같은데…… 하지만 공간을 가르고 이동할 수 있는 우노의 리퍼라면 확실하게 뒤쪽에서 선수를 칠 수 있지. 일격에 해치우면 어떤 힘을 지니고 있다 하더라도 상관이 없어."

"지금은 가위가 소모된 상태라 한 번 더 쓸 수 있게 될 때까지는 시간이 좀 걸리지만요~."

우노의 성령——— 리퍼의 능력은 기습에 가장 적합하다.

자유자재로 공간을 가르는 가위. 유사적인 순간이동을 가능케 해주는 그 능력은 지금까지 《천귀야행》을 몇 번이나 구해준 비장의 수이며, 그 힘은 도주할 때는 물론이고 공격할 때도 효과적이다.

마도사의 약점은 본체가 빈약하다는 것이다. 아무리 상대가 팬텀이라 하더라도 그 전제는 마찬가지일 터.

퀸트를 일격에 기절시킬 수 있을 정도의 공격력을 자랑하는 리즈가 뒤에서 허를 찌르면 순식간에 끝날 것이다. 식물을 메마르게 만드는 현상도 고레벨 헌터를 단숨에 쓰러뜨릴 수 있을 만큼 강하진 않다.

애들러가 제안하자 엘리자가 눈을 크게 떴다.

"…………당신들, 공간 전이까지 할 수 있어?"

"리퍼의 힘은 특별하거든요~."

"…………쳇. 범죄자의 힘을 빌리는 건 짜증 나지만, 어쩔 수 없지. 일은 제대로 해야만 하니까."

"맞아요, 언니. 세계의 위기니까요————."

보아하니 리즈도 목적을 위해서라면 싫어하는 상대와도 함께 싸울 수 있을 정도의 도량은 있는 것 같았다.

배신당할 우려도 없을 것이다. 이 여자는 배신할 바엔 정정당당하게 공격할 테니까.

힘을 아낄 생각은 없다. 이렇게 강한 팬텀이 여러 마리 있을 거라 생각하고 싶진 않지만, 앞으로도 강력한 팬텀들과 몇 번이나 교전을 벌이게 될 것이다.

서로 협력해야만 살아남을 수 있다. 《비탄의 망령》과 《천귀야행》은 한배를 탄 처지다.

"우노, 시간이 얼마나 지나야 가위를 쓸 수 있게 되지?"

"그러게요…… 사흘 정도 지나면 한 번 쓸 수 있을 정도로는 회복될 거예요……."

사흘이라. 최근에 너무 혹사시켰구나.

티노가 눈살을 찌푸리며 우노에게 물었다.

"……그런데, 그 가위는 한 번에 몇 명이나 보낼 수 있어?"

"네? 굳이 말하자면 인원수가 아니라 길의 크기죠~. 얼마나 공간을 크게 가를지에 따라 다르니까요~."

"…………어, 언니, 이 녀석들, 세렌 씨보다 스펙이 높을지도 모르겠어요……."

조금 기다리게 되겠지만, 이번 작전은 조사로 끝나지 않는다. 장소를 정하면 장치를 설치해야만 한다. 이 팬텀을 무시하고 작전을 속행할 수는 없다.

처음부터 문제가 생겨버렸지만 반대로 생각하자면 지금 그 존재를 알 수 있게 되어 다행이다.

운이 좋게도 팬텀은 탐색 능력이 뛰어나지 않은지, 풀숲에 숨은 독 체인을 눈치채지 못한 것 같았다.

팬텀은 그 막대한 힘에 비해 발걸음이 매우 불안정한 것 같았다.

비틀비틀 좌우로 몸을 흔들며 독 체인이 있는 곳 몇 미터 옆을 걸어갔다.

혹시 순찰 루트가 있는 건가? 잠깐 망설이다가 현인경이 비추는 표적을 독 체인에서 눈앞에 있는 팬텀으로 바꾸었다.

이제 저 팬텀이 무슨 목적으로, 어디를 향해 가고 있는지 알 수 있을 것이다.

무언가를 찾고 있는 걸까, 아니면 보물전 주변을 경비하고 있는 걸까. 조금이라도 정보가 필요하다.

자세를 바로잡고 팬텀의 움직임을 주시하고 있던 와중에 갑자기 풀숲이 크게 움직였다.

"?! 뭐, 뭐라고?!"

크게 자란 풀숲에서 뛰쳐나간 것은──── 독 체인이었다.

희미하게 빛나며 길게 늘어진 사슬. 독 체인은 나뭇잎 사이로 새어드는 햇빛을 반사하며 물이 흐르는 듯한 움직임으로 용감하게(?) 팬텀에게 몸통 박치기를 가했다.

"?! 어? 어어??"

티노가 짤막한 비명 같은 목소리를 냈고, 리즈와 크류스도 깜짝 놀란 듯이 눈을 크게 떴다.

독 체인은 부딪힘과 동시에 개 형태를 이루고 있던 몸을 풀어서 사슬로 돌아온 다음, 팬텀의 몸을 빙글빙글 휘감았다.

뒤쪽에서 습격당한 팬텀은 몸을 움찔거리며 사슬을 떨쳐내려 했지만, 그 정도로는 풀리지 않았다.

그것은 좀처럼 믿기 힘든 광경이었다.

"설마, 팬텀을 구속하려는 목적이 있었던 건가? 아니, 하지만———."

영문 모를 상황에 애들러는 동요를 억누를 수가 없었다.

대상을 구속하는 것은 사슬형 보구의 가장 흔한 기능이다. 독 체인은 보구이기 때문에 강대한 팬텀을 상대로 망설임 없이 뛰어든다는 것도 납득이 안 되는 건 아니다.

하지만, 《천변만화》가 독 체인에게 내렸던 지시는 정찰뿐이었다. 애초에 보통은 저런 레벨의 보물전에 나타나는 팬텀은 독 체인 정도로는 구속할 수가 없다.

여러 가지 요소가 겹쳐져야만 발생할 수 있는 광경.

설마, 이런 것까지 《천변만화》의 계산대로인 건가?

하지만, 아직이다. 문제는 아직 남았다.

마도사는 순수한 신체 능력이 약할지도 모르겠지만, 그게 그들이 약하다는 의미는 아니다.

온몸이 구속된다 해도——— 마도사의 힘은 전혀 떨어지지 않는다.

애들러의 생각을 뒷받침하듯 팬텀의 몸이 희미하게 빛났고, 감겨 있던 사슬이 풀려서 튕겨 나갔다.

온몸으로 마력을 단숨에 뿜어내서 공격을 튕기는 간단한 결계 마법. 나름대로 실력에 자신이 있는 마도사라면 누구나 쓸 수 있는 기술이다.

독 체인은 공중에서 다시 변형하고는 그대로 풀숲에 착지해서 보이지 않게 되었다.

"어떻게 할 셈이지?"

보이지 않게 되긴 했지만 좀 전과는 상황이 다르다. 탐색 능력이 낮더라도 어디 있는지만 알면 그곳을 탐지하는 방법은 얼마든지 있을 것이다.

팬텀은 독 체인이 착지한 쪽을 보고는 조용히 오른팔을 뻗었다. 그것만으로도 마치 파문이 퍼져나간 듯이 풀숲이 말라비틀어졌다.

그 속도는 좀 전까지와는 비교도 되지 않았다. 침식이 그대로 멈추지 않고 퍼져나갔고, 푸르고 거대한 나무가 단숨에 색을 잃고는 가벼운 소리를 내며 무너져내렸다.

그곳에 남은 것은 좀 전과 전혀 달라진 게 없는 팬텀과 숨을 곳이 사라진 독 체인뿐이었다.

효과 범위는 10미터 정도인가? 온 힘을 다하면 더욱 넓은 범위까지 공격할 수 있을지도 모르겠다.

역시 보구라 그런지 마법의 영향을 받지는 않은 모양이지만, 이미 승산은 보이지 않았다.

애초에 독 체인에게는 공격 수단이 없다. 어디까지나 상대를 구속하기 위한 보구니까.

답이 없는 상황. 하지만 《천변만화》가 의도적으로 팬텀과 독 체인을 맞붙게 했다면, 이런 상황이 될 거라는 사실도 알고 있었을 테니———.

침을 꿀꺽 삼키며 상황을 지켜보았다.

팬텀 마도사가 말없이 눈앞에 서자, 독 체인이 몸을 크게 떨었다.

그리고——— 높게 뛰어오른 다음, 돌아서서 가벼운 움직임으로 뛰어가기 시작했다.

"…………어?"

독 체인은 팬텀의 힘의 범위에서 탈출한 다음, 아직 남아 있는 풀숲으로 사라졌다.

무심코 눈을 깜빡였지만, 현실은 마찬가지였다.

무슨 작전인 건가? 한순간 그런 생각이 머릿속을 스쳤지만, 독 체인이 돌아올 낌새는 보이지 않았다.

"도망…………쳤나?"

어떻게 된 거지? 도망칠 거라면 팬텀 앞으로 뛰쳐나가서 정체를 드러낼 필요는 없었을 텐데.

그 상황에서 상대를 공격한 이상, 독 체인은 그런 명령을 받았다고 생각해야 할 것이다. 레벨 10 보물전의 팬텀 상대로 독 체인이 제대로 싸울 수 있을 리는 없으니 맞붙게 한 이유가 따로 있을 거라 생각해야 한다.

《천변만화》의 사고를 해석하려 했지만 전혀 이해할 수가 없었다. 그 행동이 나중에는 팬텀을 굴복시키는 것으로 이어지지도 않을 테고———.

혼란스러워하고 있자니 침묵하던 티노가 쥐어 짜내는 듯한 목소리로 말했다.

"마………… 마스터어………… 설, 마………… 그런, 시련, 인가요?"

……시, …………련?

낯설기도 하고 이런 상황에서는 듣기 힘든 단어를 듣고 티노를 보았다.

핏기가 가신 채, 당장에라도 죽을 것 같은 티노의 표정.

다시 한번, 현인경이 비추는 광경을 보았다. 마침, 비춰진 팬텀이 걸어가기 시작하던 참이었다.

크게 비틀거리면서도 독 체인이 도망친 쪽을 향해———.

"………………다리가 도망치고 싶어 하고 있어…………. 나는, 여기서 움직이지도 않았는데……."

"약한 인간…… 그 녀석…… 보통 이렇게까지 하나?! 입니다!!"

엘리자가 질색이라는 듯한 목소리로 말했고, 크류스가 머리를 마구 쥐어뜯었다.

애들러는 그제야 티노가 한 말이 무슨 뜻인지 이해했다.

고양감인지 오한인지, 오싹거리는 느낌이 등골에 솟구쳤다.

리즈는 분명 《천변만화》가 편한 길을 선택하지 않을 거라 했지만———.

"설마·········· 끌어들여서 요격할 셈인가?! 저 정령을 데리고 있는 팬텀을?!"

그것은 틀림없이 레벨 8에 어울릴 만큼 자신감이 넘치며 무시무시한 책략이었다.

상위 신관에게 받은 명령——— 외적의 제거. 그것을 달성하기 위해, 울창하게 우거진 숲속을 걸어간다.

그 팬텀에게 강한 의지 같은 건 없었다. 갑작스럽게 공격을 가한 사슬을 쫓아가며 깊은 숲속을 걷는다.

대체 언제 발생한 건지 알 수 없다. 곁에 존재하는 정령과 언제부터 함께 행동했는지도.

그것의 역할은 외적의 제거다. 오랫동안 보물전을 경비해 왔다. 바깥으로 나오게 된 것은 이번이 처음이다.

기쁘지는 않았다. 습격당한 것에 대한 분노도 없었다. 그것에게 있는 것은——— 허무와 그 안쪽에 달라붙은 어두운 감정. 그리고, 구색 맞추기 수준인 신에 대한 신앙심뿐.

아마도 그것이 힘을 지녔음에도 불구하고 제일 먼저 신전 내부의 경비에서 제외된 이유일 것이다. 신전은 신에 대한 신앙심을 가장 중시하기에———.

싸우는 것은 이번이 처음이다. 하지만, 불안하지는 않았다. 싸우는 법은 알고 있다.

곁에 있던 정령이 얼마나 위대한 힘을 지니고 있는지도.

숲속은 신기하게도 정겨웠다. 신기한 사슴은 이미 팬텀의 시야에서 사라졌지만, 왠지 모르게 헤매지 않고 추적할 수 있다. 마치 숨을 쉬는 것처럼, 마치 당연한 것처럼.

아니——— 알고 있다. 이 길을 그것은 알고 있었다. 한 발짝 내디딜 때마다 알 리가 없는 숲의 광경이 되살아나는 것처럼 의식에 떠올랐다.

어두운 초조감이 그것의 뇌리를 답답하게 만들고 있었다. 그것이 외적을 제거하라는 천명 때문인지는 모른다. 하지만——— 어서 나아가야만 한다.

조사 팀 모두가 작전 지휘를 맡고 있는 시트리에게 보고하러 갔다.

팬텀이 유그드라를 향해 다가오고 있다.

그 보고를 듣고도 시트리의 반응은 애들러가 예상했던 것보다 훨씬 약했다.

발단이 자신들의 리더가 풀어놓은 독 체인이라는 것도 확실하게 전했는데도 불구하고 마치 전부 예정된 것이었던 듯이 태연한 태도를 보인 것이다.

현인경은 숲속을 걸어오는 칠흑의 가면을 쓴 이질적인 마도사의 모습을 계속 비추고 있었다.

발걸음이 그렇게까지 빨라진 않지만, 나아가는 방향에는 망설임이 없었다. 어떠한 수단으로 독 체인의 흔적을 따라가고 있는 모양이었다. 유그드라에 도착하는 것도 시간문제다.

보면 볼수록 불길한 팬텀이었다.

애초에 인간과 비슷하게 생긴 팬텀은 강력한 경향이 있지만, 그뿐만이 아니었다. 퀸트의 비장의 수였던 사이클롭스, 조크를 죽이고 유덴을 두 동강 낸 기사 팬텀도 강했으나 이 팬텀은 그 팬텀과도 무언가가 다르다.

거울에 비춘 팬텀을 보고 시트리가 생각에 잠긴 듯한 표정을 지으며 고개를 끄덕였다.

"그렇군요………… 이번에는 그런 작전이었나요? 뜻밖이네요………… 아니, 평소대로라고 할 수도 있겠지만요."

"시트리…… 너, 약한 인간의 책략에 너무 익숙해진 거 아니냐, 입니다."

"뭐, 이번에는 크라이가 확실하게 참견하고 있으니까……."

한숨을 쉬며 어깨를 으쓱이는 리즈.

보아하니 《비탄의 망령》에게 있어서 이번 같은 일은 드물지 않은 모양이었다.

산더미처럼 쌓인 유리와 보석. 늘어서 있는 연금술사 특유의 실험 기구에 둘러싸인 채 루시아가 팬텀의 모습을 보고는 인상을 썼다.

"이쪽도 아직 견적이 안 나오는 상황인데, 정말…… 게다가 최악이에요. 이 팬텀이 데리고 있는 정령——— 일반적인 정령이 아니라고요. 팬텀 본체까지 포함하면 사력을 다해야 어떻게든 해볼 수 있을 정도…… 뭐, 평소대로라고 할 수도 있겠지만요."

"으음……."

헌터도 그렇고, 인도자 또한 오래 살아남으려면 상대와의 역량 차이를 정확하게 판단하는 능력이 반드시 필요하다.

이번 상대는 레벨 10 보물전의 팬텀과 최상위 정령이다. 어느 정도 실력에 자신이 있는 정도로는 승부도 되지 않는다. 후퇴할 가능성도 고려하고 있었지만, 적어도 루시아는 싸울 의지가 넘쳐나는 것 같았다.

팔짱을 낀 채 루시아가 하는 말을 듣고 있던 라피스가 코웃음 쳤다.

"흥………… 손쉬운 상대는 아니다만, 유그드라를 버리고 도망칠 수는 없지."

"…………그런데, 약한 인간은 어디 간 거냐, 입니까?"

"크라이 씨라면…… 이곳을 저희에게 맡기고 세렌 씨와 어디론가 가셨어요. 평소대로 크라이 씨께는 크라이 씨께서 하셔야 할 일이 있는 거겠죠…… 아마도."

그 말을 듣고 질색하는 표정을 짓는 크루스.

좀 전부터 평소대로라는 단어가 자주 나오고 있는데, 대체 어떤 헌팅을 하고 있는 거야…….

시트리는 한동안 팬텀의 움직임을 관찰하다가 살짝 헛기침을 하고는 주위를 둘러보며 말했다.

"저희끼리 요격하죠. 상대는 단독이고, 여기에 도착하려면 시간이 좀 남았어요. 보아하니 크라이 씨를 번거롭게 해드릴 정도는 아닐 것…… 같네요…………. 아마도."

"…………뭐 그래야겠지만…… 뭔가 책략이라도 있는 거야?"

조크를 죽였던 그 기사 팬텀과 동격인 상대라면 정면으로 맞서 싸우는 건 너무나도 위험하다. 하지만, 마도사는 근접 전투가 특기인 기사와는 달리 맞서 싸울 때의 정석이라는 게 존재하지 않는다.

마도사는 만능이다. 강력한 결계를 두르며 자유자재로 하늘을 날아다니고, 자연을 조종한다. 마도사라고 해도 개인차가 크고, 이번처럼 무슨 마술이 특기인지 정보도 없는 상황에서는 효과적인 방법이 없다.

유일하게 주위의 풀숲을 메마르게 만드는 존재라는 것만은 알아냈지만, 그것도 처음 보는 마술이다. 약점을 찾아낼 만한 시간은 없다. 상대가 경계하고 있는 지금은 리퍼를 이용한 기습도 힘들 것이다.

애들러의 물음에 시트리는 의아해하는 표정을 짓다가 곧바로 부드러운 미소를 지었다.

가면의 마도사가 유그드라에 도착했다. 독 체인이 뛰어가는 속도에 비해 그 발걸음은 꽤 느렸지만, 어떤 방법을 통해 추적해 온 모양이었다.

애들러 일행이 지금 있는 작업장은 유그드라의 중심부에 존재하고 있다. 입구에서는 아직 거리가 멀리 떨어져 있지만, 애들러는 흘러드는 탁한 분위기를 느끼고 있었다.

막대한 마나 머티리얼이 축적된 팬텀과 강대한 힘을 자랑하는 마수는 그에 맞는 분위기를 풍긴다. 이번 팬텀은 몸집이 작긴 하지만, 그 몸에서 느껴지는 힘은 용조차 능가했다.

지금까지 경험해본 적 없는 압박감. 현인경 속에서 팬텀의 발치에 희미한 연기가 피어올랐고, 유그드라의 입구 부근에 자라나 있던 풀과 나무가 말라비틀어졌다.

그 옆에는 커다랗고 까만 정령이 물 위를 떠다니는 듯이 떠올라 있었다. 팬텀은 한동안 그곳에서 무언가를 기다리듯 멈춰 서 있다가 잠시 후에 천천히 발을 내디뎠다.

수천 년의 역사를 자랑하는 유그드라에는 외적을 막기 위해 강력한 결계가 펼쳐져 있다. 주변에 서식하는 강력한 환수, 마수조차 막아내는 결계다. 그 발이 유그드라와 바깥의 경계를 넘어서 지면에 닿았다.

그리고─── 아무 일도 일어나지 않았다.

침을 삼키며 거울을 보고 있던 정령인들 중 한 명, 아스톨이 눈을 크게 떴다.

"유그드라의 결계가…… 발동되지 않았어?"

"이…… 있을 수 없는 일이에요. 이곳의 결계는 꽤 강력하다고 요~, 저희도 리퍼가 없었다면 들어오지 못했을 거예요……. 억지로 돌파하는 거라면 모를까, 그냥 파고들다니———."

마찬가지로 거울을 보고 있던 우노가 몸을 앞쪽으로 내밀며 거울을 바라보았다.

이미 그 팬텀의 주시 대상은 쫓아오고 있던 독 체인에서 유그드라 자체로 바뀐 모양이었다. 팬텀은 딱히 충격을 받은 것 같은 낌새도 없이 비틀거리며 아무도 없는 유그드라 거리를 걸어갔다.

유그드라를 공격하지는 않았지만 메마르게 만드는 능력은 건재했다. 유그드라의 주거지는 나무로 만들어져 있다. 크기가 크기인만큼 금방 말라비틀어지지는 않겠지만, 그리 느긋하게 지낼 시간은 없을 것이다.

하지만, 함께 거울을 들여다보고 있던 시트리는 초조해하지 않았다. 코웃음을 한 번 치고는 왠지 요염한 듯한 미소를 지었다.

"결계가 통하지 않는 것 정도는 이미 예상하고 있었어요. 결계에 가로막히면 재미가 없잖아요? 크라이 씨께서는 그렇게 재미없는 짓을 하지 않으세요."

왠지 자신감이 느껴지는 듯한 목소리.

거리를 걸어가던 팬텀이 광장에 접어들었다.

그리고 그 광장의 한가운데까지 걸어간 순간, 사방에서 빛기둥이 솟구쳤다.

제블디아에서도 손꼽히는 수호기사(팔라딘). 《부동불변》 안셈 스마트의 결계 마법.

갑작스럽게 생겨난 빛에 한순간 경직된 팬텀. 그 옆에 떠 있던 칠흑의 정령에게 갑자기 날아든 길쭉한 막대기가 꽂혔다.

풍선 같던 정령의 몸이 그 일격으로 인해 파열된 것처럼 흩어졌다.

결계 밖에서 그 막대기를 던진 건 리즈였다. 도적에게 있어서 단검 투척 기술은 기본적인 스킬이다. 이번에 던진 것은 단검이 아니라 시트리가 준비해 두었던 '안티 마나 메탈(대마금속강)'이라는 금속으로 만든 막대기였지만, 투척한 막대기는 정확하게 정령의 핵을 꿰뚫었다.

마력의 전달을 거의 완전하게 차단하는 희귀 금속. 설명을 들었을 때는 반신반의했지만, 설마 그런 금속이 이 세계에 존재할 줄이야———.

정령은 죽은 게 아닌 모양이었다. 그저 힘이 흩어졌을 뿐이다.

하지만, 그걸로도 충분했다. 한순간이나마 그 움직임을 막을 수 있다면 남는 것은 그저 마도사 팬텀 한 마리뿐이다.

거울 속에서 계획대로 공격을 명중시켰는데도 불구하고 리즈가 왠지 불만이라는 듯이 말했다.

『진짜~, 나는 접근전이 하고 싶은데에!』

『언니! 뒤쪽으로 좀!』

티노가 리즈를 잡아당기며 뒤쪽으로 물러났다.

그리고── 거울의 영상이 새하얗게 물들었다.

발생한 굉음이 공기를 뒤흔들었고, 진동과 바람이 멀리 떨어져 있는 애들러 일행에게까지 밀려들었다.

《만상자재》루시아 로제의 공격 마법.

마치 하늘에서 운석이라도 떨어진 것 같았다.

확실히 예전에 《천귀야행》이 맞았던 공격 마법보다 위력이 강하다.

기본적으로 공격 마법은 넓은 범위에 가하는 공격보다 한 곳에 가하는 공격의 위력이 강해지는 경향이 있다. 이번에 《부동불변》이 펼친 결계는 바깥의 공격으로부터 안쪽을 지키려는 것이 아니었다.

파괴가 안쪽에서 바깥쪽으로 새어나가지 않게끔 하기 위해서였다.

팬텀이 보여준 메마르게 만드는 힘을, 그리고 루시아 로제의 공격 마법 에너지를 바깥으로 빠져나가지 않게끔 하기 위한 결계. 그래도 모든 충격을 막아내지는 못한 모양이지만, 이 정도로 끝난 게 그나마 다행이라 해야 할 것이다.

"책략 같은 건 필요 없어요. 책략에 의존하면 기초 능력이 떨어지니까요. 저희는 크라이 씨께서 그렇게 판단하지 않는 이상, 정정당당하게 정면으로 싸울 겁니다. 저건── 루시아의 상대예요."

군더더기 없는 철저한 습격을 본 퀸트가 정색하며 말했다.

"어, 어디가 정정당당한데."

"이런 건 크라이 씨의 책략과 비교하면 책략이라 할 수도 없죠."

그렇다면――― 그 남자는 대체 얼마나 뛰어난 지모를 자랑하는 거지?

흙먼지가 사그라들었다. 그곳에 있던 것은――― 커다란 크레이터와 그 중심에 서 있는 팬텀 마도사의 모습이었다.

팬텀 바로 위에 갑자기 까만 점이 생겨났고, 점점 커져서 원래의 정령 모습이 되었다.

마도사의 몸에는 금이 갔지만 피가 한 방울도 흐르지 않았다. 그 금도 금방 사라졌다.

옆에서 거울을 들여다보고 있던 우노가 눈을 크게 떴다.

"이건…… 마나 머티리얼이 장갑처럼 몸의 표면을 뒤덮고 있어요~!"

"마나 머티리얼 장갑…… 팬텀 특유의 방식이네요."

안쪽까지 공격이 도달하지 않은 모양이었다. 팬텀은 아파하는 낌새를 전혀 드러내지 않았다.

완벽하게 기습당했는데도 겨우 그 정도 대미지라니――― 역시 레벨 10 보물전의 팬텀이라 그런지 쉽지 않다.

저렇게 강한 위력을 지닌 공격을 버틸 수 있는 마물은 《천귀야행》에 존재하지 않는다.

우노가 초조한 기색을 드러내며 시트리를 보았다.

"어, 어떻게 할 건가요~? 거의 멀쩡한 것 같은데요~!"

"그야…… 당연히 쓰러질 때까지 공격해야죠. 상대가 지니고 있는 건 크라이 씨 같은 절대 방어가 아니에요. 공격이 전혀 통하지 않은 것도 아니고요. 루시아의 마법에는――― 그렇게 여러 번 버틸 수 없죠."

"……네?!"

"그리고 루시아도 아직 온 힘을 다한 건 아니에요. 그 공격으로 쓰러뜨릴 수 있을 거라 생각하진 않았겠죠. 오랜만에 자기보다 강한 마도사를 만났는데 기습으로 해치우면 아까우니까요."

갑자기 싸늘한 바람이 불었다. 공기가 반짝반짝 빛났고, 수많은 화살이 하늘 위에 나타났다.

강적을 앞두고 망설임 없이 마술을 행사한다.

하늘에 떠오른 수많은 얼음 화살은 환상적이었고, 그 싸늘한 살의를 드러내고 있는 것 같았다.

안셈의 결계 바깥쪽 근처에서 루시아 로제가 들고 있던 긴 지팡이를 아래쪽으로 휘둘렀다.

얼음 화살이 일제히 마도사에게 쏟아져 내렸다.

도망칠 곳이 없을 만큼 높은 밀도로 날아든 얼음 화살을 보고 팬텀이 취한 행동은――― 요격이었다.

"?!"

반짝반짝 빛나는 공기.

단숨에 팬텀 주위에 구성된 얼음 화살이 루시아 로제가 날린 얼음 화살을 요격했다.

수많은 화살과 화살이 맞부딪혔고, 얼음이 거세게 부서져 흩어졌다. 밀어닥친 싸늘한 공기와 굉음으로 인해 애들러는 자연스럽게 몸을 떨고 있었다.

부서진 파편이 마도사 팬텀 주위에 떨어졌다.

루시아의 화살은 하나도 팬텀에게 닿지 못했다. 그 전투 양상에 전율했다.

"상쇄했다고?! 호각이야?!"

장벽을 펼쳐서 막아내는 거라면 모를까, 화살 마법을 마주 쏴서 모든 공격을 맞춰 떨어뜨리는 건 그야말로 신들린 기술이다.

옆에서 상황을 지켜보고 있던 시트리가 감탄한 듯이 말했다.

"아뇨…… 호각은 아니네요. 설마 루시아와 똑같은 마법을 써서 루시아를 이기다니———."

루시아가 날린 화살 마법이 사라졌다. 하지만, 팬텀의 마술은 끝나지 않았다.

『크윽……?!』

그대로 날아간 얼음 화살 몇 발이 결계 밖에 서 있던 루시아에게 날아들다가, 안셈이 펼친 결계 마법에 가로막혀서 사라졌다.

보아하니 이겼다 하더라도 그렇게까지 큰 차이는 나지 않는 모양이었다.

루시아는 한순간, 멍하니 서 있다가 곧바로 표정을 되찾았다.

그리고 불쾌한 듯한 표정을 지으며 지팡이를 쥐었다.

『그렇구나………… 재미있네. 위력, 정확도, 영창 속도, 단순히 강해. 평소와 비교하면 너무나도 단순하지만, 그런 거라면———오랜만에 온 힘을 다해 맞붙어보죠.』

『잠깐만, 루시아.』

지팡이를 휘두르려던 순간, 루시아의 뒤쪽에서 말을 건 사람이 있었다.

호위를 위해 애들러 일행 곁에 남은 아스톨을 제외한 《별의 성뢰》 멤버들이다.

　그녀들이 루시아의 양옆에 나란히 늘어선 다음, 리더인 라피스가 팔짱을 끼며 말했다.

　『전투를 방해할 생각은 없다만───── 흥. 이번에는 저걸 신경 쓰고 있을 시간이 없다. 가세하도록 하마.』

　『…………네, 마음대로 하시죠.』

　루시아가 지팡이를 땅에 꽂아 넣었다. 길고 까만 머리카락이 화악, 떠올랐다.

　그 눈앞의 공기가 소용돌이치며 몇 미터가 넘는 거대한 창이 구축되었다.

　양으로 제압하지 못했기에 이번에는 질로 승부한다. 단순명쾌한 답이다. 그리고 이번에는 혼자가 아니다.

　예리한 얼음창이 나타난 것을 확인하자마자, 《별의 성뢰》 멤버들이 마술을 행사했다.

　『루시아, 네놈에게 맞춰주마.』

　마술에 적성이 있는 정령인이 다섯 명. 정령인들 앞에 단숨에 다양한 색으로 빛나는 화살이 나타났다.

　마법 화살은 기본적인 공격 마법 중 하나이며, 사용자의 힘이 크게 반영되는 기술이기도 하다.

　개수와 위력. 발사 속도와 명중 정확도. 넓은 범위의 적을 쓰러뜨리는 데는 적합하지 않지만, 급소에 맞추면 마물도 문제없이 쓰러뜨릴 수 있고 상대방의 움직임을 견제하는 데도 써먹을 수 있다.

제어하기 편하다는 장점에 더해 고위 마술사가 사용하는 마법 화살(매직 애로우)은 위력만 놓고 보면 상급 공격 마법에 필적할 것이다.

게다가 이번에는 여러 마도사가 동시에 마술을 사용함으로써 마법 화살에도 다양성이 생겨났다.

물 화살, 바람 화살에 번개와 흙까지. 불꽃 화살이 없는 건 정령인들이 불을 꺼리기 때문일 것이다.

그리고 수많은 마법이 신호도 없이 일제히 날아갔다.

루시아의 거대한 창이 마치 포격 같은 소리와 함께 날자 정령인들의 화살도 호를 그리며 고속으로 팬텀을 덮쳤다.

환상적인 광경에 담긴 '기술'을 보고 우노가 한숨을 쉬었다.

"대단하네요………… 정령인들의 마술 실력은 유명하지만——저렇게 여러 명이 마술을 쓰고 있는데도 불구하고 서로가 사용한 마술에 간섭하지 않게끔 교묘하게 피하고 있어요……."

루시아 로제는 물론이고, 다른 정령인들도 틀림없이 일류였다.

원래 여러 마도사가 일제히 한 표적에 공격 마법을 사용하는 건 효율이 좋지 않다. 마술들끼리 부딪히면 위력이 크게 줄어들기 때문이다. 하지만, 그녀들의 화살은 상쇄를 피하고 위력을 유지하기 위해 직선이 아니라 호를 그리며 대상에게 날아들고 있었다.

화살의 종류를 바꾼 것에도 이유가 있다. 여러 종류의 마법으로 공격당하면 막기 힘들기 때문이다. 그리고 어떻게 막을지에 따라 상대방의 특기 마술을 파악할 수도 있다.

좀처럼 보기 힘든 다수의 강력한 마도사들의 콤비네이션.

팬텀의 동향을─── 자신의 마법을 능가한 마도사의 다음 수를 관찰하는 루시아.

부활한 정령은 움직이지 않았다. 날아드는 마법을 보고 팬텀이 다시 손을 들어 올렸다.

『윽?!』

루시아가 눈을 크게 뜨며 깜짝 놀랐다. 강한 바람이 불자 팬텀의 머리카락이 크게 나부꼈다.

그리고─── 그 눈앞에 거대한 얼음창이 생겨났다.

아니, 그뿐만이 아니었다.

팬텀 주위에 연달아 마법 화살이 생겨나기 시작했다. 《별의 성뢰》 멤버들이 만들어낸 것과 같은 종류의 마법 화살.

"……여러 마법을 동시에 발동하다니, 있을 수 없는 일이야………… 아니, 과거의 문명에는 이렇게까지 마도 기술이 발달했던 건가───."

마도사가 아닌 애들러도 알고 있다. 여러 종류의 공격 마법을 동시에 전개하는 건 지극히 힘든 일이다. 그것도 저렇게 많은 숫자를 발동시키는 건 아마 현대 마도사들 중에 재현할 수 있는 자가 없을 것이다.

《별의 성뢰》 멤버들도 현대 마도사를 초월한 기술을 보고 깜짝 놀란 기색이었다.

화살과 화살이 맞부딪혀서 상쇄되며 불꽃놀이 같은 빛이 깜빡였다.

루시아가 날린 얼음창과 팬텀이 만들어낸 얼음창이 정면으로 맞부딪혀서 양쪽 창이 흩어졌다.

위력은 거의 호각이겠지만, 이쪽에서는 루시아를 포함한 여섯 명의 마도사가 공격했다.

다시 정적이 돌아왔다. 상황을 지켜보고 있는 건지, 아니면 다른 이유가 있는 건지. 팬텀도, 그리고 정령도 공격을 가할 낌새를 보이지 않았다.

"……마술만 따지면 완전히 상대방이 더 뛰어난 모양인데. 하지만, 승패를 가르는 건 순수한 실력만이 아니지. 물리적인 공격까지 포함하면 아직 승산이 있어. 수호기사의 수호술은 마도사와 싸우기 적합하니까."

아직 승산은 있다. 이쪽의 패는 루시아나 《별의 성뢰》만이 아니다.

그게 저 팬텀의 허점이다.

승패는 리즈 스마트의 신들린 속도에 저 팬텀이 대처할 수 있을지 여부에 달렸을 것이다.

"저게 온 힘을 다하기 전에 결판을 내야 할 거야. 나라면 그렇게 했겠지."

리즈 스마트의 속도는 지금까지 애들러 일행이 만났던 어떤 도적보다 빠르다.

퀸트를 일격에 기절시킬 수 있는 헌터가 과연 이 세계에 몇 명이나 있을까.

가히 처음 싸우는 상대를 단숨에 제압하는 수준. 저 팬텀이 마술을 영창하는 틈을 타서 상대방이 리즈를 경계하기 전에 죽인다. 안티 마나 메탈을 사용하면 정령도 어떻게든 해결할 수 있을 것이다.

그렇게 생각하고 있자니 시트리가 눈을 깜빡이며 납득한 듯이 고개를 끄덕였다.

"아………… 그런 거였나요?"

"네?"

우노가 시트리를 보았다. 거울 속에서 루시아가 뭐라 표현하기 힘들 정도로 불만스러운 표정을 짓고 있었다.

루시아는 눈앞에 있는 팬텀에게서 눈을 완전히 돌려서 자신의 손바닥을 보며 말했다.

『……………그렇구나, ……필요한 건 병렬 기동이 아니라 대기란 말이지. 사출할 때까지 대기 시간이 필요한 마술을 순차적으로 구축하는 거야. 이거라면 유사적이나마 다른 마술을 동시에 발동시킬 수 있어……. 시간이 조금만 더 있었다면, 분명 나 혼자서도 깨달을 수 있었을 텐데…….』

삐진 듯한 목소리. 루시아가 고개를 들고는 팬텀을 보았다.

그와 동시에 그녀 주위에 마법 화살이 생겨났다. 하지만 이번에는 얼음 화살이 아니었다.

물, 불꽃, 얼음, 흙, 바람, 여러 속성의 여러 색을 띤 화살이 차례대로 나타난 것이다.

나타날 때까지의 속도는 달랐지만 그것은 좀 전에 팬텀이 보여 준 것을 재현한 모습이었다.

공중에 떠오른 화살에 둘러싸인 채, 《만상자재》가 지팡이를 눈 앞에 꽂아 넣고는 손을 놓았다.

『힘겨루기는 끝이에요. 사출까지 10초. 그 정도면 어느 정도 강한 마법도 쓸 수 있죠. 방어해 주세요.』

"?? 어째서 적에게 일부러 그런 경고를———."

우노가 그렇게 묻자 시트리가 어이없다는 듯이 말했다.

"…………적에게 그런 말을 할 리가 없잖아요. 저건 라피스 일행에게 한 말이라고요."

"네?"

주위에 떠올라 있던 화살이 거의 동시에 사출되었다.

날아드는 수많은 화살. 팬텀이 손을 들어올린 순간, 루시아가 큰 목소리로 주문을 외웠다.

『오버 그래비티 프레임(과중 중력 파동 세계)!!』

"윽?!"

공기가 삐걱댔다. 루시아를 둘러싸듯 서 있던 《별의 성뢰》 멤 버들이 눈을 크게 뜬 채 고통스러워하는 소리를 내며 무릎을 꿇 었다.

팬텀의 몸이 마치 위쪽에서 찍어누른 듯 땅바닥에 쓰러졌다.

그리고 그 무방비해진 등에, 루시아가 날린 화살이 명중했다.

물과 불꽃의 화살이 서로 간섭하며 폭발해서 수증기가 되어 시야를 가로막았다.

우노가 어이없어하는 듯한, 그러면서도 감탄하는 듯한 목소리로 말했다.

"우와………… 저거, 중력 마법인가요~? 신기하네…… 하지만 설마 아군까지 휘말리게 만들 줄이야———."

"루시아는 크라이 씨에게 부탁받아서 중력 마법을 연구했으니까——— 괜찮아요, 죽진 않을 거예요. 애초에 아군이 맞는 걸 신경 쓰다가는 마법 같은 건 못 쓰죠."

시트리가 대수롭지 않다는 듯이 말했다. 처음 마주쳐서 갑작스럽게 공격을 날렸을 때도 터무니없는 파티라고 생각했는데, 보아하니 그 인상은 잘못된 게 아니었던 모양이다.

타이밍은 완벽했다. 중력 마법으로 상대방의 저항을 무너뜨림으로써 루시아가 날린 공격 마법은 서로 상쇄되지 않고 확실히 팬텀에게 명중했다.

일반적인 팬텀이라면 분명히 날아가 버렸을 수준의 공격이다. 하지만, 루시아의 굳은 표정은 변함이 없었다.

휘말린 동료들도 무시하고 혼자서 가만히 수증기를 노려보고 있는 루시아.

문득, 피어오르고 있는 하얀 증기에 검은색 점이 하나 뒤섞였다.

검은색이 점점 전체로 퍼져나가 땅바닥에 물방울이 되어 떨어졌다. 시야가 원래대로 돌아왔다.

『이제야…… 진짜 힘을 보이려는 건가요.』

쓰러진 팬텀과 그것을 지키려는 듯이 앞으로 나선 정령.

팬텀의 온몸에는 좀 전보다 훨씬 더 커다란 금이 가 있었다.

하지만 그곳에서는 피가 한 방울도 흘러내리지 않았고, 금도 점점 회복되기 시작했다.

보아하니 그렇게 마법을 때려 넣었는데도 부족한 모양이었다.

우노가 깜짝 놀랐다.

"제게는, 보여요. 꽤, 약해졌어요. 하지만———."

이미 팬텀을 신경 쓸 상황이 아니었다.

검은 물방울이 떨어졌다. 찐득찐득하게 녹아내린 까만 구체 같은 몸과 뻥 뚫린 두 눈이 루시아를 가만히 바라보고 있었다.

대체 무슨 정령일까. 땅바닥에 떨어진 까만 물방울은 독기를 흩뿌리며 지면을 까맣게 침식하고 있었다. 동그란 눈이 척 보기에 귀엽긴 하지만, 그 정령이 마도사 팬텀조차 능가하는 괴물이라는 건 틀림없다.

루시아가 말한 대로 아무래도 지금부터가 진짜 시작인 모양이었다.

그때까지 계속 냉정했던 루시아의 이마에 식은땀이 흘러내렸다.

루시아는 걸치고 있던 로브 안에서 물이 든 병을 꺼낸 다음, 뚜껑을 열었다. 안에 들어 있던 액체가 공중에 떠올라 얇은 띠가 되어 루시아를 지키듯 둘러쌌다.

물의 정령이다. 정령의 사역은 마도사의 마술 중에서도 오의라고 한다. 아직 비장의 수를 가지고 있었구나. 놀랍긴 하지만, 그것까지 감안하더라도 루시아 쪽이 불리할 것이다.

루시아가 손목에 차고 있던 팔찌가 강한 빛을 내뿜었다. 보구

지팡이다.

———그리고, 싸움이 시작되었다.

그것은 좀 전의 마술전이 유치하게 보일 정도로 무시무시한 마법의 응수였다.

세계가 몇 초 만에 온도를 잃고 얼어붙었다. 수많은 얼음검이 팬텀에게, 정령에게 날아갔다. 빗나가서 땅바닥에 박힌 검은 거대한 얼음 기둥이 되어 팬텀을 집어삼켰다.

어느새 하늘에서 눈이 조용히 내리고 있었다. 지면은 하얀색으로 뒤덮였다. 냉기가 전장뿐만이 아니라 애들러가 있는 곳까지 느껴졌다.

이제는 장난이 아니다. 그녀는 좀 전처럼 여러 종류의 마법을 쓰지도 않으며, 세계를 은백색으로 물들이기 시작했다.

"얼음의 마도사…………."

"루시아는 테름 씨의 보구를 받았으니까요……. 애초에 물 계통 마술이 특기이기도 했고, 요즘은 그런 쪽 마술을 고집하는 것 같아요."

고집한다는 수준이 아니었다. 재능이 있는 마도사가 얼음 마술만 단련하더라도 이렇게 되진 않을 것이다.

좀 전까지 날리던 개체용 공격과는 달리 세계 자체를 바꿔버릴 정도로 강대한 마력.

『루루, 루시아 양, 진심인가, 입니까?!』

『……거리를 벌린다. 휘말릴 거라고.』

모든 것을 얼어붙게 만드는 얼음 세계.

그 마법은 좀 전에 사용했던 중력 마법 이상으로 아군을 전혀 고려하지 않았다. 헌터라면 보통은 사용하지 않을 마술이다.

중력 마법으로부터 해방된 《별의 성뢰》 멤버들이 급하게 거리를 벌렸다. 대체 저 가녀린 몸 어디에 세계를 바꿔버릴 정도의 힘이 담겨 있는 걸까?

그때, 애들러는 눈치챘다.

루시아 로제의 머리에 귀가 돋아나 있었다. 꼬리도 튀어나와 있다.

"인간이 아니라——— 마물이었나?!"

설마 저건, 그 남자가 거느리고 있는 마물 중 한 마리인가?!

기척은 인간이었지만, 지금 다루고 있는 힘은 분명히 인간의 힘이 아니다.

"크라이 씨께서 제일 공들인 사람은 루시아니까요…… 지는 걸 싫어하거든요. 아니, 질 수가 없다고 해야 할까요."

수많은 얼음 기둥이, 블리자드가, 적을 덮쳤다.

사방팔방에서 쏟아져 내리는 회피 불가능한 공격에 팬텀이 처음으로 물러났다.

그리고, 다시 공중에 칠흑이 번지기 시작했다.

암흑의 힘을 사용하는 마법은 존재한다. 하지만, 그것은 분명히 그런 종류의 공격이 아니었다.

그것은 물리적인 것이 아니었다. 파괴의 에너지도 아니었다.

그러나 얼음 기둥이 검은색에 삼켜졌고, 블리자드가 칠흑에 침식되었다. 루시아가 추가로 마법을 날렸지만 약간 밀어내는 게 한계였다.

과거 문명의 마법일까? 우노가 새파랗게 질린 채 거울로부터 한 발짝 물러났다.

"마력을——— 먹히고 있어요. 저건…… 공격이 아니에요. 말하자면, 구멍이죠. 모든 것을 집어삼켜서 끝내는, 그런 힘!!"

하늘에서 쏟아져 내린 얼음검. 땅바닥에서 솟구쳐 날아간 거대한 얼음 기둥, 그리고 모든 것을 얼어붙게 만드는 냉기. 그 모든 것이 정령 앞으로 빨려 들어갔다.

그 대신 날아드는 칠흑 화살을 루시아가 두꺼운 얼음벽을 만들어내 막으려 했지만, 마력으로 강화된 얼음벽도 꽂힌 화살에 침식되어 후두둑, 무너져내렸다.

아슬아슬하게나마 방어는 할 수 있다. 공격도 전혀 통하지 않는 것은 아니다.

하지만, 소모되는 힘의 차이가 컸다.

원래는 자그마한 화살 마법으로 두꺼운 벽을 무너뜨리는 건 있을 수 없는 일이다.

"…………신의 힘, 인가. 승부는 결판이 났군."

루시아도 강력하지만, 저 정령은 그보다 훨씬 강력——— 이질적이다.

아마 저 힘은 온갖 결계를 먹는 창이자 온갖 공격 마법을 집어삼키는 방패일 것이다.

공략할 수단은 방어하기 전에 기습해서 쓰러뜨리는 것뿐. 그리고 그 방법은 이미 막혔다.

루시아의 공격 마법은 팬텀에게 닿지 않았다. 좀 전까지 움직이지 않았던 정령은 완전히 임전태세를 갖추고 있다. 어쩌면 루시아를 적으로 인정한 건지도 모르겠다.

아직 마력에는 여유가 있는 모양인지 루시아가 단숨에 거대한 얼음용을 만들어서 부딪혔다.

하지만, 저항도 시간문제다. 저 팬텀의 마력이 루시아보다 먼저 떨어진다는 것에 걸어보는 방법도 있겠지만, 척 보기에도 루시아 쪽이 소모가 더 컸다.

절체절명의 위기. 전황을 관찰하던 시트리가 곤란한 듯한 표정으로 말했다.

"음………… 역시 좀 불리한가? 루시아는 승산이 없어도 싸우려 하겠지만——— 미레스를 이용할 수밖에 없겠네요. 최상위 정령에는 최상위 정령이죠."

"미레스……?"

갑자기 나온 이름을 듣고 기억을 돌이켜 보았다.

"그러고 보니 세렌도 말했었지…… 유그드라의 수호정령이라 했나."

"신에 가까운 힘을 지닌 정령이에요. 사정이 있어서 대피시키긴 했지만, 잠깐이라면 써먹을 수 있겠죠——— 문제는 미레스가 미믹 군 안에 있다는 것과 그 정령을 부릴 수 있는 세렌 씨가 없다는 점인데요……."

"⋯⋯⋯⋯⋯⋯확인해보지. 현인경이여, 세렌을 비추어라!"

세렌은 《천변만화》와 함께 나갔다고 했나―― 정말, 타이밍이 너무 안 좋다.

어째서 《천변만화》의 솜씨를 보려고 했는데 애들러가 움직이고 있는 거지?

거울의 상이 전환되었다. 그리고 비친 영상을 보고 애들러는 한순간, 상황을 잊어버렸다.

그곳에 비치고 있는 것은 화려한 셔츠를 입은 세렌의 모습이었다.

예전에 《천변만화》가 입고 있던 푸른색 바탕에 꽃무늬가 화려하게 들어간 셔츠다. 어떻게 된 영문인지, 그녀는 곤란한 듯한 표정을 짓고 있는 《천변만화》의 등에 업힌 채 유그드라 안을 다니고 있다.

그것만으로도 예사롭지 않은 상황이 발생했다는 걸 알 수 있었지만, 애들러를 가장 크게 놀라게 만든 것은 세렌의 표정이었다.

어제 보았던 늠름한 표정과는 정반대로 눈을 반쯤 감고 있어서 척 보기에도 졸린 듯한 표정.

《천변만화》에게 완전히 몸을 맡긴 채, 가끔 하품까지 하고 있다.

애들러가 관찰했던 세렌은 책임감이 강한 정령인이었을 텐데.

하지만 지금의 세렌으로부터는 어제까지의 모습을 전혀 찾아볼 수가 없었다.

『곤란한데⋯⋯⋯. 저 소리, 들었지? 쾌적한 건 좋지만, 제대로 해줘야해.』

『이제 됐어요. 어차피 세계는 멸망할 테니까, 이렇게 기분이 좋은 건 처음이에요. 방해하지 말아주세요.』

의욕이 전혀 느껴지지 않는 목소리를 들은 《천변만화》가 어이없다는 듯이 한숨을 쉬었다.

『너무 쾌적해져서 글러먹은 상태가 되는 사람도 있다는 이야기를 들어보긴 했지만, 단숨에 부담이 사라지면 책임감이 강한 사람은 이렇게 되는구나………… 자, 저쪽에서 소리가 들리니까 가보자.』

"이, 이 남자…… 이런 상황에서 무슨 짓을 하려는 거지?"

그들은 지금, 그야말로 치열한 전투를 벌이고 있는 루시아 일행 쪽으로 가고 있었다.

세렌이 한 행동은 그저 무늬가 화려한 셔츠를 크라이에게 받고 입은 것뿐이었다.

그것은 마치 기적 같은 효과였다.

시야가 탁 트인 듯한 감각. 세계가 바뀌어버린 것 같았다.

마치 무거운 갑옷이라도 벗어던진 것처럼 온몸이 가벼워졌다. 아니, 정확하게 말하자면, 가벼워진 것은 아니다.

아마 이건——— 지금까지 느끼고 있던 중압감이 전부 사라졌기 때문일 것이다.

『퍼펙트 배케이션』.

《천변만화》의 이야기에 따르면, 그 셔츠는 장비자를 쾌적하게 만들어주는 게 전부인 보구라고 한다.

하지만 세렌에게 있어서 그 변화는 너무나도 컸다.

항상 머릿속 한구석에 있던 현재 상황에 대한 고민도, 그걸 어떻게든 해결하기 위해 잠도 거의 자지 않고 대처함으로써 쌓였던 스트레스도, 모든 것이 녹아내려 사라졌다. 그제야 세렌은 요즘 자신이 얼마나 긴장했었는지 자각했다.

쾌락이라고 표현해도 될 정도로 기분 좋은 느낌 다음에 밀려든 것은 강한 졸음이었다.

보구가 제공해주고 있는 건 쾌적함뿐, 피로 그 자체를 없애주는 효과는 없을 것이다.

평소 세렌이었다면 그러한 충동을 억누르고 활동했겠지. 세계의 위기를 앞두고 쉴 틈 같은 건 없을 거라 생각했을 것이다.

하지만, 지금 세렌의 생각은 바뀌었다.

압박감이 사라지면 마음도 바뀐다. 극도의 긴장으로 인해 돌아가지 않던 머리도 냉정하게 돌아가기 시작했다.

멍하니 있자니 노크를 하는 소리가 들리고는 문이 열렸다.

방으로 들어온 크라이는 의자에 늘어진 채 앉은 세렌을 보고 깜짝 놀랐다.

"오, 꽤 쾌적해 보이네. 다른 사람 같아…… 내가 처음 입었을 때는 그렇게까지 바뀌진 않았는데."

"받았을 때는 뭔가 생각했습니다만…… 당신이 제게 이 보구를 준 이유를 알게 되었습니다."

원래는 인간이 입고 있던 보구다. 세렌도 그것을 빌리는 데 어느 정도 갈등을 하긴 했지만, 지시에 따르길 잘했다.

긴장한 상태에서는 뇌도 정상적으로 활동하지 못한다. 정신은 육체에도 영향을 끼친다. 분명 이렇게 거역하기 힘든 졸음은 육체가 잠을 원하고 있었다는 증거일 것이다.

움직이고 싶지 않다. 그저 이 편안함 속에 몸을 맡기고 싶다. 그런 감각으로 인해 세렌은 숨을 살짝 내쉬었다.

"이 보구를 입고 있으니…… 모든 것들이 사소하게 느껴지네요………… 세계수의 폭주도."

"응, 그래 그렇지………… 어?"

크라이가 이상한 것을 보는 듯한 눈으로 세렌을 보았다.

세렌은 보구의 힘을 빌려 모든 족쇄로부터 해방되면서 깨달음을 얻었다.

모든 것이 귀찮다. 그럼에도 불구하고 자신의 혀에 채찍질을 하며《천변만화》에게 말했다.

"세계수의 폭주는 필연이자 자연의 흐름입니다. 자연과 함께 살아가며 죽는 것을 신조로 삼은 우리 정령인들이 그걸 막으려 하다니, 분수에 넘치는 행동이었던 겁니다. 애초에 공포 같은 걸 느낄 필요가 없었습니다. 온 힘을 다했는데 어떻게 해보지 못했던 이상, 우리는 멸망의 운명에 몸을 맡겨야만 했습니다. 앞으로

100년 동안 세계에 감사하며 편안하게 지내는 것만이 우리에게 남겨진 길 아닐까요?"

애초에 세계의 법칙 앞에서 정령인이 할 수 있는 일은 없었다. 만약에 지금 막을 수 있다 하더라도 다음에는 어떻게 될지 모른다. 해봤자 소용이 없다.

유그드라의 수호정령, 미레스는 마나 머티리얼에 침식되어 폭주하며 세렌에게 이빨을 드러냈다.

그것 또한 신의 의지일지도 모른다.

세렌의 말을 듣고 크라이가 눈을 깜빡이며 고개를 갸웃거렸다.

"아무리 그래도 의견을 너무 크게 바꾼 거 아닌가…… 아니, 100년 뒤 이야기이긴 하지만——— 잠깐만 기다려. 그럼 석화된 루크는 어떻게 할 건데?"

"………………."

"뭐라고 말 좀 하지?"

완전히 잊고 있었다. 물론 세렌도 루크의 석화를 해제하기 위해 온 힘을 다했지만 그것은 세계수의 폭주 해결 과정에 불과하다.

애초에 루크의 석상도 보물전 안쪽으로 이동해 버렸으니 답이 없다. 【근원의 신전】에 도전했다가 돌아온 사람은 유그드라에도 아무도 없었다.

차가운 공기를 크게 들이마시면서, 위로하듯 말했다.

"…………뭐, 오래 살다 보면 그럴 수도 있겠죠."

"……인간의 수명은 정령인들만큼 길지 않거든."

"지금은 왠지 매우 졸리네요. 나중에 생각하도록 하죠."

"……보구에 결함이 있을 가능성을 고려해봐야겠네. 나는 아무렇지도 않았지만, 설마 이런 약점이 있었을 줄이야——— 이제 벗어줄래?"

이 보구를, 쾌적함을…… 버린다고?

세렌은 그 말을 듣고 반쯤 감고 있던 눈을 뜨고는 크라이를 빤히 바라보았다.

애초에 이 보구는 크라이에게 받은 것이다. 언젠가 돌려줘야 하겠지만, 이제 막 입은 참이다.

"……벗길 수 있다면 벗겨 보세요…… 단, 저에게 손을 대면 저주받을 겁니다."

아직 쌓인 스트레스의 영향은 사라지지 않았다. 눈앞에 있는 이 인간이 세렌의 몸 상태를 염려해서 보구를 빌려준 거라면, 아직 목적이 달성되지 않았을 것이다.

머릿속으로 그렇게 변명하며 의자에 달라붙는 세렌을 보고 크라이가 곤란하다는 듯이 눈살을 찌푸리다가 뭔가 생각났다는 듯이 품속에서 판을 꺼냈다.

찰칵, 찰칵, 신기한 소리가 들렸다.

"? 무슨 소리죠?"

"아니…… 나중에 라피스 같은 사람들에게도 보여줄까 싶어서."

무슨 말을 하는 걸까…… 약간 신경 쓰이긴 했지만, 이제는 생각하는 것도 귀찮다.

지금은 그저 이 기분 좋은 느낌에 몸을 맡기고 싶다.

한심한 모습을 보여버렸다는 건 자각하고 있다. 하지만, 이제 정령인의 긍지 같은 건 아무래도 상관없다.

이렇게나——— 쾌적하니까.

의자에 온몸을 기대고 시선만 움직이는 세렌을 본 크라이가 볼을 긁으며 말했다.

"그러고 보니 시트리네 집에 처음 초대받았을 때 나도 이런 느낌이었지…… 설마 퍼펙트 배케이션에 약점이 있었을 줄이야…….'

아니…… 이 보구는 완벽하다. 지금 세렌의 모습이 타락한 것처럼 보이더라도 어쩔 수 없을지 모르겠지만, 그건 지금까지가 이상했던 것이고 이게 정상이다.

덥지도 않고, 춥지도 않다. 고통은 전혀 없고, 최근에 한동안 세렌의 정신을 괴롭히던 것들이 전부 차단된 상태다. 아니, 차단이라기보다는——— 느껴지긴 하지만, 쾌적함에는 아무런 영향도 끼치지 못한다고 해야 할까.

지금이라면 그 보물전 내부에서도 쾌적하게 지낼 수 있을 게 틀림없다.

그때, 문득 멀리서 큰 소리가 들렸다. 자잘한 진동이 방을 덮쳤다.

소리의 거리로 보아 유그드라 안인가…… 아무래도 무슨 일이 생긴 모양이다.

세렌의 정령인 특유의 뛰어난 감각 기관이 강력한 마술이 사용된 낌새를 감지했다.

유그드라의 결계가 발동된 낌새는 보이지 않는데, 적의 습격인가?

마나 머티리얼이 축적된 이후로 유그드라의 바깥쪽 숲이 마경으로 바뀌긴 했지만, 내부까지 침입당한 것은 이번이 처음이었다.

유그드라의 결계는 신수 미로와 마찬가지로 지맥의 힘을 이용해서 펼친 것이며, 온갖 외적을 막아주고 있다. 그게 돌파되었다면 중대한 사태다.

게다가 힘으로 뚫은 것 같지도 않았다. 설마 세렌에게 들키지 않고 결계를 파고들다니——— 신에 버금가는 힘이 있다 해도 힘들 것이다.

지금 시점에서 습격당한 것이 뜻밖이었는지, 크라이도 주위를 연달아 두리번거리며 살피고 있었다.

"아무래도…… 이상 사태가 발생한 모양이로군요. 설마 유그드라의 결계가 돌파당할 줄은 몰랐습니다. 무슨 일이 일어난 건지 전혀 짐작도 되지 않네요. 공간 전이일까요……."

원인을 알아봤자 어떻게 해볼 수도 없는 일이다.

세렌이 지금까지 유그드라를 유지해온 것은 많은 동료들의 도움 덕분이었다. 어차피 유그드라의 황녀라 하더라도 세렌은 신산귀모도 아닌 일개 정령인에 불과하니까.

"그러면 위험한 거 아닌가………… 그런데 꽤 여유로워 보이네?"

"……이제 와서 허둥대봤자 소용이 없으니까요. 이 옷을 입기 전이었다면 엄청나게 당황했겠지만요……."

스트레스로부터 해방된 세렌에게는 두려운 것이 없었다. 이 쾌적함을 잃게 되는 것조차 두렵지 않다.

달라붙어 있던 의자에서 미끄러져서 떨어진 채 바닥을 구르며 그렇게 생각하고 있자니 크라이가 한숨을 쉬고는 물었다.

"정말…… 설마 이렇게 지독한 상태가 될 줄이야. 그래서, 어떻게 할 거야?"

"? 어떻게 할 거냐니, 그게 무슨 뜻이죠?"

"그게 무슨 뜻이냐니………… 무슨 일이 생긴 거잖아? 확인해야지."

하긴………… 하긴, 눈앞에 있는 인간 말이 맞다.

세렌은 유그드라의 황녀다. 세렌의 어깨에는 유그드라의 미래가 걸려 있다.

파격적인 말과 행동으로 세렌 일행을 계속 휘둘러 온 인간에게 그런 말을 듣는 건 짜증나지만———.

세렌은 졸음을 견디며 흐릿한 눈초리로 크라이를 보고 있다가 말했다.

"…………에휴, …………그렇군요. 제가 뭘 할 수 있을 것 같지는 않지만………… 그래요, 인간. 당신이 어떻게든 하세요. 유그드라의 전권을 당신에게 드리죠. 유그드라의 백성들에게 명령을 내릴 수 있는 권리와 주위의 토지, 숙식도 전부 맡기겠습니다. 이건 유그드라의 오랜 역사 속에서도 전대미문이라고요."

"???!"

좋은 아이디어다. 세렌은 유그드라의 황녀이자 정령인들 중에서도 손꼽히는 능력을 지니고 있긴 하지만, 경험이 부족하다. 그리고 크라이는 허약한 인간이긴 하지만 지금까지 그 허약한 몸으로 수많은 수라장을 헤쳐나온 경험이 있다.

같은 정령인인《별의 성뢰》의 신뢰도 두터운 모양이고, 이미 협력하기로 결론을 내린 상태다. 모든 권한을 떠넘기——— 준다 하더라도 별다른 차이는 없을 것이다.

그런 와중에도 진동이 간헐적으로 발생하고 있었다. 상당히 치열한 싸움이 벌어지고 있는 건지, 마력이 강하게 흐트러진 느낌이 들었다. 이건 고위 마도사들끼리 전투를 벌이고 있다는 증거다.

마력의 낌새로 보아 한 명은 크라이의 동료 루시아. 또 하나의 낌새는——— 기억이 나는 것 같기도 하고, 그렇지 않기도 해서 신기한 느낌이다. 이쪽이 적인가?

한 가지 알고 있는 게 있다면, 마도사들 사이의 전투는 그리 오래 끌리지 않는다는 점이다.

"어서 가지 않으면 늦어버릴 겁니다………… 뭐, 멸망하는 시기가 앞당겨질지 미뤄질지 차이뿐이지만요."

"그렇게 말해도 말이지………… 내가 할 수 있는 건 없는데. 어쩔 수 없네………… ."

뭘 하려는 걸까?

둥실둥실 떠오른 것처럼 기분 좋은 느낌에 몸을 맡기며 관찰하던 세렌의 눈앞에서 크라이가 미믹 군 안에서 검 한 자루를 꺼냈다.

보검이라 부르기에 어울릴 만큼 아름다운 검이었다. 칼집에서 뽑아 든 그 검의 칼날은 놀라울 정도로 투명했고, 자신이 평범한 무기가 아니라는 사실을 주장하고 있었다.

"저를 협박하실 생각이신가요? 소용없습니다. 전혀 두렵지 않아요."

"아니…… 정령인은 인간보다 가볍긴 하지만, 옮기는 게 꽤 힘드니까………… 정말, 왜 내가 이런 일을………… 위기감이 없다는 게 이런 건가?"

크라이는 검을 칼집에 넣고 허리에 매단 다음, 세렌의 몸 밑으로 손을 집어넣어서 가볍게 짊어졌다.

"너무 쾌적해져서 글러먹은 상태가 되는 사람도 있다는 이야기를 들어보긴 했지만, 단숨에 부담이 사라지면 책임감이 강한 사람은 이렇게 되는구나………… 자, 저쪽에서 소리가 들리니까 가보자."

왠지 요즘은 정령인을 업게 되는 경우가 많네.

마음속으로 불평하면서 소리가 들리는 쪽을 향해 걸어갔다. 퍼펙트 배케이션의 힘으로 늘어져 버린 세렌은 업힌 상황에서도 아무런 불평을 하지 않았다.

정령인은 인간에 비해 가볍다. 가볍긴 하지만, 그래도 크기는 인간과 비슷하기에 나름대로 무게가 나간다.

허약한 내가 세렌을 가볍게 업고 갈 수 있는 것도 중량 조작의 힘을 지닌 검 형태의 마도구———『사일런트 에어(정적의 별)』 덕분이다.

세렌의 몸은 날씬하다. 피부는 약간 차갑고, 업은 채 걸어가다 보니 아래로 늘어진 머리카락이 볼을 간질였다.

깃털처럼 가벼운 몸을 업고 있으니 왠지 이상한 기분이 들었다. 닿은 가슴 쪽에서 부드러운 고동이 느껴졌다.

애초에 이렇게 사람을 업고 전장에 데려가는 건 원래 내가 할 일이 아니다.

세렌이 업힌 채 귓가에 살며시 한숨을 쉬고는 말했다.

"…………인간, 당신은 어째서 그렇게 싸우고 싶어 하는 거죠? 정령인의 황녀인 제가 이제 괜찮다고 하는데요."

누가 싸우고 싶어 한다고?

무심코 코웃음을 쳐버렸다. 이곳 유그드라에 오고 나서 내가 싸우고 싶어 한 타이밍은 1초도 존재하지 않는다. 오기 전에도 그랬지만.

이렇게 세렌을 업고 전장에 가는 것도 어쩔 수 없이 그러는 것이다. 내게는 세렌에게 퍼펙트 배케이션을 입혀버린 죄가 있다. 나는 입어도 아무렇지 않았는데, 설마 평소에 성실한 사람이 사용하면 이렇게 글러먹은 상태가 될 줄은 전혀 예상하지 못했다.

지금 세렌을 보면 라피스와 다른 사람들이 뭐라고 할지 생각하기만 해도 배가 아파질 것 같다.

하지만, 아직 승산은 있다. 퍼펙트 배케이션은 장비한 사람을 쾌적하게 만들어줄 뿐, 본인의 인격을 바꿔버리는 보구가 아니다.

분명 적 앞에서는 세렌도 원래대로 돌아올 것이다. 돌아올 것 같다. 돌아오면 좋겠네.

나는 세렌의 너무나도 엉뚱한 질문에 하드보일드한 미소를 지으며 대답했다.

"어째서 싸우냐고? 그야 물론 내가 헌터니까. 이유 같은 건 그 것만으로도 충분해."

참고로, 굳이 말할 필요도 없는 사실이지만 나는 적 앞에서 아무것도 할 수 없다. 말만 할 뿐이다.

지금 나는 그저 쾌적하지 못한 일개 무능아일 뿐.

전투를 벌이는 소리가 여전히 울려 퍼지고 있었다. 무슨 일이 일어난 건지는 모르겠지만, 적이 침입해 왔는데 리즈 같은 사람들이 가만히 있을 리가 없으니 계속 싸우고 있는 거겠지.

"그리고, 좀 전에 아무것도 못 한다고 하던데, 세렌도 할 수 있는 게 있어."

"…………."

어찌 됐든 마도사로서의 자질이 뛰어난 것으로 유명한 정령인, 게다가 황녀다.

약한 정령인인 라피스 일행도 제블디아에서 이름을 떨칠 정도니까, 강한 정령인이 얼마나 강할지는 상상도 안 된다.

뭐, 루크의 저주는 풀지 못한 것 같지만…….

너는 나와 달리 유능하니까 힘내라고. 다들 힘내고 있으니까, 세렌도 부디 그 힘을 보여주었으면 좋겠다.

입을 다물어버린 세렌을 업고 소리가 나는 쪽으로 나아갔다. 한동안 걸어가자 내 오감으로도 전투의 여파를 느낄 수 있게 되었다.

얼어붙을 것 같을 정도로 차가운 바람. 찌릿찌릿 울리는 진동.

내 둔한 감각으로는 마력을 느끼지 못하지만………… 이거, 보아하니 격전이구나?

그리고 나는 전장에서 조금 떨어진 곳에서 멈춰 섰다.

좀 전부터 조금 추웠던 이유를 알게 되었다.

멀리서 눈이 하늘하늘 내려서 쌓여 있었다. 자연 현상이 아니다.

구름이 소용돌이치고 바람이 휘몰아쳤다. 그 일대만 마치 한겨울 같다.

눈이 살짝 쌓인 곳, 휘몰아치는 눈보라 속에서 거대한 얼음용과 칠흑의 용이 맞부딪히고 있었다.

얼음용은 루시아의 마법일 것이다. 칠흑의 용은 적의 공격인가? 여전히 근접직끼리 벌이는 싸움과는 다른 방식으로 화려하다.

크게 선회해서 덤벼든 얼음용에게 칠흑의 용이 달라붙었다. 얼음용이 점점 검은색으로 침식되었다.

바로 위에서 생겨난 빛기둥이 얼음용을 꿰뚫고 폭발했다.

얼음용의 파편이 비가 되어 내가 있는 곳까지 쏟아져 내렸다. 보아하니 그리 우세하진 못한 것 같다.

그때, 업혀 있던 세렌이 작은 목소리로 말했다.

"저…… 저건………………… 혹시, 피니스의 고갈의 힘? 어째서, 피니스가———."

"알고 있어?"

혹시 유그드라 근처에 서식하는 환수 같은 건가?

이름을 알고 있다면 약점도 알고 있을 것이다. 루시아에게 그걸 전할 수만 있다면 확실하게 활로를 열어줄 텐데———.

기대하는 마음을 담아 물어본 내게 세렌이 느긋한 목소리로 말했다.

"…………네. 알고 있다고 해야 할까요. 저건 유그드라의 수호 정령 중 하나——— 생명의 끝을 관장하는 '종언의 피니스'의 권능입녀다. 동지와 함께 보물전에 도전한 이후로 만나지 못하게 되었습니다만…………."

예상하지 못한 말이었기에 깜짝 놀랐다.

엄청나게 중요해 보이는 이야기를 참 느긋하게 하는 것 같다. 수호정령이라고 하면 세렌을 집어삼켰었던 미레스와 동격이라는 건가?

미레스 때도 《비탄의 망령》 모두가 공격했는데도 쓰러뜨릴 수 없었는데.

"…………약점 같은 건 있어?"

"없습니다. 피니스는 최고위 정령이에요. 인간은 물론이고 저희 정령인들도 정면으로 싸우면 승산이 없을 겁니다. 안타깝게 되었군요."

안타깝게 되었군요는 무슨. 내 여동생이 저런 상대와 절찬리에 전투 중이란 말이야.

퍼펙트 배케이션은 역시 몰수해야겠다.

"……어떻게 해볼 순 없어?"

"…………………………네에. 시도해 보겠습니다. 미레스처럼 제정신을 잃은 것 같으니 아마 힘들겠지만요."

침묵이 꽤 길었던 것 같은데.

아무튼, 시도해주려는 것 같으니 세렌을 등에서 내렸다. 세렌은 비틀거리면서도 자기 다리로 서서 크게 한숨을 쉬고는 전투가 벌어지고 있는 쪽을 보았다.

그때, 문득 세렌의 표정이 보여 나는 깜짝 놀랐다.

세렌의 표정에서는 아침까지 보였던 당당한 느낌이 사라진 상태였다.

이목구비는 똑같이 생겼는데, 표정의 차이로 이렇게까지 인상이 달라질 수 있는 걸까.

업기 전에도 그랬지만 여기로 업고 오는 동안에 한층 더 늘어진 상태로 변했다. 아마 세렌을 잘 알고 있는 유그드라의 백성이 지금 그녀를 보면 매우 큰 충격을 받을 것이다.

설마 쾌적해졌을 뿐인데도 이렇게 변해버리다니…… 왠지 죄송하네요.

세렌은 한동안 눈을 감고 힘을 모으다가, 천천히 눈꺼풀을 들었다.

그리고 보구를 쓰기 전과 같은 투명한 눈을 보이며 분홍색 입술을 벌렸다.

"피니스, 정신을 차리세요."

이렇게 멀리 떨어져 있는데 소리를 지르지도 않다니, 대체 어떻게 된 거야!

"좀 더 큰 목소리로 말해. 안 들리잖아?"

"……주문이 많군요, 어차피 소용도 없을 텐데……………… 어쩔 수 없죠. 거리를 좀 좁히겠습니다."

"확실하게 들릴 거리까지 이동해야지."

이 정령인, 아무리 그래도 의욕이 너무 없다. 반동이 너무 큰 거 아닌가?

내가 등을 밀자 세렌이 몇 번째일지 모를 한숨을 쉬고는 천천히 걸어가기 시작했다.

나처럼 세이프 링을 가지고 있는 것도 아닐 텐데, 용과 용이 맞부딪히고 있는 저 전장으로 망설임 없이 다가간다. 그 발걸음은 매우 귀찮아 보였고, 용기나 각오 따위는 느껴지지 않았다. 그냥 보고만 있는 내가 더 초조해진다.

별것 아닌 이야기를 나누던 동안 전투는 더욱 치열해졌다.

날아다니는 얼음 마법과 눈 부신 빛, 소리, 진동. 이제 누가 어떤 마법을 몇 발 날리는 것조차 모르겠지만, 척 보기에도 1대1 전투에서 날려댈 숫자는 아니다.

이제 내가 할 수 있는 건 없다.

"으…… 여기, 춥네……."

나는 크게 기지개를 켠 다음, 제자리에 앉아서 적어도 세렌을 응원이라도 하기로 했다.

종언의 피니스.

그것은 오랜 세월에 걸쳐 유그드라를 지켜온 수호정령 중 하나.

힘의 중심인 세계수에서 발생한 그 정령은 끝을 관장하며 유그드라를 지키는 수호정령 중에서도 특히 뛰어난 전투 능력을 자랑하고 있었다.

유그드라의 전사가 피니스와 함께【근원의 신전】에 도전했다가 행방불명된 것은 벌써 몇 년 전 일이다.

피니스가 지닌 힘은 '고갈'. 팬텀, 마물을 따지지 않고 온갖 생명을 빼앗아서 끝내는 그 힘은 유그드라의 백성들 중에서도 기피하는 자들이 많았다.

마도사는 본래 정령의 힘을 빌려서 더욱 강력한 마술을 사용하지만, 피니스 같은 경우는 예외다.

유그드라에는 종언의 피니스를 사역할 수 있는 자가 없다. 상성이 별로 좋지 않기 때문이다. 그렇기 때문에 유그드라는 피니스의 일행으로 가장 실력이 좋은 마도사를 보냈다.

사역하는 게 힘들더라도 함께 싸울 수는 있으니까———.

마도사 없이도 충분한 공격력을 발휘하는 최강의 수호정령.

이미 생존은 포기하고 있었을 것이다. 최상위 정령이란 생명을 초월해서 신에 한없이 가까운 존재다. 그렇게 간단히 소멸하진 않겠지만, 몇 년 동안이나 귀환하지 않은 이상 현실을 받아들일 수밖에 없다.

그러나 멀리서 날뛰고 있는 칠흑의 용은 틀림없이 피니스의 힘에 의한 것이었다. 생김새가 약간 바뀌긴 했지만, 오랫동안 함께 싸웠던 벗을 착각할 리가 없다.

그리고, 상대가 피니스라면 유그드라의 결계가 발동되지 않은 것도 납득이 된다.

유그드라의 결계는 동료에 대해 발동되게끔 만들어지지 않았으니까.

만약 세렌이 쾌적하지 않았다면 눈앞을 가로막은 옛 동료를 보고 망연자실했을 것이다.

하지만, 지금 세렌에게는 현실을 받아들일 만한 여유가 있었다.

미레스도 이성을 잃고 세렌을 집어삼켰었다. 피니스가 유그드라에 이빨을 들이대더라도 이상할 게 없다.

크라이에게 말한 것처럼, 세렌은 피니스를 막을 수 있을 것 같다는 생각이 전혀 들지 않았다.

애초에 힘으로 막는 건 불가능하지만, 세렌이 한 말을 들어줄 정도의 이성이 있다면 피니스도 애초에 날뛰지 않았을 것이다.

그 정령의 힘은 매우 위험하고, 그 사실을 정령 스스로도 이해하고 있으니까.

걸어가면서 살며시 한숨을 쉬었다.

"…………에휴. 무시무시한 실력이군요…… 루시아 로제는. 그리고, 상대방도요."

세렌의 눈은 특별한 힘을 지니고 있다.

대대로 물려받은 정령인 황족의 핏줄. 마나 머티리얼 흡수 능력이 낮은 대신, 마도사로서 특히 뛰어난 적성을 지닌 유그드라의 황족의 눈은 세계에 소용돌이치는 온갖 힘을 들여다볼 수 있다. 힘의 흐름이나 그 색을 보면 그 마도사가 어느 정도의 실력을 지니고 있고, 이제부터 어떤 마술을 사용하려는 건지 전부 알 수 있는 것이다.

루시아의 힘의 흐름은 마치 큰 강처럼 힘차고 안정적이었다. 영창 속도나 위력도 훌륭했기에 유그드라의 마도사 중에서도 그녀만큼 뛰어난 실력자는 많지 않을 것이다. 마나 머티리얼로 인한 강화 말고도 상당한 수련을 쌓았겠지. 세계를 얼어붙게 만드는 마력은 거의 인간의 영역을 벗어난 수준이다.

하지만, 그녀와 맞서고 있는 상대도 범상치 않았다.

피니스가 아니다. 그것과 함께 온 마도사 쪽이다.

어지간한 마도사가 아니었다.

감정이 전혀 느껴지지 않는, 차가우며 거대한 힘.

지성을 지닌 생물이 행사하는 이상 마술은 술식 행사 때 컨디션이나 감정의 영향을 받게 된다. 세렌은 그러한 것들을 힘의 흐트러짐을 통해 들여다볼 수 있는데, 루시아의 상대가 행사하는 마술에는 그것이 없었다.

루시아의 마력이 큰 강이라면, 상대방의 마력은 마치 강철 같았다.

아마【근원의 신전】에서 온 마도사 팬텀일 것이다.

지극히 최악인 것은, 그 팬텀 마도사가 피니스의 힘을 다루고 있다는 점이었다.

유그드라에서 아무도 사역하지 못했던 종언의 피니스의 힘.

저 칠흑의 용은 피니스 혼자서 만들어낸 것이 아니다.

고갈의 힘으로 만들어진 용은 루시아가 날린 공격 마법을 집어삼키고 《별의 성뢰》의 지원을 쉽사리 소멸시키고 있다. 마력조차 고갈시키는 저 힘을 받아낼 수는 없다.

자, 시도해 보겠다고는 했는데…… 어떻게 할까요.

피니스만 어떻게 하면 마도사 하나는 어떻게든 할 수 있을 것이다.

하지만, 피니스와 정면으로 맞서서 이기는 건 거의 불가능하다. 세렌이 온 힘을 다하더라도 상대가 되지 않을 것이다. 종언의 피니스를 돌파하기 위해서는 이쪽에서도 수호정령을 내보낼 수밖에 없다.

미레스——— 개벽의 미레스라면 온 힘을 다하는 피니스가 상대라 해도 나름대로 싸울 수 있겠지.

하지만———.

"…………안 되겠네요. 미레스를 내보낼 이유가 없습니다."

머릿속에 떠오른 생각을 스스로 기각했다. 정령인의 황족으로서 수호정령들을 맞부딪히는 건 말도 안 되는 일이고, 애초에 전투 면에선 피니스가 미레스보다 위에 있다.

두 존재가 맞부딪히면 원만하게 끝낼 수가 없다. 멸망이 필연이라면 적어도 미레스만이라도 살아남았으면 한다.

결국, 할 수 있는 건 기적을 믿고 설득하는 것뿐이다. 거리가 십몇 미터 정도 남았기에 처절한 싸움을 벌이고 있는 피니스와 다른 사람들을 향해 다시 말했다.

"피니스, 정신을 차리세요."

마음을 담아 말해보았지만, 피니스는 멈출 낌새를 보이지 않았다. 말해서 멈출 거였다면 싸우지도 않았을 테니, 당연한 일이긴 하다.

그 인간은 세렌에게 대체 어떻게 하라는 걸까? 신산귀모라면 그런 부분까지 확실하게 가르쳐줬으면 좋겠다.

저것은 맹렬한 자연이다. 애초에 유그드라의 백성은 그들을 컨트롤할 수 있는 기술을 지니지 못했다.

그들이 유그드라를 지켜주고 있던 것은 자발적으로 협력해주었기 때문이다.

한숨을 크게 쉬고는 땅바닥에 주저앉아 무릎을 끌어안았다.

스스로도 이상하다고 자각하긴 했지만, 이런 상황에서도 세렌은 쾌적했다.

보구를 입은 순간 온몸을 맴돌게 된 도취감은 아직 사라지지 않았다. 지금, 거울을 보면 세렌은 분명 평온한 표정을 짓고 있을 것이다.

귀를 기울여보니 뒤쪽에서 크라이가 '힘내라, 힘내라, 세렌!'이라며 응원하는 목소리가 들렸다. 응원해주는 건 기쁘지만, 정말로 엉망진창인 인간이다.

응원해줄 여유가 있다면 피니스를 멈춰주지………… 그렇다. 신수 미로에서 미레스를 정신 차리게 만들고 세렌을 구해내 주었을 때처럼———.

그때, 세렌은 깨달았다.

"어떻게든 하라는 게, 피니스를 공격해서 힘을 소모시킨 뒤에 정신을 차리게 하라는 뜻인가요?"

피니스가 정신을 차린다면 저 팬텀 마도사의 사역을 뿌리칠 수 있을지도 모른다.

하지만, 그건 절대로 불가능하다.

지금도 미레스를 정신 차리게 만든 크라이의 솜씨는 기적처럼 느껴진다. 《별의 성뢰》에게 원리는 들었고 납득도 전혀 못하는 건 아니지만, 조건이 너무 까다롭다.

마력과 마나 머티리얼을 눈으로 볼 수 있는 세렌도 앞으로 얼마나 피니스를 지치게 해야 이성을 되찾을 수 있을지 모른다.

어떻게 저 인간이 그럴 수 있었던 건지 가르쳐줬으면 할 정도다.

루시아와 팬텀의 전투는 더욱 치열해지기만 했다.

마법 공격이 오가자 유그드라의 거리는 너덜너덜해졌다. 유그드라의 주민들 중 대부분은 이미 대피했기에 사상자가 발생할 우려는 없지만, 원래대로 돌아가려면 시간이 오래 걸릴 것이다.

"…………에휴."

한숨이 나왔다. 이제 은거하고 싶은 기분이다.

세렌은 할 수 있는 일을 했다. 언제나 할 수 있는 일은 해왔다.

그때, 싸늘한 목소리가 들렸다.

"이걸로——— 끝내겠습니다."

루시아 로제의 목소리. 거의 동시에 폭풍처럼 거칠던 마력의 기운이 더욱 폭발적으로 부풀어올랐다.

강한 마술을 사용할 셈이다.

마도사들의 싸움이란 마술의 맞사격과도 같다. 자잘한 마술을 서로 날리다가 결판이 나지 않으면 서서히 강한 마술을 날려대는 단계로 넘어간다.

주위에 정적이 돌아왔다. 매서운 눈보라가 어느새 멎었고, 구름과 구름 사이로 햇빛이 스며들었다.

강한 마술을 사용하게 되면 힘을 모으는 시간이 생긴다. 이건 강한 마술과 마술 사이——— 한때의 정적이다.

팬텀도 공격을 멈추고 있었다. 다음에 최고의 공격이 날아들 것이라는 사실을 이해하고 있는 것이다.

공기 안의 마력이 꿈틀대며 거센 물결이 되어 좌우로 갈라졌다.

강력한 마도사는 세계에 가득 차 있는 마력조차 지배한다. 루시아는 자신의 선언대로 다음 마술에 모든 것을 담을 셈이다. 지금까지 공격을 주고받으며 어설픈 공격으로는 절대로 방어를 돌파할 수 없다는 사실을 이해한 건가?

승부는 다음 일격에 결판이 날 것이다.

눈을 가늘게 뜨고 루시아와 팬텀의 전력을 확인했다.

당연히 천칭이 팬텀 쪽으로 기울 거라 생각했지만, 예상했던 것보다 차이가 별로 나지 않는 듯했다.

그만큼 강한 마술을 연달아 사용했는데도 루시아에게는 여력이 있었다. 피니스를 상대로 싸웠다는 걸 감안하면 파격적인 힘이다.

루시아에게 동물의 귀와 꼬리가 돋아나 있었다. 그 꼬리로부터 이상한 마력이 느껴졌다. 세계수 근처를 자신들의 영역으로 삼고 있는 마수들조차 훨씬 뛰어넘을 정도로 강대한 힘.

거센 물결처럼 흘러든 힘을 몸속에서 정화하여 자신의 마력으로 변환하고 있는 것이다.

그렇구나………… 저게 비장의 수인가? 하지만, 아무리 대량의 마력을 지니고 있다 하더라도 인간이 다룰 수 있는 마술의 위력에는 한계가 있을 텐데.

피니스의 고갈도 단숨에 모든 힘을 없애는 건 아니지만, 수호정령의 힘을 깨부술 정도의 마법을 루시아가 쓸 수 있을 것 같진 않다. 피니스의 힘은 세렌이 가장 잘 알고 있다.

다시 한번, 한숨을 크게 쉬고는 양쪽의 능력을 확인했다.

루시아 로제는 아무래도 정령의 힘을 빌려서 회오리 마법으로 맞설 생각인 것 같다.

루시아의 손바닥에 자그마한 회오리가 생겨나, 공기 중의 수분을 빨아들이며 점점 커지기 시작했다.

속성은 지금까지 날렸던 얼음이 아니라 물.

아마 특기 마법일 것이다. 지금까지 날렸던 공격 마법도 결코 세련되지 못했던 건 아니지만, 지금 날리려 하는 기술에는 막히는 부분도 구축의 군더더기도 전혀 없다.

회오리를 구성하는 소용돌이의 규모부터 흘러가는 방향까지 매우 세밀하게 지정한 모양이었다. 물의 정령의 힘을 완전히 다루고 있다.

한편, 팬텀은 일단 위력을 중시하기로 한 모양이었다.

애초에 피니스의 고갈의 힘은 대상의 범위가 넓고, 적들 중에서 한 개체를 노리는 데는 적합하지 않다는 약점이 있었다. 하지만 지금 피니스는 마도사의 보조를 받아 그 약점을 없앤 상태다.

정령은 단독으로도 충분히 위협적이지만 마도사가 사역함으로써 더욱 강한 힘을 발휘한다. 정령이 힘을, 마도사가 컨트롤을 담당함으로써 막대한 힘으로 정밀한 마술을 발동시킬 수 있게 되는 것이다.

피니스가 만들어낸 것은――― 검이었다.

묘비가 연상되는 형태. 고갈의 힘이 담긴 수많은 십자 모양의 검.

척 보기에 흑룡보다 약한 것 같지만, 그것은 착각이다. 모여든 힘의 밀도가 다르다.

그것은 틀림없이 그 팬텀에게 있어서 최강의 공격 마법이었다. 생물 따위는 스치기만 해도 모든 힘이 고갈되어 죽음에 이를 것이다.

검은 루시아와《별의 성뢰》멤버들을 노리고 있었다. 고갈의 힘은 생명을 빨아들이고 만상에 종언을 고한다. 과연 루시아는 한데 모인 그 멸망의 힘에 얼마나 맞설 수 있을까?

―――그리고 지금, 세렌이 할 수 있는 일은 무엇일까?

막대한 마력과 마력, 힘과 힘이 해방될 때를 기다리고 있다. 세렌은 무릎에 머리를 가져다 댄 채 몇 초 동안 눈을 감고 각오를 다지고는, 고개를 들고 지금 최대한 크게 낼 수 있는 목소리로 외쳤다.

"피니스…… 정신을 차리세요. 그 이상 공격하는 건 유그드라의 황녀가 용납하지 않겠습니다."

나온 것은 스스로도 뜻밖일 정도로 작은 목소리였다. 분명 긴장이 전부 쾌적함으로 덮어씌워졌기 때문일 거라고 또 하나의 자신이 속삭이고 있었다.

위협을 실감하지 못한다면 그에 맞서려 하는 의지가 솟구치지도 않는다.

지금 세렌은 냉정하게 사고하고 있지만, 행동에 나설 만한 열기를 잃은 상황이다.

아마 그 인간도 지금 세렌을 보고 어이없어하고 있겠지.

쾌적해지고 냉정해진 결과, 그녀는 모든 것을 포기했다. 루시아에게 힘을 빌려주기는커녕, 이렇게 의욕 없는 목소리만 내고 있으니까.

아무리 주위가 조용해졌다 해도 이렇게 작은 목소리로 멈출 수 있는 자가 존재할 리 없다.

고개를 숙이고 한숨을 쉬던 세렌은 문득 시선을 느꼈다.

고개를 들었다. 거리를 벌린 채 대치하고 있는 루시아와 공중에 떠오른 피니스.

루시아의 눈앞에 발생한 물줄기 회오리는 점점 크기를 키웠고, 팬텀 뒤쪽의 공중에는 피니스의 힘을 압축시켜 만들어낸 수많은 십자의 검이 발사될 때만을 기다리고 있었다.

저 대결은 상쇄가 아니다. 수십 초 뒤에는 틀림없이 결판이 나 있을 것이다. 그런 긴박한 상황에서 세렌을 보고 있는 자──── 그것은 루시아도, 피니스도 아니었다.

팬텀이다. 피니스 아래. 가면을 쓴 팬텀 마도사가 세렌을 빤히 보고 있었다.

강력한 마술을 쓰기 위해서는 세밀한 마력 조작──── 집중이 반드시 필요하다. 그것은 인간이든, 정령인이든, 팬텀이든 마찬가지다.

마도사의 전투력은 그때의 컨디션에 큰 영향을 받는다. 그렇기에 일류라 불리는 마도사는 항상 완벽한 상황에서 마술을 다루기 위해 정신통일을 게을리하지 않는다.

하지만, 좀 전까지는 감정을 전혀 드러내지 않았던 팬텀의 마력이 지금은 명확하게 흐트러진 상태였다.

원인은 알 수가 없다. 가면에는 눈이 없었지만, 시선과 시선이 마주친 듯한 느낌이 들었다. 그 시선에는 살의가 없었다. 있던 것은──── 경악이다.

────그리고, 그것은 너무나도 큰 빈틈이었다.

마력이 어느 정도 흐트러졌다고 술식이 멈추지는 않는다.

하지만, 생겨난 빈틈을 놓칠 정도로 루시아 로제는 어설프지 않았다.

수없이 반복했을 술식의 구축. 완벽한 컨트롤에 따라 물의 정령의 힘을 빌린 마법이 해방되었다.

"헤일 스톰 리버!!"

힘이 쏟아졌다.

모여든 물의 질량이 단숨에 늘어났고, 흐르는 물이 햇빛을 머금고 반짝반짝 빛났다.

쓸데없는 소리는 들리지 않았다. 고속으로 회전하는 물로 구성된 회오리는 그 규모와는 달리 군더더기가 전혀 없었고, 놀라울 만큼 조용하게 팬텀을 향해 다가갔다.

거기에 헤일 스톰이라는 마술의 궁극이 있었다.

물 한 방울, 한 방울에 담긴 막대한 마력. 그 힘의 흐름은 사용자에 의해 불필요할 정도까지 완벽하게 컨트롤되고 있다. 극도로 다져진 술식은 안정적이어서, 온갖 존재를 다가오지 못하게 만들었다.

닿으면 저항조차 용납되지 못한 채 물줄기에 휩쓸려서 갈기갈기 찢기게 될 것이다.

다가오는 헤일 스톰에 맞서 팬텀 마도사가 마술을 해방시켰다.

동요하던 와중에 날려서 날카로움이 떨어진 상태였지만, 그 고갈의 검은 충분한 속도로 사출되었다.

최상위 수호정령——— 피니스의 힘은 이성을 잃은 지금도 건재하다. 고갈의 권능은 만상을 침식하고 멸망을 내린다. 주위의 자연에 대한 영향이 너무 크기 때문에 거의 행사된 적이 없었던 힘이 지금, 수많은 검이라는 형태를 부여받고 빛나는 회오리에 박혔다.

동요했기 때문인지 컨트롤이 꽤 어설펐지만 다가오는 거대한 회오리의 크기를 감안하면 빗나갈 리가 없다.

검을 맞은 회오리가 검은색으로 물들었다. 고갈의 권능은 마술 상대로도 효과가 있다.

아무리 강대하고 안정적인 마술이라 하더라도 그 힘 앞에서는 오랫동안 버틸 수 없다.

막아내는 것조차 용납되지 않는다. 피니스를 상대한다는 건 도저히 불가능했던 것이다.

살짝 한숨을 쉰 순간, 루시아가 지팡이를 들이대며 포효했다.

"저도 알아요! 막아내지 못한다면! 튕겨내 버리면 되잖아요오 오오오오오오!!"

회오리에 박힌 채 침식하고 있던 수많은 검들.

그 전부가 회오리 속에서 물의 흐름을 받아 궤도가 크게 일그러진 채 반전되었다.

그리고, 기세를 그대로 유지하며 배출되었다.

그제야 세렌은 루시아의 마술이 완벽하게 컨트롤되고 있었던 이유를 이해했다.

애초에 회오리를 부딪혀서 대상을 파괴하는 것뿐이라면 그렇게까지 완벽한 컨트롤은 필요 없다. 오히려 컨트롤에 투자할 리소스를 파괴력에 투자하는 게 더 낫다.

튕겨내기 위해서였던 것이다. 단숨에 튕겨내기 위해 컨트롤한 것이다. 시간을 오래 들이면 고갈의 힘이 회오리를 없애버릴 테니까———.

정밀하게 컨트롤된 물줄기에 튕겨 나온 검이 팬텀 쪽으로 날아 갔다.

심장이 한 번 크게 뛰었다. 보구가 주고 있는 쾌적함을 덮어써 버릴 정도의 충격.

아슬아슬했던 마력 조작. 팬텀이 날린 검의 각도, 속도, 위력을 전부 계산해서 날린 그 헤일 스톰은 세렌의 오랜 인생 속에서도 틀림없이 다섯 손가락으로 꼽을 수 있는 마법이었다. 거의 예술 이나 마찬가지다.

만약 팬텀의 마술이 완벽했다면 물의 흐름에 휘말리는 걸 피할 수는 없더라도 튕겨 나가는 건 피할 수 있었을지도 모른다.

하지만 이미 그 고갈의 검은 제어를 벗어난 상태였다. 열 자루 이상 날아간 칠흑의 검이 팬텀 마도사를, 그리고 그 뒤에 떠 있던 피니스를 정확하게 꿰뚫었다.

소리는 들리지 않았다. 그 검이 가져다주는 것은 단순한 파괴 가 아니다.

강인한 육체도, 강력한 장벽도 의미가 없다. 그것이 종언의 피 니스의 힘.

세계가 떨렸다. 피니스의 비명일까. 그 몸이 단숨에 쪼그라든 다음, 곧바로 소실되었다.

검을 맞은 팬텀의 몸에 금이 갔다. 그 금은 검이 꽂힐 때마다 퍼져나가 그대로 얼굴을 가리고 있던 가면까지 도달했다. 그 몸 에 담겨 있던 힘이 단숨에 감소하며 가면이 터져나갔다.

이겼다고…………? 동요로 생긴 빈틈을 찔렀다고는 해도 설마 인간이 피니스와 그를 사역할 정도로 강한 마도사를 쓰러뜨리다 니———.

팬텀이 쓰러지자 멀리서 전장을 보고 있던 리즈가 휘파람을 불었다.

"휘익~, 루시아, 꽤 하네!"

"허억, 허억………… 아직, 사라지지 않았어요!"

마나 머티리얼로 이루어진 팬텀은 존재를 유지하지 못할 정도로 큰 대미지를 입으면 소실된다.

이 근처는 마나 머티리얼이 진하기 때문에 소실될 때까지 시간이 오래 걸리는 경우도 많다. 숨통을 끊은 것처럼 보이더라도 방심할 수 없다는 뜻이다.

피니스도 자취를 감추긴 했지만, 소멸되지 않았을 가능성도 충분히 있다.

"괜찮아, 완벽했으니까. 정 뭐하면 내가 숨통을 끊어줄게!"

리즈가 손바닥으로 안티 마나 메탈 막대기를 빙글빙글 회전시키며 뛰어간 다음, 쓰러진 팬텀의 머리카락을 붙잡고 한 손으로 가볍게 들어 올렸다.

그리고 그 팬텀의 얼굴을 보고는 눈을 깜빡였다.

"어라……………? 이 팬텀……………… 팬텀이 아닌데?"

———그리고, 세렌은 이번에는 정말로 쾌적함을 완전히 잊고는 얼어붙었다.

부서진 가면. 드러난 그 얼굴.

속이 비쳐 보일 정도로 하얀 피부와 오똑하게 솟은 콧날. 정령인으로서는 드문 어두운 머리카락.

드세 보이는 그 생김새는 잊을 수 없다. 200년 전 피니스와 함께 보물전에 도전했던 동료였으니까.

제2장 2단계

유그드라의 중심부. 마나 머티리얼 교반장치를 제조하는 작업장에 딸린 마술 연구소의 방에서 세렌은 주먹을 꽉 쥐며 침대에 눕힌 동포를 보고 있었다.

침대 옆에서는 제블디아에서도 손꼽히는 치유 마법 실력을 지녔다는 안셈이 진지한 표정으로 팬텀 안에서 나타난 동료를 진찰하는 중이었다.

팬텀 안에서 사람이 나타났다는 건 전대미문이다. 한 번 세계수의 폭주와 문명의 파멸을 경험한 유그드라에도 그런 기록은 남아 있지 않다.

1초가 1분, 10분처럼 느껴졌다. 침대에 누운 동포의 상태를 살펴보던 안셈이 고개를 끄덕였다.

"으음………… 쇠약해지긴 했지만 아무 문제도 없다. 정신을 잃었을 뿐이다. 곧 깨어날 거다."

"다………… 다행이에요."

"외부로부터 뭔가 간섭을 받고 있는 것 같지도 않다. 육체도 그렇고 혼도 틀림없이 정령인이다."

마술 연구소는 유그드라에서 가장 안전한 곳 중 하나다.

커다란 나무를 파내서 세운 건물은 그것 자체가 하나의 마법이며, 병원 역할을 겸하고 있다. 정령인의 치유력을 비약적으로 상승시켜주는 효과도 있기에 만약에 중상을 입었다 하더라도 단시간에 완치할 수 있을 것이다.

안셈의 말을 듣고 긴장이 풀려서 제자리에 주저앉았다.

마력이 바닥난 건지, 어느새 좀 전까지 온몸을 가득 채우고 있던 도취감이 사라졌다.

하지만 이제 와서 '퍼펙트 배케이션'을 충전할 생각은 들지 않았다.

이것은 위험한 보구다. 보구에 몸을 맡긴 동안 세렌은 쾌적함과 맞바꾸어 뭔가 소중한 것을 잃은 상태였다.

팬텀 안에서 나타난 동포는 행방불명된 이후로 한시나마 잊은 적이 없는 얼굴이었다.

유그드라에서도 손꼽히는 대마도사이자 수호정령 중 하나, 피니스와 함께 유그드라를 구하기 위해【근원의 신전】에 도전했던 한 사람.

세계수가 폭주할 징조를 처음 보인 것은 약 300년 전. 이렇게까지 상황이 악화된 것은 최근이지만, 지금까지 보물전에 도전한 사람들은 많았다.

실력이 뛰어난 사람들부터, 용감한 사람들부터 사라져갔다. 지금 침대에 누워있는 사람은 폭주의 징조가 나타난 초기에 도전했던 유그드라의 용사 중 한 명이다.

세렌만큼은 아니더라도 황족의 피를 이어받은 동료이기도 하다.

오랜만에 그 이름을 소리 내어 불렀다.

"설마, 살아있었을 줄이야…… 현인. 루인 세인토스 프레스텔."

루인은 눈을 감고 잠든 채 대답하지 않았다. 하지만 심장은 확실하게 뛰고 있다.

보물전에 도전했던 동포들은 강자들뿐이다. 모두가 죽음을 각오하고 도전했다. 그 의지를 자랑스러워할망정, 돌아오지 못했다고 해서 슬퍼하는 건 용납될 수 없는 일이다.

그것은 그들이 선택한 길을 모욕하는 거나 마찬가지인 행위다.

그렇기 때문에 세렌은 동포의 죽음 때문에 눈물을 흘린 적이 한 번도 없다.

하지만, 그 정겨운 생김새를 바라보고 있자니 가슴이 벅차고 숨이 막혔다.

불과 몇 시간 전까지는 이런 기적을 상상도 하지 못했다.

그때, 지금까지 조용히 상황을 지켜보고 있던 시트리가 손뼉을 치고는 미소를 지으며 물었다.

"⋯⋯⋯⋯그러면 슬슬 설명해주실 수 있을까요? 저희도 '현인경'을 통해 전장을 보고 있긴 했지만, 무슨 일이 일어난 건지 정확하게 파악해두고 싶으니까요."

무슨 일이 일어났는지, 세렌도 누군가가 가르쳐주었으면 할 정도였다.

세렌이 한 행동은 크라이 안드리히———《천변만화》가 시키는 대로 전장에 발을 내디디고 작은 목소리로 말한 것뿐이다.

마술을 쓴 것도 아니고, 용기를 쥐어 짜낸 것도 아니다. 물론, 그 팬텀 안에서 루인이 나올 거라고는 상상조차 하지 못했다.

"아무것도, 모르겠습니다. 하지만 루인은 과거에 보물전에 도전했던 유그드라의 전사들 중 한 명입니다. 침입해 온 팬텀을 쓰러뜨렸더니 몸에 금이 갔고, 그 안에서 나타났습니다. ………지금 생각해보니 유그드라의 결계를 파고들 수 있었던 것은 팬텀이 단순한 팬텀이 아니었기 때문이겠죠."

생각해보니 부자연스러운 점이 있었다. 유그드라의 결계는 아무리 레벨 10 보물전의 팬텀이라 하더라도 그리 쉽사리 파고들 수 있는 게 아니다.

침입자가 피니스였다는 걸 알았을 때, 세렌은 유그드라의 결계가 발동되지 않았던 이유에 대해 짐작했다. 하지만 냉정하게 생각해보니 침입자는 두 명이었다. 팬텀이 단순한 팬텀이었다면 결계가 침입을 가로막았을 것이다.

양쪽 모두 동료였기 때문에 유그드라의 결계가 침입자를 감지하지 못했던 것이다.

"살아 있을 리가 없었어요. 루인이 행방불명된 건 벌써 200년 전입니다. 정령인의 수명이 길긴 하지만, 정령인 피니스와는 달리 먹고 마시지 않으면 살아갈 수가 없으니까요."

"…………저희도 루시아가 공격을 튕겨내서 팬텀을 쓰러뜨리는 순간은 현인경으로 보고 있었어요. 그런 상황에서 상대방의 공격을 이용한다는 묘수를 실행할 정도로 목숨 아까운 줄 모르고 지기 싫어하는 루시아도 어이가 없지만, 설마 쓰러뜨린 팬텀 안에서 생물이 나타날 줄이야……. 역시 레벨 10 보물전, 전대미문이네요."

"…………"

루시아가 볼을 약간 붉히며 고개를 돌렸다.

그렇다. 틀림없이 전대미문이고——— 뜻밖의 행운이기도 하다.

아직 깨어나지 못하긴 했지만, 루인은 분야에 따라서는 세렌조차 뛰어넘는 술사다. 나중에 강한 아군이 되어줄 것이다.

그때, 지금까지 입을 다물고 있던 엘리자가 차분한 목소리로 말했다.

"조건이 바뀌었어. 중요한 건…… 더 있을지도 모른다는 거야. 팬텀의 모습을 한, 유그드라의 전사가———."

"!!"

깜짝 놀라 고개를 들었다.

어째서 짐작하지 못했을까? 맞는 말이다.

보물전에 도전했다가 귀환하지 못한 유그드라의 전사는 루인뿐만이 아니다. 지금까지 보물전에 도전했던 자들의 시체는 한 명도 발견되지 않았다.

다시 말해 아직 보물전에 붙잡힌 동포가 있을 가능성을 나타내주고 있다.

세계수의 폭주를 해결하는 게 우선순위는 더 높다. 그 사실은 이해하고 있다. 하지만, 유그드라의 전사는 모두가 일류 마도사다. 전사들의 숫자가 늘어나면 시트리의 책략에 동원할 수 있는 인원도 늘어날 것이다.

리즈가 주먹을 손바닥에 부딪히고는 야성미 넘치는 미소를 지었다.

"좋았어, 재미있어지네. 뭐야? 팬텀을 두들겨 패서 쓰러뜨리면 돌아오는 거야? 좀 전에는 가장 짭짤한 부분을 루시아에게 맡겨 버렸고, 그것도 왠지 게임 같아서 재미있을 것 같지 않아?"

"어, 언니………… 세상에——— 그렇게 강한 팬텀 상대로 게임이라뇨——— 아니, 아무것도 아니에요…………."

신조차 두려워하지 않는 헌터다운 의견. 상대가 강적이라 해도 전혀 신경 쓰지 않는 모양이다.

좀 전에 전투를 보아하니 그렇게 간단히 해결될 것 같진 않지만——— 믿음직스럽다고 해야 하나, 말려야 하나. 고민하고 있자니 심각한 표정을 짓고 있던 우노가 몸을 한 번 떨고는 말했다.

"………………………아마, 그냥 쓰러뜨리기만 해서는 안 될 거예요. 저는 봤어요. 《만상자재》가 튕겨낸 힘이 팬텀에게 박혀서 육체를 구성하고 있던 마나 머티리얼을 흡수한 순간, 그 존재가 변질되는 모습을요. 이건 제 예상인데, 그 팬텀과 내용물은 반쯤 융합된 상태였을 거예요."

모두가 그 말을 듣고 있었다. 세렌도 그곳에 있었지만, 그때는 그것까지 눈치채진 못했다.

고갈의 권능의 본질은 흡수다. 풀과 나무의 생명을 빨아들여 메마르게 만든다. 마력을 빨아들임으로써 마술을 소실시킨다. 마나 머티리얼을 빨아들임으로써 팬텀도 죽일 수 있다.

그 말에는 신빙성이 있었다. 피니스의 힘이라면 그런 것도 가능하긴 할 것이다.

"그리고, 분명——— 그 피니스의 힘은 그 팬텀 부분만을 제거할 수도 있겠죠. 실제로 저희가 쓰러뜨린 팬텀은 그대로 사라졌고요."

【근원의 신전】의 팬텀을 쓰러뜨린 건 이번이 처음이 아니다.

세렌의 마음속에 희망과 절망이 교차했다.

그 예상이 사실이라면 동료를 구하는 건 쉬운 일이 아니다. 문제는 두 가지.

첫 번째 문제는 모든 동료들을 구하려 하면 팬텀을 쓰러뜨릴 수 있는 멤버가 줄어들어 버린다는 것이다. 리즈나 엘리자처럼 물리 공격을 주로 하는 멤버들은 함부로 팬텀을 쓰러뜨릴 수 없게 되고, 동료들의 구출에 중점을 둔다면 보물전을 약화시키는 작전 자체를 연기해야만 한다. 보물전을 없앨 때, 팬텀으로 변한 동료들이 어떻게 될지 미지수이기 때문이다.

그리고 또 하나의 문제는 더욱 근본적인 문제다. 고갈이 피니스만 지닌 유일한 마술이라는 점이다. 일종의 금기로 간주되었기에 유그드라에도 비슷한 마술은 존재하지 않는다.

피니스의 힘과 맞서 싸워 멋지게 받아친 루시아가 인상을 쓰며 말했다.

"그 마술………… 저도 본 적도 들어본 적도 없었어요. 재현하려면 조금…… 시간이 걸릴 것 같네요."

"그리고, 그런 팬텀이 어디에 있는지도 문제야. 팬텀 대부분은 보물전 안에 숨어있을 테고, 애초에 '내용물'이 있는 팬텀은 극히 일부겠지. 지금 상황에서는…… 모르는 게 너무 많아."

엘리자가 티노의 머리에 손을 얹고 살짝 한숨을 쉬었다.

어떻게 해야 할지 굳어버린 세렌을 보고 시트리가 손뼉을 치며 말했다.

"……아무튼, 작전은 예정대로 진행하겠어요. 멈춰 있을 시간도 없고, 준비만이라도 해두지 않으면 무슨 일이 생겼을 때 움직일 수가 없으니까요. 잊어선 안 됩니다. 우선순위는——— 세계수의 폭주를 막는 게 첫 번째예요."

그 눈빛이, 말이, 동료들의 목숨을 포기하게 될 가능성을 시사하고 있었다.

현재는 결계가 보물전을 지켜주고 있다.

끌어들일 것인가, 침입할 것인가. 가장 먼저 무엇을 우선시하며 움직여야 할 것인가.

심장이 크게 뛰고 있었다. 상황이 틀림없이 호전되고 있긴 하지만, 지금까지 잃었던 것이 원래대로 돌아올지도 모른다는 가능성에 기쁨보다는 긴장이 앞섰다.

이제 겨우 약간 보인 희망이 앞으로 세렌 일행의 움직임에 따라 사라져 버릴지도 모르는 것이다.

시트리에게 동료들의 구조를 우선시해달라고 요구할 수는 없다.

그런 짓을 하면 자랑스러운 유그드라의 황녀로서 쓰러져간 동료들에게 면목이 없다.

"시트, 바로 장치 제조에 들어가자. 마술의 동시 발동 요령은 파악했으니까…… 숫자가 많이 필요한 거지?"

"네~. 루크 씨도 얼른 쫓아가야 하고요."

"그럼 우리는 계속 지맥을 조사할까? '요령'은 알았으니까 이제 보구를 쓸 필요도 없잖아. 지맥을 찾다가 수상쩍은 팬텀을 발견하면 끌고 오고! 제일 적게 끌고 온 녀석이 벌칙을 받는 걸로!"

《비탄의 망령》 멤버들이 척척 움직이기 시작했다. 세렌에게 있어서 놀라움의 연속이었던 이번 일도 《비탄의 망령》 멤버들에게는 멈춰 설 만한 가치가 없는 모양이었다.

세렌 혼자였다면 움직임을 멈췄을 것이다. 함께 싸울 수 있는 동료가 있다는 건 이렇게나 고마운 일이었나———.

지금까지는 계속 지키기만 했다. 희망이 보인 지금이 바로 공격할 때다.

루인의 상태가 신경 쓰이긴 하지만, 가만히 있을 수는 없다.

"그러면 저는 피니스의 힘을 재현해 보겠습니다. 수호정령에 대해 가장 잘 아는 건 저희니까요…… 문헌도 남아있을 겁니다."

원래, 마술 중 일부는 정령의 능력을 모방한 것이라고 한다. 지금까지 아무도 피니스의 힘을 재현하려고 시도해 본 자는 없지만, 시험해 볼 가치는 있을 것이다.

혹시나 고갈의 마법을 쓸 수 있게 되면 보물전을 지키고 있는 결계도 없앨 수 있을지 모른다.

점과 점이 이어진 듯한 느낌이 들었다. 이제는 시간과의 승부다.

시간이 지나면 보물전이 점점 강화되고, 동료들을 구할 여유도 없어지게 된다.

기합을 넣고 일어서려던 순간, 복도 쪽에서 발소리가 들렸다.

———방으로 훌쩍 들어온 사람은 지금까지 아무도 이름을 언급하지 않았던 청년이었다.

크라이 안드리히. 《천변만화》. 틀림없이 이런 상황에 이르게 된 발단을 제공한 남자.

엘리자는 지금 모르는 게 너무 많다고 했지만, 알고 있는 것도 있다.

조사할 때 독 체인을 보낸 것도, 세렌에게 보구를 입혀서 피니스를 막으라고 보낸 것도, 전부 그 인간이 결정한 것이었다.

지시를 받은 단계에서는 전혀 의미를 알 수가 없었지만 생각해 보니 모든 지시가 이 결과로 이어졌다.

어째서 세렌에게 퍼펙트 배케이션을 입혀야만 했는지 등 아직 이해가 안 되는 게 있긴 하지만, 그런 것들도 뭔가 의미가 있는 걸까?

어쩌면 세렌을 포함해서 아무도 그의 이름을 언급하지 않았던 것은 이 상황이 전부 그 신산귀모로 인해 생겨났다는 걸 가정했을 때 그 솜씨가 너무나도 괴물 같다는 결론이 나와버리기 때문인지도 모르겠다.

크라이가 세렌과 다른 사람들을 둘러보고는 피곤하다는 듯한 목소리로 말했다.

"…………고생했어. 아무래도 전부 잘 풀린 모양이네. 잘됐네, 잘됐어."

갑작스럽게 들어온 리더에 대한 《비탄의 망령》 멤버들의 반응은 제각각 달랐다.

리즈와 시트리가 미소를 지었고, 티노가 움찔거리며 떨었다.

루시아가 눈살을 찌푸리며 말했다.

"오빠…… 솜씨가 더 교묘해진 거 아닌가요? 마술의 다중 기동, 그런 방식이 아니었더라도 시간이 조금만 더 있었다면 저 혼자서도 알아냈을 텐데요……."

"약한 인간, 너, 지금까지 어디 있었던 거냐, 입니다! 우리는 여러모로 힘들었다고, 입니다!"

"미안, 미안, 볼일이 좀 있어서……."

세렌을 보내고 나서 한동안 응원하고 있었던 것까지는 기억하고 있지만, 팬텀 안에서 루인이 나타나고 나서는 정신이 없었기에 크라이를 까맣게 잊고 있었다.

크라이가 침대에 누운 루인을 보았다.

루인이 행방불명된 것은 크라이가 태어나기 전이다. 처음 만났을 텐데, 그 표정에는 놀라는 기색이 없었다. 대체 어디까지 예상하고 있는 건지 그 표정으로는 알 수 없다.

대체 그 눈에는 무엇이 보이고 있을까? 그리고 볼일이라는 건 대체 뭘까?

조금이라도 그 진의를 파악하기 위해 그의 얼굴을 빤히 보고 있자니 크라이가 당황한 듯이 말했다.

"…………그, 그리고 보니까, 피니스는 어디 갔어?"

"…………네?"

마치 당연하다는 듯이 한 질문을 듣고 눈을 크게 떴다.

피니스는 루시아가 튕겨낸 검을 맞고 소실된 상태다.

정령은 생물이 아니다. 죽음으로부터는 거리가 먼 존재이긴 하지만, 고갈의 힘은 그 천적이기도 하다.

고갈의 힘으로 인해 구성된 검은 피니스 본인에게도 치명적이었을 것이다.

팬텀 안에서 루인이 나타났다는 것에 정신이 팔려서 까맣게 잊고 있었는데———.

"피니스는………… 자신의 힘을 맞고 소멸해서———?!"

그렇게 말하려 한 순간, 갑자기 정령인의 눈이 강한 힘의 흐름을 포착했다.

공중에 떠오른 얼룩이 점점 번지더니 손바닥 크기의 작은 사람 형태로 바뀌었다.

색은 메마른 가지 같은 진한 갈색. 마치 그림자처럼 눈과 코, 입이 없는 그 모습.

———종언의 피니스.

힘의 총량은 기억하던 것보다 훨씬 작지만, 틀림없다. 게다가 미레스와 마찬가지로 정신을 차린 상태다.

고갈의 검을 반사당해서 힘이 크게 깎여나갔기 때문일까?

설마………… 계속 근처에 있었나? 전혀 눈치채지 못했다.

온 힘을 다해 숨으려 하는 정령을 찾아내는 건 정령인도 불가능하다.

대체 어떻게 평범한 인간이 피니스가 근처에 있다는 걸 눈치챈 걸까?

깜짝 놀란 세렌과 다른 사람들 앞에서 피니스의 머리에 자그마한 입이 생겨났다. 뭔가 말할 셈이다.

하지만, 피니스가 말을 꺼내기도 전에 크라이가 마치 전부 알고 있다는 듯이 빠르게 말을 늘어놓았다.

"꽤 귀여운 모습이 되었네. 고맙다는 인사라면 됐어. 나는 아무것도 안 했고, 전부 세렌이 노력한 결과야."

"?! 저는 아무것도 하지 않았———."

"그런데!! 그 사람…… 괜찮아?"

"…………으음."

이것저것 확인하고 싶은 게 있었다. 캐묻고 싶은 것도 있었고, 조금이나마 고맙다는 인사도 하고 싶었다.

하지만 그 인간은 마치 이야기를 가로막으려는 것처럼 큰 목소리로 재빠르게 묻고는.

"다들 무사해서 다행이야…… 그럼 나는 바쁘니까 이만. 맞다, 세렌. 그 퍼펙트 배케이션은 이제 필요 없지? 나중에 회수할 테니까, 잘 부탁해."

빠르게 자기가 하고 싶은 말만 하고는 재빨리 방에서 나가버렸다.

지금까지는 항상 여유로운 모습만 보였는데, 마치 폭풍 같은 기세다.

아무런 말도 할 틈이 없었다. 리즈도, 시트리도, 루시아도, 안셈도, 《별의 성뢰》 멤버들도 눈을 동그랗게 뜬 채 《천변만화》가 나간 쪽을 보고 있었다.

"…………약한 인간도 이럴 때는 제대로 움직이는구나…………
저렇게 서둘러서 뭘 하는지는 모르겠지만, 입니다."

"………………………괘, 괜찮아, 마스터도 최악의 일보 직전 정
도에는 도와줄…… 거야. 마스터는 우리를 단련시켜주려 할 뿐이
야. 다시 말해 마스터는 신."

"흥………… 단련시켜준단 말이지. 얼마나 동료를 신뢰할 수
있는지도 리더의 자질 중 하나이긴 하지."

라피스가 불쾌하다는 듯이 코웃음 쳤다. 그건…… 안심할 수
있는 건가? 애초에 세계의 파멸이 다가오고 있는 지금 이 상태에
서 누군가를 단련시키다니, 제정신 같진 않다.

하지만 불평하고 있을 때는 아니다.

의문은 많아도 지금 그 인간을 방해해선 안 되는 건 분명하다.

미리 들었던 그 신산귀모의 평판은 진짜다. 이 상황도 세렌의
눈에는 우연에 우연이 겹친 결과로만 보이지만, 《천변만화》에게
는 필연일지도 모른다.

그렇게 서두르고 있는 걸 보니 세렌과 다른 사람들에게 보이지
않는 곳에서 움직이고 있을 것이다.

방해해서 그 계획을 무너뜨리게 되면 돌이킬 수 없다.

"저는 이미…… 그 인간을 믿기로 결심했습니다. 지금까지 쓰
러져 갔던 전사들도, 그리고 함께 싸워준 정령들도, 모두가 그 결
정을 인정해 주겠죠."

별생각 없이 루인 쪽을 보았다. 마침, 루인이 감고 있던 눈을
천천히 뜨던 참이었다.

햇볕에 거의 그을리지 않아 하얀 피부. 긴 속눈썹.

정령인에게는 드문 아름다운 붉은 눈이 몇 번 깜빡이고는 세렌을 보았다.

심장이 한 번 뛰었다. 시간이 멈춘 것 같은 느낌이 들었다.

죽은 줄 알았던 친구와의 재회. 머릿속에 하고 싶은 말이 거센 물결처럼 흘렀다.

가장 먼저 뭐라고 말을 걸어야 할까?

정적 속에서 세렌을 보고 있던 시선이 천천히 내려갔다. 그리고 루인은 몇 초에 걸쳐 화려한 셔츠를 입은 세렌을 찬찬히 본 다음, 쉰 목소리를 떨며 말했다.

"세, 세렌………… 그 꼴은, 대체 뭐지……?"

유그드라와 제도 제블디아는 위치나 문화, 기후도 다르지만 유일하게 침대 안만큼은 똑같다.

《비탄의 망령》의 체류용으로 마련해준 유그드라의 저택.

아무도 없는 침실의 침대 안에서 데굴데굴 구르며 혼자 이 세상의 무상함을 한탄했다.

어제는 여러모로 초조해지게 되는 일이 많이 일어난 날이었다. 퍼펙트 배케이션을 쓰지 않았기 때문이기도 하겠지만, 왠지 몸도 평소보다 은근히 무거운 것 같다.

물론, 초조함의 원인은 세계수의 폭주도 아니고 습격자의 존재
도 아니다. 그 정도는 몇 번이나 경험한 적이 있다. 그런 것 때문
에 당황하다가는 레벨 8로 활동할 수가 없다.

크게 기지개를 켜면서 어제 있었던 일에 대해 떠올리며 중얼거
렸다.

"설마 세렌이 퍼펙트 배케이션 때문에 그렇게 글러먹은 정령인
이 될 줄이야……."

그리고 추워서 중간에 화장실에 다녀왔더니 어느새 세렌과 다
른 사람들이 사라졌을 때도 매우 초조해졌다. 정신을 차리고 보
니 같이 있던 사람들이 없어졌다는 건 내게는 자주 있는 일이긴
하지만, 몇 번을 겪더라도 익숙해지지 않는다.

뭐, 어떻게든 전부 원만하게 해결된 모양이니 상관없겠지.

상황은 여전히 전혀 이해가 안 되지만 작전은 순조롭게 진행되
고 있는 것 같다.

뭐가 뭔지 잘 모르게 벌어지던 전투도 뭐가 뭔지 잘 모르는 사
이에 해결된 듯하다. 부상자가 생긴 모양이었지만, 죽은 사람은
없는 것 같으니 딱히 문제는 없지!

하마터면 또 수호정령에게 귀찮은 일을 떠맡을 뻔했는데, 뭔가
말하기도 전에 막을 수 있었으니 내게는 만점인 결과다.

그건 그렇고 어제 루시아의 마법은 멀리서 봐도 대단했다. 세
계를 얼어붙게 만드는 마술을 어느새 익혔던 것도 놀라웠지만,
무엇보다 보통 거리에서 그런 걸 쓰나? 그런 느낌도 들었다. 뭐,

그만큼 적이 강해서 그랬겠지만. 역시 레벨 10 보물전은 다르다.

제도 제블디아 주위에는 레벨 10 보물전이 존재하지 않는다. 《비탄의 망령》 멤버들도 이번 같은 보물전에 도전한 적은 없을 것이다. 요즘은 근처 보물전이 우리 멤버들에게 흥미가 떨어지기 시작한 모양이니 어떤 의미로 이번 사건은 안성맞춤이었을지도 모르겠다. 운이 좋다는 말은 입이 찢어지더라도 못하겠지만.

그건 그렇고, 루크는 정말 운이 안 좋네. 강적과 제일 싸우고 싶어 하는 건 루크인데…….

느긋하게 뒹굴거리고 있자니 방 밖에서 큰 발소리가 들렸다.

발소리의 주인이 성큼성큼 방문 앞으로 다가오더니 노크도 없이 문을 열었다.

《천귀야행》의 리더, 애들러였다.

긴 창과 높게 세운 검은 머리카락. 날카로운 눈매는 내가 꺼리는 타입이다.

분명 애들러는 데리고 다니는 마물이 없는 상태로도 나보다 훨씬 강할 것이다. 공격당하면 한 방에 끝나겠지만, 공격을 할 거였으면 진작에 했겠지.

그 전투욕을 자극하지 않게끔 느긋하게 물었다.

"무슨 일이야?"

"아무도, 전혀 모르는군. 감질나는데,《천변만화》."

"…………무슨 소리야?"

내 이해력을 기대하지 말았으면 한다. 열을 배우면 다섯을 이해하고, 둘을 틀리는 게 나라는 남자다.

눈을 깜빡이던 내게 애들러가 약간 빠른 말투로 말했다. 그 목소리에서는 신기한 열기가 느껴졌다.

"나는, 보고 있었다. 계속 말이야. 루시아가 팬텀을 쓰러뜨린 직후부터 현인경으로 확인하고 있었지. 세렌과 다른 사람들은 당신이 숨어서 뭔가 조사하고 있다고 생각한다고."

"어? 아니, 아무것도 안 했는데……."

그건 내게 있어서 일상적인 이야기였다.

어제도 어쩌다 보니 볼일이 있었다고 대답해버렸지만, 세렌과 다른 사람들이 어느새 사라져서 찾아다녔을 뿐이다. 애초에 뭔가 해야 한다면 나는 누군가에게 도와달라고 부탁할 테고.

딱히 숨기지도 않는데 그 사실을 눈치채는 사람이 좀처럼 나타나지 않는 이유는 나를 제외한 멤버들 모두가 실력이 좋고 바쁘기 때문일 것이다. 아무도 나를 신경 쓸 여유가 없는 것이다.

내 대답을 들은 애들러가 왠지 모르게 만족스러운 듯이 고개를 끄덕였다.

"맞아. 당신은 아무것도 안 했어. 애초에 어느 정도 정보를 가지고 있는 정도로 어제 같은 책략을 세운 데다 그걸 성공으로 이끄는 건 불가능하지."

"? 응, 그래, 그렇지?"

내 무능함에 대해 따지러 온 건가 싶었는데, 왠지 매우 만족해하고 있다.

그리고, 책략이라는 건 무슨 소린데……?

나는 범죄자를 싫어한다. 바캉스 중에 계속 쫓아다녔던 아놀드 일행은 일단은 헌터였고, '아홉꼬리 그림자 여우(나인테일 섀도우폭스)'의 신관이었던 소라도 뭐라고 해야 하나, 재미있는 애였기에 용서해줄 수도 있지만 《천귀야행》은 꽤 진지하게 위험한 녀석들이다.

지금까지 범죄자들 때문에 험한 꼴을 많이 당해왔다. 지금은 협력해주고 있는 것 같지만, 언제 또 날뛰기 시작할지 모르니 가능하면 내게 다가오지 않았으면 좋겠다.

그런 내 속마음도 모르고 애들러가 더욱 강렬한 미소를 지으며 말했다.

"《천변만화》, 나는 말이지…… 감탄하고 있다고. 보구 같은 걸 써먹기 시작했을 때는 어떻게 되나 싶었지. 어차피 헌터 따위는 아무리 레벨이 높아지더라도 마찬가지일 거라 생각했는데——— 당신은 그렇지 않아. 그런 수준이 아니라고. 우노처럼 특별한 눈을 가지고 있는 건지, 아니면 특수한 능력을 지니고 있는 건지, 그게 아니면 당신이 거느리고 있는 마물의 힘인지———. 아직 판단이 안 되지만, 내 눈을 계속 속일 수 있을 거라 생각하진 말라고."

왠지 모르게 혼자서 신이 났네.

지금까지도 나를 높게 평가하던 사람은 여러 명 있었다. 보아하니 무능한 나도 레벨 8이라는 간판을 내걸고 있으면 유능해 보이는 모양이다. 뭐, 나도 레벨 8 헌터를 보면 장난 아닌 녀석이라고 생각할 테니까…….

어째 위험한 녀석들만 내게 눈독을 들이는데.

어째서? 침대에서 뒹굴거리고 있는 이 모습이 안 보여?

애들러의 말을 무시하고 크게 기지개를 키며 무능을 어필하고는 말했다.

"미안하지만, 이제 나는 아무것도 할 생각이 없어. 내가 해야 할 일은 전부 끝났으니까."

"……………뭐라고?"

전부 끝났다고 하면 너무 거짓말 같은가?

정말, 무능하다는 걸 증명하는 데도 노력이 필요하다니, 정말 살기 힘든 세상이다.

지금의 애들러라면 어느 정도 강하게 나가더라도 문제는 없을 것이다. 제자로 들어올 정도로 나를 높게 평가하고 있을 테니, 눈앞에 있으면 땡땡이치기가 매우 껄끄럽다.

"아니………… 솔직히 말하자면 한두 가지 정도 더 남아있긴 하지. 내게 별것 아닌 이야기를 하러 올 시간이 있다면 시트리라도 도와주지 그래? 슬슬 유덴이라는 녀석의 재생도 끝나지 않았을까? 그러는 게 너에게 도움이 더 될 것 같은데."

진실이라는 느낌을 주기 위해 적당히 말했다. 뭐, 루크의 저주를 풀고 제도로 돌아가야 하니 할 일이 두 가지 남았다는 건 완전히 잘못된 이야기는 아니다.

애들러의 시선은 내 일거수일투족을 놓치려 하지 않았다.

이러쿵저러쿵해도 《천귀야행》의 전력은 지금 같은 상황에선 고마운 존재다. 시트리에게 맡기면 적절한 곳에 전력을 배분해줄 것이다.

"윽………… 그 여유로운 태도, 뜯어내면 안에서 뭐가 나올지…… 기대하도록 하지."

"홋. 그쪽이야말로. 내 여유를 뜯어내면 안에서 무언가가 나올 거라 생각하지 말라고?"

씨익 웃으며 나 자신도 이해가 잘 안 되는 말을 해두었다.

애들러는 나를 어떻게 보고 특수한 능력을 지녔다고 생각하는 거지? 유그드라에 온 이후로 건설적인 행동을 한 기억이 없는데…….

애들러는 내게 도발적인 미소를 보이고는 큰 발소리를 내며 방에서 나갔다.

"어땠나요~?"

방에서 나온 애들러의 양옆으로 대기하고 있던 우노와 퀸트가 다가왔다.

우노가 묻자 애들러는 어깨를 으쓱였다.

"건드려보긴 했는데………… 기대하긴 힘들 것 같아. 전혀 동요하지 않더라고."

"그건 그렇고, 슬슬 뭔가 찾아내긴 해야지~."

"제 눈으로 봐도 마물의 낌새조차 없었으니까요~. 루시아 씨는 약간 다른 모양이고요."

잡담을 하면서 마나 머티리얼이 피어오르는 유그드라의 거리를 걸어갔다.

이미 《천변만화》의 솜씨를 한 번 보긴 했지만, 애들러는《천변만화》의 힘에 대해 전혀 파악하지 못하고 있었다.

결과는 나왔다. 《천변만화》가 뭘 하고 있었는지도 알고 있다.

하지만, 어째서 그런 수를 쓴 건지 전혀 알 수가 없다.

애들러의 현인경이라는 마물은 정보전에 있어서 지극히 유용한 수단이다.

이 마물은 온갖 비밀을 파헤친다. 그것을 충분히 사용했는데도 불구하고 이렇게 아무것도 알아내지 못한 건 이번이 처음이었다.

우노가 들고 있는 거울은 현재진행형으로 크라이의 모습을 비추고 있었다. 침대 위에서 뒹굴거리며 기지개를 켜는 크라이의 모습을.

도발이라도 하면 크게 움직일까 싶었는데, 애들러의 전투욕을 드러냈는데도 침대에서 내려오질 않는다.

좀 전에 했던 대화의 내용을 떠올리다가 무심코 혀를 찼다.

쓸데없이 캐고 다닐 거라면 시트리나 도우라고?

한참 높은 곳에서 내려다보는 듯한 말. 수많은 헌터들을 해치운 《천귀야행》을 상대로 너무나도 거만한 그 태도는 일시적으로 제자가 된 입장인데도 짜증 난다.

《천변만화》와의 사이에 존재할 큰 차이까지 포함해서 모든 것이 거슬린다.

"윽………… 유덴은 아직 부활하지 못한 거야?"

"이제 얼마 안 남았어요~. 아무리 그래도 머리만 남은 상태였으니까요~. 대지의 에너지를 흡수해도 시간이 오래 걸리죠~."

"……쳇. 되는 게 없네."

《천변만화》는 유덴도 슬슬 부활했을 거라고 했다. 하지만, 실제로는 아직 재생이 끝나지 않았다.

다시 말해 애들러의 비장의 수가, 먼 옛날 사람들이 신으로 떠받들던 성식 지네인 유덴이 크라이 안드리히의 예상에 못 미친다는 뜻이다.

그냥 생각하면 그 말은 단순한 도발이다. 《천변만화》가 고대종인 성식 지네의 정보에 대해 잘 알고 있을 리가 없다.

하지만, 《천변만화》는 짐작이 안 되는 존재.

팬텀을 굴복시키는 방법뿐만이 아니다. 만약 《천변만화》의 신산귀모에 대한 비밀을 알아낼 수 있다면 애들러는 더욱 강해질 것이다.

"진정하세요, 애들러 님. 기회는 아직 있을 거예요."

"인도자로서의 실력도 아직 못 봤으니까…… 우선 그 남자가 말한 대로 작전에 참가할 수밖에 없겠지."

퀸트가 한숨을 쉬고는 말했다.

적어도 시트리가 생각한 작전은 어느 정도 공평해 보였다.

애들러 일행을 버림말로 쓰려는 낌새도 없고, 애초에 그 남자는 그렇게 평범한 성격이 아닐 것이다. 역시, 조금 짜증 나긴 하지만 퀸트가 말한 대로 지금은 지시를 따르며 상황을 지켜보는 게 최선인가…….

"그렇군. 아무리 그래도 신의 팬텀이 온 힘을 다하면 그 남자도 직접 나설 수밖에 없겠지만⋯⋯ 상황에 따라서는 우리가 먼저 움직일 필요가 있을지도 몰라."

애들러의 목적은 크라이가 팬텀을 굴복시키는 모습을, 그 수단을 알아내는 것이다.

애들러가 크라이에게 힘을 빌려주는 건 자원봉사가 아니다.

만약 성과를 얻지 못하고 사건이, 작전이 진행된다면 그때는――― 애들러 일행이 먼저 뭔가 손을 쓸 수밖에 없을 것이다.

잠들지 못하는 밤을 지낸 다음, 무거운 몸을 이끌고 시트리가 있는 연구소로 향했다.

아직 이른 아침이었지만 세렌이 도착했을 때는 이미 연구소에 멤버들이 모여 있었다.

장치 제조를 맡고 있는 루시아와 총지휘를 맡은 시트리. 라피스를 리더로 내세우고 있는 《별의 성뢰》의 동포들. 리즈, 티노, 엘리자 같은 도적 팀과 안셈이 없는 것은 지맥을 조사하고 방위를 강화하는 역할을 맡았기 때문일 것이다.

유그드라의 전사들도 실력이 뛰어나긴 했지만 그들은 세렌 같은 유그드라 상층부의 결정 없이 움직이지 않았다. 그것은 충성심의 표현이면서 세계수를 지킨다는 무엇과도 바꿀 수 없는 사명이 있기 때문에 어쩔 수 없는 일이었지만, 답답하게 느낀 적도 있었다.

《비탄의 망령》멤버들은 그렇지 않다. 그들은 리더가 아무 말도 하지 않더라도 자신의 머리로 생각하고, 실패를 두려워하지 않으며 임기응변으로 행동할 수 있는 힘과 의지를 지니고 있다. 어쩌면 이렇게 절박한 상황에서는 통제된 행동보다는 독립적으로 움직일 수 있는 스킬이 더 적절할지도 모른다.

문제가 있는 건 의도를 알 수 없는 행동으로 세렌을 당황하게 만드는 《천변만화》뿐이다.

루인은 말을 한마디만 하고는 다시 기절했고, 아직 깨어나지 않았다. 살아 있기만 해도 기적이다. 상당히 지쳤을 것이다.

어젯밤에 들었던 말은 세렌의 마음에 치명상을 입혔고, 아직 완전히 회복되지는 못했다.

어째서 그런 꼴을——— 그건 세렌이 물어보고 싶을 정도다.

보구를 받아들인 건 세렌이긴 하지만, 세렌도 딱히 그러고 싶어서 그런 꼴이 된 건 아니다.

태연한 척하면서 다가온 세렌을 보고 시트리가 밝은 미소를 지으며 말했다.

"좋은 아침이에요, 세렌 씨. 이제 그 퍼펙트 배케이션은 입지 않으시네요."

"으⋯⋯⋯⋯ 따, 딱히, 좋아서 입었던 건, 아니라서요. 그, 그 인간이, 입으라고 하길래———."

지금 세렌은 원래대로 정령인의 황녀에게 어울리는 로브 차림이다.

마력을 잔뜩 머금은 식물을 원료로 만든 로브에는 유그드라의 황녀들이 대대로 수호의 마법을 걸었기에 재앙을 물리치는 힘이 있다.

물론, 벗으면 효과가 사라진다는 건 굳이 말할 필요도 없다.

자연스러운 제안에 속아서 퍼펙트 배케이션을 입어버렸던 것은 실수였다. 루인이 기운을 차리면 무슨 말을 할지, 지금부터 불안해져서 견딜 수가 없다. 루인은 세렌에게 있어서 마술의 스승 중 한 명이기도 하다.

세렌이 귀까지 빨개져서 반론하자, 시트리는 방긋 웃으며 무시하고는 말했다.

"마침 지금부터 장치를 제조하려던 참이에요. 이제 시간이 별로 없으니까 오늘 안으로 필요한 만큼 만들 거고요. 마력 회복약(마나 포션)도 있으니 뭐, 어떻게든 되겠죠."

"그, 그런가요················."

특수한 염료로 그려진 마법진 앞에서 루시아 로제가 눈을 감고 심호흡을 크게 하고 있었다.

주위에는 《별의 성뢰》 멤버들이 모여 그 모습을 관찰하는 상황.

호흡과 함께 루시아의 의식이 점점 맑아지는 것을 알 수 있었다. 마술에서 중요한 것은 집중이다.

어제 시점에서 그 역량이 정령인조차 능가한다는 사실을 알게 되었지만, 새삼 보니 그녀의 몸속에 맴도는 마력의 양과 정갈함은 훌륭했다. 마도사로서 온갖 자질을 높은 수준으로 갖추고 있다.

루시아는 숨을 내쉬며 기합을 넣고는 가슴 앞쪽까지 들고 있던 지팡이를 들어 올렸다. 그리고, 땅바닥을 세게 찍음과 동시에 연속으로 마술을 해방시켰다.

　다섯 마법의 빛이 마법진 주위에 차례대로 떠올라서 정지했다. 빛은 곧장 지면에 그려진 마법진에 빨려 들어가듯 떨어졌다.

　마법진 전체가 빛났고, 그 위에 올려두었던 장치 제조에 필요한 소재가 불꽃에 휩싸였다.

　바람과 물, 흙과 불, 동시에 사용한 마법이 새겨진 마법진에 따라 뒤섞여서 하나의 마술이 되었다.

　근처에서 그 모습을 보고 있던 크류스가 감탄한 듯이 한숨을 쉬었다.

　"루시아 양, 정말 재주가 좋구나, 입니다. 아무리 약한 인간에게 힌트를 받았다고는 해도 설마 이렇게 금방 다중 기동을 할 수 있게 되다니———."

　"터무니없는 요구는 항상 받으니까요. 해내지 못하면 골치 아파지고요."

　아무렇지도 않은 듯한 말이었지만, 그 기술이 얼만큼 수준 높은 것인지 같은 마도사라면 누구나 이해할 수 있을 것이다.

　원래 마도사는 여러 마술을 동시에 발동시킬 수 없다. 센스가 정말 좋다 하더라도 두 개를 발동시키는 게 한계일 것이다. 그런 의미에서 이번에 팬텀으로 변했던 루인이 사용했다는 기술은 획기적이었다. 술식이 발동될 때까지 대기 시간을 둠으로써 유사적으로 여러 마술을 동시에 발동시키는 기술. 하지만, 그것도 평범한 마술사가 금방 다룰 수 있을 만한 것은 아니었다.

마술이라는 건 사용자의 의지에 따라 현상을 자유롭게 일으키는 개념이 아니다. 편의성을 위해 처음부터 컨트롤할 수 있게끔 설계된 요소라면 모를까, 술식을 구축하고 나서 효과가 발휘되기 전까지 대기 시간을 설정하려면 그때마다 어느 정도 마술을 손볼 필요가 있다.

그럴 수 있는 것은 루시아가 재능이 있을 뿐만이 아니라 평소부터 마술 연구를 게을리하지 않았다는 증거다.

적어도 술식의 자잘한 조작은 세렌보다 더 뛰어날 것이다. 만약 그녀가 인간이 아니라 유그드라의 백성이었다면 세렌조차 뛰어넘은 대마도사가 되었을지도 모른다.

"그러고 보니, 새로운 마술을 여러 개 개발했다고 했었지……《천변만화》의 요청으로."

"………………습득하고 싶으시면 가르쳐 드릴까요? 물론 문제가 있는 마술들뿐이라 익혀봤자 아무런 의미 없을 것 같지만요."

이야기를 하면서도 장치 형성은 계속 이어지고 있었다.

찐득찐득하게 녹은 유리가 빙글빙글 회전하며 형태를 만들어 나갔다.

마술로 물건을 만들면 어설픈 결과물만 나온다는 것이 정설이었지만, 그 움직임 하나하나가 마법진으로 인해 완전히 컨트롤되고 있었고, 매우 세밀했다.

외부의 영향을 차단하고 원료를 넣은 다음 마술을 흘려넣기만 해도 장치가 완성된다. 치밀한 계산으로 완성된 그 마법진은 만들어낼 장치에 대해 거의 아무것도 모르는 세렌이 보기에도 연구에 연구를 거듭했다는 걸 알 수 있었다.

장치가 완성되는 데 걸린 시간은 불과 십몇 분 정도였다.

원뿔을 거꾸로 세운 듯한 형태인 장치다. 본체는 나선을 그리는 유리관으로 만들어져 있고, 그 바닥에는 무언가를 끼우는 것 같은 구멍이 있었다.

시트리가 준비한 유리의 양은 꽤 많았지만, 완성된 것은 높이 1미터 정도의 장치였다.

마법진이 빛을 잃자 루시아가 어깨를 들썩이며 숨을 쉬었다.

"끝났어요. 다중 기동만 힘든 게 아니라 마력도 꽤 많이 필요하네요."

"고생했어. 뭐, 다섯 명이 발동시키는 거니까…… 그렇게 여러 번 쓸 마법진도 아니고, 그런 부분은 어쩔 수 없는 걸로 하자. 자, 이게─── 제 연구 성과, 마나 머티리얼 교반장치입니다. 이건 시험 삼아 만든 거라 소형이지만요. 이제 장치의 동력이 될 보석을─── 마석을 끼워넣기만 하면 완성됩니다."

정령인은 본능적으로 금속을 싫어한다. 그 이유는 정령인과 함께 살아가는 자연정령이 금속을 꺼리기 때문이라고 한다. 유리는 딱히 꺼리지 않지만, 세렌의 눈에는 그 장치가 매우 기괴하고 끔찍하게 보였다.

장치가 어떻게 작용하는지도 모르는데─── 현인경으로【근원의 신전】최심부에 존재하는 제단을 보았을 때 느꼈던 이질적인 분위기와 비슷한 게 느껴졌다.

정령인의 본능이 위험성을 호소하고 있는 걸까?

인간은 이렇게 무시무시한 장치를 만들어내는 건가…… 무심코 입술에서 그런 말이 새어 나오려다가 아슬아슬하게 멈췄다. 자연의 맹위라고도 할 만한 신의 팬텀의 출현에 맞서기 위해서는 그 존재에 필적할 만큼 끔찍한 인공물이 필요한 건지도 모르겠다.

유그드라릴, 나아가서는 세계를 구하려면 이 방법밖에 없는 것이다.

"동력은 마석, 인가요…… 마침 지금 하나 가지고 있습니다."

마석이란 마술의 촉매가 되는 정령석이나 보석을 가공한 것이다. 마침 세렌이 차고 있던 펜던트가 그것에 해당된다.

각오를 다지고는 장치 쪽으로 다가갔다. 장치 쪽으로 손을 뻗으려 하자, 시트리가 소리쳤다.

"잠깐!"

"?!"

세렌이 움찔거리며 돌아보자 시트리가 낮은 목소리로 위협하듯이 말했다.

"아직 끼우면 안 돼요. 마나 머티리얼의 성질은 매우 복잡해서 현대인의 기술로는 완전히 해명되지 않았어요. 올바른 곳에서 장치를 작동시키지 않는다면——— 무슨 일이 일어날지 모르거든요? 어쩌면 신이 멸망시키기 전에 사람의 손에 의해 멸망할지도 모르죠."

"윽………… 죄, 죄송합니다. 알겠습니다……."

마석을 쥔 채 장치로부터 몇 발짝 물러났다.

장치는 그저 조용히 햇빛을 반사하며 반짝반짝 빛나고 있었다.

마검은 사용자를 매혹시킨다고 한다.

세렌도 어쩌면 이 이질적인 장치에 홀렸던 건지도 모르겠다.

숨을 크게 쉬고 있자니 루시아가 팔짱을 낀 채 나무라는 듯이 말했다.

"시트. 겁주지 마. 방금 세렌 씨가 다가갈 때까지 일부러 경고를 안 한 거지?"

"네……?"

눈을 크게 뜨며 시트리를 보았다.

"……언니 일행이 돌아와서 장치를 설치할 곳을 정하면 곧바로 실행할 거예요. 그때까지 필요한 만큼 만들어버리죠."

시트리는 손뼉을 치고는 아무 일도 없었다는 듯이 말했다.

피니스를 쓰러뜨린 루시아의 막대한 마력으로도 교반장치의 제조는 중노동인 모양이었다.

마법진을 만들려면 다섯 개의 마법을 흘려 넣을 필요가 있고, 마술을 동시에 기동하려면 집중력이 필요하다. 막대한 마력이 눈 깜짝할 새에 줄어들었고, 정갈하던 마력 조작도 약간 흐트러지기 시작했다.

세렌과《별의 성뢰》멤버들도 도울 수 있다면 좋겠지만 마도사에게는 각자 특기 분야가 따로 있다. 이번에 사용한 마법진은 다섯 종류 중에서도 불의 마법을 꽤 강력한 것으로 흘려 넣어야만 한다.

동시 발동만이라면 모를까, 정령인은 종족 특성상 불의 마법을 잘 쓰지 못한다. 세렌은 불의 마법을 쓰지 못하고, 《별의 성뢰》 멤버들 중에서도 쓸 수 있는 건 크류스 아르겐 한 명뿐이다.

그 대신 세렌과 다른 정령인들은 보석을 장치의 동력원인 마석으로 가공하는 작업을 맡았다.

동력이 없으면 장치도 움직이지 않는다.

그것도 장치의 제조만큼은 아니지만, 섬세한 마력 조작이 필요한 작업이다.

루시아가 유리를 모두 사용하고, 세렌과 다른 정령인들이 보석 작업을 어느 정도 마쳤을 때는 해가 저물어가고 있었다.

신경을 써야 하는 작업이었기에 세렌을 포함한 모두가 지친 상태였다. 멀쩡한 건 지시 담당인 시트리 정도밖에 없을 것이다.

하지만 그들의 표정은 결코 어둡지 않았다. 희망이 있기 때문이다.

루인을 구해냈다. 그 우연 같은 1승이 세렌과 다른 사람들의 의욕을 솟구치게 해주고 있었다.

마침 그때, 장치를 설치할 곳을 조사하러 갔던 멤버들도 돌아왔다.

유그드라 밖으로 나가서 조사를 하던 리즈와 엘리자, 티노, 도적 3인조와 그 상태를 현인경의 힘으로 파악해서 지도에 기입하던 애들러 일행이다.

팬텀에게 습격당할 수도 있기에 위험한 임무였지만, 부상을 입지는 않은 모양이었다.

그러나 선두에 선 리즈의 표정은 평소보다 약간 험악했다.

장치의 제조에 모든 힘을 쏟아붓고 숨을 헐떡이던 루시아가 눈살을 찌푸렸다.

"…………어서 오세요. 무슨 일이 있었나요?"

"아니…… 오늘은 팬텀이 덤벼들지도 않았고, 딱히 문제도 없었는데…… 누군가가 계속 보고 있는 것 같아서. 기분이 정말 안 좋더라고."

"…………시선을 느꼈죠. 숲으로 들어간 직후부터 계속———."

티노가 어깨를 부르르 떨며 그렇게 말했다.

결계를 펼친 시점에서 상당히 경계하고 있는 것 같긴 했지만, 지켜보고 있다니 불안하다.

그게 어떤 상황으로 이어질지 신도 아닌 세렌이 알 수는 없었다.

하지만, 상황은 분명히 움직이고 있다. 세렌 일행뿐만이 아니라【근원의 신전】쪽도.

리즈가 혀를 차며 불쾌하다는 듯이 말했다.

"그래서 귀찮으니까【근원의 신전】근처까지 가봤는데, 결계 안쪽에서 빤히 보고 있었어. 까만 가면을 쓴 팬텀들이———. 도발해도 나오지도 않고, 결계에 이음매 같은 것도 없으니까 들어갈 수도 없고…… 짜증 나."

"근처까지 갔나…… 흥. 여전하군."

"가까이 다가가 봐야 뭐라도 알아내지. 아~, 그 눈………… 열받아. 루크라면 결계도 벨 수 있을지 모르는데, 정작 중요할 때 없다니까!"

라피스의 말을 들은 리즈가 힐끔 시선을 주고는 짜증 난다는 듯이 땅바닥을 걷어찼다.

정말 짜증이 나는 모양이다. 사기가 높은 건 좋지만, 너무 높은 것 같은데.

마지막으로 졸린 듯한 표정으로 비틀거리던 엘리자가 숨을 내쉬고는 말했다.

"지금은 얌전히 있는 것 같지만, 상대방은 우리가 어떻게 나올지 살피고 있어. 보아하니 뭔가 움직임을 보이면 덤벼들 것 같아."

【근원의 신전】의 팬텀은 강력하다. 모두가 루인 같지는 않겠지만, 유그드라의 정예들이 한 명도 돌아오지 못했다는 건 엄연한 사실이다.

세렌까지 전투에 참가한다 하더라도 유그드라 쪽의 전력은 팬텀과 비교도 안 될 정도로 적다.

세렌의 불안한 마음을 뒷받침하는 듯이 시트리가 눈살을 찌푸리며 곤란하다는 듯한 표정을 지었다.

"그거참…… 골치 아프게 되었네요. 장치를 기동시킨 뒤에 효과가 발휘될 때까지는 시간이 좀 걸려요. 게다가 동시에 장치 여러 개를 기동시켜야만 하고요."

새로운 문제가 등장하자 리즈가 코웃음 쳤다.

"뭐, 싸워봐야 알겠지? 애들러, 너희들도 좀 도움이 되라고!"

"어째서 우리가———. 그렇게 말하고 싶긴 하다만, 나도 알고 있다. 조금이나마 《천변만화》에게 도움이 되는 모습도 보여줘야겠지."

애들러가 희미한 미소를 드리우며 말했다.

크라이를 떠올리며 나중에 벌어질 전투에 대해 상상해 보았다. 하지만, 전혀 예측할 수가 없었다.

세렌은 아무것도 모른다. 팬텀들이 무슨 생각을 하고 있고, 몇 명이나 있고, 얼마나 많은 전력을 지니고 있는지. 그리고 유그드라 쪽 전력이 얼마나 강한지.

싸움에는 운도 작용한다. 게다가 승패를 예측하는 것뿐만 아니라 전투의 흐름까지 컨트롤하는 건 인간보다 뛰어난 능력을 자랑하는 정령인조차 불가능하다.

크라이 안드리히는 아직 모습을 드러낼 낌새가 없다.

대체 어디서 뭘 하고 있는 걸까?

혹시나…… 지금 상황 또한 전부 예측대로인 걸까?

"엘리자 언니………… 저기………… 쓸데없는 질문인 것 같긴 한데요. 다리가 도망치고 싶어 하진 않나요?"

"……계속, 도망치고 싶어 해. 이건 패전이야. 그냥 생각하기에는 말이지만. 그 정도로 상대와의 전력 차이는 커."

"?! …………그, 그렇군요………… 역시 또 그런 싸움인 거군요……."

"하지만 이렇게 된 이상, 이제 도망칠 수는 없어. 싸울 수 있는 모두가 장치를 지킬 수밖에."

의기소침한 듯이 중얼거리는 티노와 평소와는 달리 심각한 표정을 짓고 있는 엘리자.

알고 있긴 했지만, 아무래도 역전의 도적이 보기에도 별로 승산이 없는 싸움인 모양이다.

어찌 됐든 엘리자의 말대로 앞으로 나아갈 수밖에 없다. 이건 세렌 일행에게 있어서 세계수의 폭주를 막지 못했던 불명예를 만회할 마지막 기회다.

지금 같은 상황에서 가장 피해야만 하는 것은 《비탄의 망령》이 빠져나가 버리는 것이다. 그렇게 되면 아무리 《별의 성뢰》가 남아준다 하더라도 어떻게 해볼 방법이 없다. 특히 《천변만화》의 협력은 필수다.

모두의 얼굴을 번갈아 가며 본 다음, 위엄을 최대한 담아 말했다.

"저도…… 이래 봬도 유그드라의 황녀입니다. 경험은 그렇게 많지 않지만, 미레스의 힘을 빌리면【근원의 신전】의 팬텀 상대로도 싸울 수 있을 겁니다. 루인도 깨어나면 함께 싸워주겠죠."

《비탄의 망령》이 여기 온 것은 동료를 구하기 위해서지만, 셰로의 저주를 푸는 것과 세계수의 폭주를 막는 것 중 어떤 게 더 쉬울지는 굳이 생각해볼 필요도 없다.

세렌의 표정을 보고 시트리가 살짝 미소를 지었다.

"후후…… 그렇게 걱정하시지 않아도 저희는 빠지지 않을 거예요. 크라이 씨께서 후퇴하기로 결정하실 때까지는요. 하지만——우노 양, 지맥의 상황은 알아내셨나요?"

"네. 대충이긴 하지만, 지맥들끼리 교차된 부분은 확인한 것 같아요~. 크게 놓친 부분도 없을 거예요~."

우노가 주위 일대의 지도를 펼쳤다. 세계수를 중심으로 한 지도에는 지금, 붉은 선이 여러 줄 그어져 있었다.

빙 둘러다니던 리즈를 현인경으로 확인하고 만든 지도일 것이다.

시트리가 그것을 받아들고는 세렌이 꺼내 온 유그드라의 서고에 잠들어있던 지도와 비교했다.

"세렌 씨에게 받은 500년 전의 지맥 지도와도 어느 정도 일치하네요."

"한 바퀴 빙 돌았을 뿐이니까요~. 알아볼 수 있는 곳은 그렸지만, 보장할 순 없어요~. 몇 바퀴 정도 더 돌면 더 정확한 지도를 만들 수 있을 것 같지만요~."

마나 머티리얼 교반장치에 대해 세렌은 원리나 필요한 조건 같은 것들을 전혀 알지 못한다.

그런 쪽 기술은 유그드라가 더 앞서간다고는 해도 유그드라의 백성들은 지맥을 움직이려는 생각을 해본 적도 없기 때문이다.

시트리는 몇 초 정도 생각하고 나서 고개를 저었다.

"……………아뇨. 우선 이 데이터로 설치할 장소를 한번 계산해 볼게요. 모처럼 검증할 기회를 얻었으니까요. 언니 일행을 지켜보고 있었다면 시간도 별로 없겠죠. 세렌 씨도 꼭좀 의견을 내주세요. 이것의 성공 여부에 세계의 운명이 달려 있어요."

마나 머티리얼 교반장치.

그것은 이름 그대로 마나 머티리얼의 흐름을 어지럽히기 위한 장치인 모양이다.

시트리는 지맥을 강, 마나 머티리얼을 물, 장치를 장애물로 비유했다. 마나 머티리얼 교반장치를 사용하면 물의 흐름을 방해해서 어떤 곳에 원래 모이는 양 이상의 수량을 모을 수 있다.

마나 머티리얼은 물처럼 원활하게 흐르지 않고 강과 지맥 사이에도 어느 정도 성질의 차이가 있긴 하지만, 지금 중요한 것은 그 장치가 마나 머티리얼의 원활한 흐름을 막고 방해해서 한 곳의 마나 머티리얼량을 증가시킴으로써 보물전을 강화하기 위한 장치라는 점이다.

시트리 스마트는 그 장치와 마나 머티리얼의 성질을 이용해서 지맥이라는 강을 분기시키려 하고 있다. 그것은 이론상으로만 가능했던 전대미문의 작전이었다.

"지맥은 마나 머티리얼이 지나가는 길이에요. 그렇다면 인공적으로 마나 머티리얼이 지나가는 곳을 만들 수 있다면, 그것을 지맥이라 불러도 문제는 없겠죠. 강을 깎아내서 지류를 만드는 것처럼———."

유그드라에서는 지맥에 흐르는 마나 머티리얼을 이용해서 다양한 술식을 발동시키고 있다. 유그드라를 둘러싸고 있는 결계도 그렇고, 신수 미로를 구축하고 있는 것도 그 힘 덕분이다. 마나 머티리얼 관련 연구를 제한하는 인간 세계와 비교하면 그 기술면으로는 앞서가고 있을 것이다.

마나 머티리얼 교반장치의 대략적인 기능에 대해서는 들었다. 시트리가 세운 작전은 세렌이 보기에도 결코 불가능하진 않은 것 같다. 하지만———.

"뭐, 강화는 해봤어도 보물전을 약화시킨 적은 없어요. 하지만 틀림없이 가능할 거예요. 이론상으로는요!!"

주먹을 쥔 채 열변을 토하는 시트리.

절망적인 힘을 지닌 피니스 상대로 계속 싸우던 루시아도 대단했지만, 시트리 스마트는 더더욱 맛이 간 것 같았다.

어찌 됐든, 세계의 멸망이 코앞으로 닥친 이 상황에서 장치를 한 번도 시도해보지 않았던 방식으로 써보자고 하는 것이다.

계속 이론상이라고 할 만도 하다. 이건 틀림없이 실험이라고 불러야 할 행동이다. 게다가 장치를 설치할 곳도 매우 까다롭다. 시트리는 적절한 위치에 설치하면 된다고 했지만, 적절한 위치가 존재하긴 하는 건지 의심스럽다.

지맥의 구조는 장소에 따라 제각각 다르다. 다시 말해 장치의 설치 장소도 대략적인 정석을 따를 수밖에 없고, 기동시켜보지 않으면 제대로 작동하는지 알 수 없다는 거다.

세렌도 작전에는 찬성했지만 설마 이렇게까지 불확정 요소가 많은 작전일 줄은 몰랐다. 아무리 비상사태라고는 해도 그런 사실을 (아마도) 파악한 상황에서 시트리에게 전부 맡긴 《천변만화》도 간이 꽤 크다고 생각했다.

"장치를 설치하려면 시간이 좀 걸려요. 그리고 설치한 장치는 효과가 제대로 발동될 때까지 지켜내야만 하죠. 【근원의 신전】에서 어느 정도 간섭할지는 예상할 수 없지만, 각각 장치를 지킬 수 있는 전력을 배분할 필요가 있겠네요."

시트리가 지도를 꺼내서 설명했다.

지도에는 몇 군데 표시가 되어 있었다. 전 세계에서 모여든 수많은 지맥의 교점――― 특히 마나 머티리얼이 모이는 요점이라고 할 만한 곳이다. 매우 꼼꼼하게 골랐는지, 교차되는 곳이 많았음에도 그중에서도 많은 지맥이 모이는 지점만 표시가 되어 있었다.

그 지도를 보고 리즈가 눈살을 찌푸렸다.

"시트, 남쪽 지맥 교점에만 표시가 되어 있는 것 같은데, 지맥은 북쪽에서도 이어져 있잖아? 북쪽은 방치할 거야?"

"전력이 너무 부족해서 집중시키려고. 남쪽만 어떻게든 하면 【근원의 신전】의 힘은 반감될 테니까. 북쪽은 나중에 대처해도 되고…… 어떻게 생각하시나요? 엘리자 씨."

사막 정령인(데저트 노블)은 마도사보다 도적 쪽 자질을 지니고 있는 경우가 많다. 엘리자는 시트리의 질문을 듣고 한동안 눈을 깜빡이다가 포기한 듯이 말했다.

"북쪽은 나중으로 미뤄도 될 것 같아."

"다리가 도망치고 싶어 하지 않나요?"

"…………도망치고 싶어 해. 하지만, 어찌 됐든, 위험해. 이제 포기했어. 어떻게든 할게."

엘리자는 눈에 보이지 않을 정도로 세세한 요소를 본능적으로 감지하고 위험을 피하면서 솔로로 활동했다고 한다. 하지만, 이렇게까지 온 상황에서는 별로 도움이 되지 않는 듯하다.

감사할 따름이었다. 셰로를 되찾아 준 데다 세계수의 폭주에도 맞서주고 있으니 이번 건이 무사히 해결되면 뭔가 보답을 해야만 할 것이다.

"【근원의 신전】 공략전 2단계에서는 장치의 설치와 그 방위에 온 힘을 다할 겁니다. 우선 남쪽에 설치해 보고 효과를 측정할 거예요. 마나 머티리얼을 빠져나가게 하기 위해서는 동시에 장치를 기동시킬 필요가 있습니다. 최소한의 인원으로 막아내야만 해요."

시트리가 손가락 끝으로 세계수 아래를 서쪽에서 동쪽으로 몇 킬로미터 정도 그었다.

"세계수 남쪽에서 흘러드는 마나 머티리얼의 흐름을 어지럽혀서 동쪽으로 빠져나가게 할 거예요."

그렇게 말하니 너무나도 엄청난 계획이라는 생각이 들었다.

우노가 반신반의하는 표정으로 시트리를 보았다.

"…………그런 게 정말 가능한가요~? 남쪽에서 흘러드는 마나 머티리얼이라면 전 세계에 맴도는 마나 머티리얼 중 절반이 모여든다는 거죠~? 빠져나간 마나 머티리얼을 어디에 버릴지에 대한 문제도 있고요~."

마나 머티리얼을 눈으로 볼 수 있기에 그 에너지가 얼마나 막대한지 이해한 모양이었다. 세계수로 흘러드는 에너지는 유그드라가 최대한 비용을 많이 잡아먹게끔 발동되게 설계한 신수 미로를 유지하고도 남을 정도였다.

우노가 지적하자 시트리가 헛기침을 하고는 대답했다.

"빠져나간 마나 머티리얼은 그대로 바깥쪽으로 나가는 지맥으로 흘려보낼 거예요. 한동안은 문제가 없을 테고요. 이론상으로는 성공하겠지만, 솔직히 미처 예측하지 못한 부분도 있어요. 하지만, 우선은 【근원의 신전】을 어떻게든 해야 하니까요."

아무래도 【근원의 신전】을 어떻게든 한 뒤에는 근본적인 해결을 위해 움직여야 할 것 같다.

"문제는 장치를 설치할 위치죠. 제 계산으로는 반드시 설치해야 할 곳이 최소한 여덟 군데 있어요."

여덟 군데. 그 말을 듣고 방 전체가 조용해졌다.

상대는 【근원의 신전】의 팬텀들이다. 혹시나 환수나 마수가 덤벼들지도 모른다.

그것은 너무나도 많은 숫자였다.

지금 싸울 수 있는 멤버는 세렌을 제외하면 《비탄의 망령》의 여섯 명과 티노, 《별의 성뢰》 여섯 명, 《천귀야행》의 세 명까지 합쳐서 열여섯 명이다. 그중에는 전투력이 약한 멤버도 포함되어 있다.

침묵이 떠도는 가운데, 시트리가 거듭 말했다.

"습격자를 쓰러뜨릴 필요는 없어요. 장치를 지켜내기만 하면 되는 거죠."

"말은 그렇게 해도…… 숫자가 너무 많잖아. 팬텀의 힘도 잘 모르는 상황인데………… 흠."

애들러가 입술을 핥고는 표시된 점 중에서 중심 근처의 한 곳을 손가락으로 가리켰다.

"생각해봤자 아무런 소용도 없지. 《천귀야행》은 이곳을 맡겠어. 유덴도 슬슬 복귀할 테고, 뭐 적당하겠지."

세렌은 애들러 일행의 전투력을 알지 못한다. 마물을 조종한다는 이야기를 듣긴 했지만 실제로 조종하는 모습을 본 적도 없다.

시트리는 그 말을 듣고 미소를 지으며 말했다.

"그러게요…… 어디를 지킬지는 선착순으로 정하죠. 현인경으로 주위의 상황을 확인할 수 있는 애들러 씨 일행이 중심을 담당한다는 건 이치에 맞는 것 같네요."

그 말을 계기로 《비탄의 망령》이, 《별의 성뢰》가 각각 이야기를 나누기 시작했다.

방어에는 균형도 중요하다. 적어도 마도사는 전위와 함께 배치되어야 한다.

"《비탄의 망령》은 나와 엘리자, 티까지 도적 세 명, 연금술사 한 명, 마도사 한 명, 수호기사 한 명이구나. 내가 하나, 루시아가 하나, 안셈 오빠가 하나, 엘리자가 하나, 티하고 시트가 하나, 다 합쳐서 다섯 개 지킬 수 있나?"

"?! 어, 언니? 아무리 그래도 그건 좀 힘들지 않을까요?!"

"……안 돼. 공격력도 필요해."

"맞붙어 있는 장치 두 군데를 한 팀이 지키는 방법도 있는데요?"

터무니없는 이야기를 꺼냈다가 동료에게 꾸중을 들은 리즈.

그런 한편, 《별의 성뢰》 쪽도 순탄치 않은 모양이었다. 라피스가 동료들을 둘러보며 굳은 표정으로 말했다.

"연계를 따지면 3·3으로 나눌 수 있겠군……. 그 이상 쪼개면 전력이 불안해지겠어. 인원을 줄였다가 장치를 지켜내지 못하면 말도 안 되는 상황이니."

"우리는 《비탄의 망령》과 달리 솔로로 싸울 수 있는 멤버가 없으니까, 입니다."

"그들의 도적과 우리 마도사가 팀을 짜는 방법도 있다."

"애초에 모든 장치가 동시에 공격당할 것 같진 않군. 위험한 건——— 무슨 일이 생기더라도 지원해주기 힘든 양쪽 끝인가. 그 두 군데는 가장 강한 전력을 배치할 필요가 있겠어."

시트리가 계산한 장치 설치 위치는 지맥의 교점을 토대로 산출한 것이기에 일정한 거리를 두고 설치하게 되는 것은 아니다. 《별의 성뢰》가 말한 대로 특히 위험한 곳은 서쪽 끝과 동쪽 끝에 존재하는 두 군데일 것이다.

보물전에서도 가깝고, 옆 장치에서도 멀리 떨어져 있어서 습격당하더라도 도움을 요청하기 힘들기 때문에 위험한 곳이다.

세렌은 심호흡을 크게 하고는 동쪽 끝에 표시된 부분을 손가락으로 가리키며 말했다.

"저는——— 이 장치를 지키겠습니다."

"…………괜찮으신가요? 저는 세렌 씨를 계산에 넣지 않았는데———."

시트리가 눈을 깜빡였다. 마치 우롱하는 듯한 말투에 한순간 짜증이 솟구쳤지만, 곧바로 다시 생각했다. 실제로 세렌은 아직 이 작전에 도움이 되지 못했다.

세렌 유그드라 프레스텔은 유그드라의 황녀이자 깃발이다. 지금까지는 밖으로 나오는 경우조차 별로 없었다. 절대로 죽을 수는 없었으니까———.

"괜찮습니다. 이 작전이 실패한다면 이제 만회할 수도 없으니까요."

"…………알겠습니다. 지금은 한 명이라도 전력이 필요하죠. 하지만, 그곳은 가장 치열한 전투가 예상됩니다. 누구와 팀을 짜고 싶으신가요?"

그 말을 듣고 세렌은 눈을 가늘게 떴다. 세렌은 결코 싸우지 못했던 것이 아니다. 싸울 수 있는 힘을 지니고 있으면서도 싸우지 않았던 것이다. 필요했기에 그렇게 했지만, 견디기 힘들기도 했다.

팔짱을 끼고 자신감을 드러내며 선언했다.

"얕보지 말아주시죠, 인간. 저 혼자서도 충분합니다. 제겐——미레스가 있습니다."

수호정령, '개벽의 미레스'. 이성을 잃고 세렌을 집어삼키기도 했지만, 그 힘은 절대적이다. 순수한 공격력은 피니스보다 뒤처져도 그것은 각자의 특성일 뿐.

미레스는 유그드라의 전사들이 결코 죽어선 안 되는 황녀에게 남기기로 선택한 정령이다.

"……알겠습니다. 유그드라의 황녀인 세렌 씨께서 그렇게 말씀하신다면 믿도록 하죠. 나머지 여섯 군데의 배분은————."

"————나머지, 다섯 군데다."

그때, 정겨운 목소리가 들렸다.

가슴이 답답해졌다. 갑자기 낯선 목소리가 들리자 시트리와 다른 사람들이 입구 쪽을 보았다.

그곳에 서 있던 것은 정겨운 칠흑의 마도사복을 입은 정령인이었다.

정령인들 중에서 검은 옷을 선호하는 사람들은 별로 없다. 거기에 거세게 타오르는 불꽃처럼 흉흉한 붉은색 눈을 지닌 사람은 단 한 명뿐이었다.

과거에 유그드라 최강 중 한 명이라 불리던 마도사이자 주술사(샤먼).

머리를 누르며 눈을 가늘게 뜨고 들어온 그 고위 정령인(하이 노블)은 자신에게 쏠리는 시선을 번갈아 보고는 입을 열었다. 기분 좋게 들리는 허스키 보이스가 귀를 때렸다.

"오랫동안…… 꿈을 꾸고 있었던 것 같군."

"루인!! …………의식이 돌아온 거군요!"

"네. 세렌 황녀님. 무사하셔서 다행입니다. 기억은 애매하지만, 돌아왔을 때는 확실하게 기억하고 있습니다. 그리고 보아하니, 매우…… 타이밍이 좋았던 모양이군요."

루인은 200년 전과 무엇 하나 달라진 게 없었다. 팬텀에게 흡수된 상태였지만, 움직이는 데도 지장이 없는 것 같다. 그 몸에서는 유그드라에서 손꼽힐 정도라는 평가를 들었던 그립고 조용한 마력이 느껴졌다.

루인은 호기심 어린 시선을 아랑곳하지 않고 성큼성큼 한가운데로 다가오더니 지도의 한 군데를 자신이 들고 있던 자그마한 지팡이로 찍었다.

"깨어나자마자 이런 말을 하는 건 좀 그렇지만――― 서쪽은 내게 맡겨주시지. 나와 종언의 피니스에게."

갑자기 무슨 소릴 하는 걸까.

깜짝 놀란 세렌 앞에서 그의 말에 호응하듯 공중에서 낙엽색 물방울이 떨어졌다.

물방울은 눈 깜짝할 새에 멈추고는 미레스와 똑같이 생긴 원형을 이루었다. 피니스다.

"보아하니 피니스도 부끄러워하고 있는 모양이로군. 부끄러워서 세렌 황녀에게 모습을 보여줄 수가 없다나. 설마 종언의 피니스가 부끄러움을 탈 줄은 몰랐어. 하지만, 나도 아무것도 하지 않을 수는 없지. 유그드라의 황녀가 전투에 참가한다고 하는데——."

"루인………… 혹시, 피니스의 힘을 쓸 수 있는 건가요?"

"…………네. 아무래도 가면에 삼켜졌을 때 했던 계약이 살아 있는 것 같습니다."

믿기지 않는 말이었다. 피니스와 계약하고 힘을 빌릴 수 있었던 정령인은 지금까지 한 명도 나타나지 않았는데——.

운명에 이끌린 듯이 상황이 호전되고 있다. 흐름이 세렌 일행에게 다가오고 있다. 이 정도면 【근원의 신전】도 정말로 공략할 수 있을지 모르겠다.

루인은 눈살을 찌푸리고 있던 시트리를 보고는 들어온 문 건너편을 턱으로 가리키며 말했다.

"현재 상황은 그에게 들었다. 참전을 인정해줄 수 있겠나?"

"…………안녕안녕. 좋은 아침이야."

문의 그늘에서 《천변만화》가 맥빠지는 목소리로 말하며 나타났다.

작전 회의에도 모습을 보이지 않았기에 뭘 하고 있나 싶더니, 루인과 함께 있었구나. 혹시 루인이 깨어난 것도 이 인간의 예상 대로인가?

"크라이 씨……."

"사정을 알고 싶어 하길래 간단히 말해줬어. 싸우고 싶다네. 괜찮지 않을까?"

지금부터 힘든 작전을 실행하게 될 거라는 느낌은 전혀 없는, 너무나도 가벼운 말투였다.

어쩌면 동료 중 누군가가 목숨을 잃게 될지도 모르는데———아니, 그뿐만이 아니라 전멸할 가능성도 있을 텐데, 그 목소리에는 전혀 불안한 느낌이 없었다.

여전히 의욕이 없어 보이는 《천변만화》에게 리즈가 삐진 듯한 목소리로 말했다.

"어~? 그래도, 응? 크라이. 갑자기 나타나서 제일 짭짤한 부분을 가로채는 건 치사하지 않아? 나랑 티도 팬텀하고 잔뜩 싸우고 싶은데!"

"?! 저, 저는 딱히…………."

티노가 갈수록 기어 들어가는 목소리로 말했지만 리즈는 듣지도 않았다.

그리고 어이없어하는 리더에게 큰 목소리로 주장했다.

"그리고오! 나는 괜찮다 하더라도 크라이의 몫이 없어져 버리잖아? 세렌 황녀가 위험한 동쪽을 맡는다는 건 뭐, 그렇다 치더라도 루인에게 비슷하게 위험한 서쪽을 주는 건 좀 아니지 않아?"

"⋯⋯⋯⋯그렇군. 그렇다면 나는 서쪽이 아니더라도 상관없다. 어디에 배치되더라도 최선을 다하지."

설마, 이 인간── 책략뿐만 아니라 전투력도 강한 건가?

역시 《비탄의 망령》을 이끌 만도 하다.

루인이 양보하자 《천변만화》가 주위를 두리번거리고는 보란 듯이 한숨을 쉬었다.

"이, 이런, 이런. 위험한 서쪽은 루인에게 양보할게. 그런 곳에는 흥미도 없고⋯⋯."

"그래, 《천변만화》, 슬슬 힘을 보여줬으면 하던 참이다. 이런저런 이야기를 나누기는 했다만, 일단은 리더이니 어디를 지킬지 선택할 권리 정도는 있겠지. 어떻게 생각하나?"

《천변만화》가 말을 꺼내자 곧바로 애들러가 끼어들었다. 이번에 작전을 입안한 건 시트리지만, 그걸 허가한 건 크라이이긴 하다. 리더로서 선택할 권리 정도는 있을 것이다.

크라이 안드리히에게 주어진 인정 레벨, 레벨 8은 영웅의 증표라고 한다.

그리고 그는 피니스를 쓰러뜨린 루시아의 오빠다. 그 생김새에서는 힘이 느껴지지 않지만, 세렌과 마찬가지로 혼자서 한 군데를 지키겠다고 나서더라도 이상할 게 없다.

아무래도 애들러의 제안에 이의를 제기하려는 사람은 없는 것 같았다.

시트리가 장치를 설치할 여덟 군데를 표시한 지도를 《천변만화》에게 건넸다.

《천변만화》는 한동안 눈살을 찌푸리고 있다가 잠시 후에 시트리를 보며 말했다.

"선택하고 싶은 마음이 굴뚝 같긴 한데, 지금까지 작전을 진행한 건 다른 사람들이니까 그 사람들이 활약할 기회를 뺏는 건 좀~."

"뭐, 크라이 씨께서 나서시면 너무 간단히 끝나버릴 테니까요……."

믿기지 않는 단어가 시트리의 입에서 나왔다.

간단히. 방금 간단히라고 말한 건가?! 그건 전투력이라는 의미일까, 아니면 지략가로서의 의미일까?

인간이 시트리가 한 말을 듣고 당황한 듯이 말했다.

"가, 간단히? 아, 아니, 그렇게 말할 생각도 없고, 전혀 그렇지도 않지만── 저기, 시트리. 내가 하고 싶은 말이 뭔지 알겠지? 나는 어떤 것도 선택할 생각이 없어."

"…………그렇군요. 알겠어요, 크라이 씨."

어떤 것도 선택하지 않는다고……?

이번 방위 작전에 여유는 없을 텐데. 성공하면 신을 없앨 수 있을지도 모르겠지만, 실패하면 모든 것이 끝난다. 모든 것을 얻거나, 잃거나, 둘 중 하나인 상황에서 설마 유그드라에 남아서 책략을 펼치겠다는 건가?

똑같은 생각을 한 건지, 애들러 일행과 《별의 성뢰》도 눈을 흘기며 《천변만화》를 보고 있었다.

그리고 모두가 조용해진 가운데, 시트리가 들뜬 목소리로 말했다.

"어떤 것도 선택할 생각이 없다. 다시 말해——— 크라이 씨께서는 북쪽을 맡겠다, 그런 말씀이시죠?"

"응, 그래, 그렇지! ·······················응?"

좀 전과는 다른 이유로 모두가 깜짝 놀랐다.

북쪽을 맡겠다고? 방금, 북쪽을 맡겠다고 한 건가?

북쪽에서 이어진 지맥의 숫자는 남쪽과 거의 차이가 없다. 장치를 설치할 곳의 계산이 끝나지는 않았지만, 숫자는 비슷할 것이다.

모두가 나서서 어떻게든 남쪽만이라도 지켜내자는 이야기를 하고 있는데, 혼자서 그것과 똑같은 숫자를 지켜내겠다니? 장난을 치고 있는 것으로밖에 보이지 않는다.

그런 건 피니스를 사역하는 루인도 불가능하다.

아니면…… 혹시나 습격당하지 않을 거라는 확신이라도 있는 건가?

하지만 뭔가 수를 써서 습격자를 줄일 방법이 있다 하더라도——— 엉망진창이다.

어찌 됐든【근원의 신전】은 넓다. 물리적으로 지켜야 할 범위가 너무나도 넓다.

지금까지 함께 활동해온 멤버들에게도 그 말은 이상하게 들린 건지, 루시아가 정색하며 물었다.

"··········오빠, 이번에는 무슨 짓을 할 생각이죠? 혼자서 지킬 수 있는 범위가 아니잖아요? 그런 바보 같은 짓을 할 거라면 그냥 저희와 함께 싸워주세요."

"싸우라고?! ……………아, 아니, 싸우는 건 좀…………
뭐………… 저기………… 나도 하고 싶은 일이 있어서 말이지.
너무 기대하면 좀 그렇긴 하지만, 지킨다고 해야 하나, 뭐라고 해
야 하나…… 그래. 시간 벌이 정도는 할 수 있을 것 같은데………
어때?"

시간 벌이. 그 단어를 듣고 모두의 표정이 약간이나마 부드러
워졌다.

덤벼드는 팬텀들을 전부 쓸어버리겠다는 말보다는 현실적인
이야기다. 그럼에도 불구하고 덤벼드는 대규모 팬텀 무리들로부
터 넓은 범위를 커버하며 장치가 발동될 때까지 시간을 벌겠다는
건 엄청난 일이지만———.

그 말을 곱씹고 있던 애들러가 의미심장한 미소를 지었다.

"크큭………… 재미있군그래. 그래야 수많은 전설을 만들어낸
《천변만화》답지."

"사실 설치할 장치는 남쪽 분량만 준비했었지만………… 북쪽
으로 팬텀들을 끌어들일 수 있다면 작전이 성공할 확률도 올라가
겠죠."

"크라이에게 어울리는 화려한 활약 아닐까?"

시트리가 손을 마주 모으고 방긋방긋 웃으며 말했다. 리즈도
좀 전과는 달리 기분이 좋아 보였다.

어떤 방법을 쓰려는 건지는 모르겠다. 하지만 지금까지 손가락
하나 까닥하지 않고 상황을 컨트롤해 온 이 인간이니 이번에도
뭔가 준비해두었을 것이다.

세렌은 심호흡을 크게 하고는 목소리를 억누르며 애원했다.

"인간, 이런 말을 할 수 있는 입장이 아니라는 건 알고 있습니다만…… 부탁드릴 게 하나 있습니다."

"어? …………또 있다고?"

눈을 깜빡이며 의아하다는 듯한 표정을 보이는 《천변만화》.

북쪽을 《천변만화》 혼자서 맡는다. 그게 가능한지는 제쳐두더라도, 그렇게 하면 세계수의 폭주를 막는다는 최종 목표를 달성하는 데 큰 도움이 될 것이다.

다만, 한 가지 문제가 있다.

"저기…… 가능하다면, 말입니다만, 끌어들인 팬텀들을 쓰러뜨리지 않고 저희에게 데리고 와주셨으면 합니다. 모든 팬텀을 데리고 와달라고 하진 않겠습니다. 그래도…… 저기…… 행방불명된 유그드라의 백성들이 몸을 빼앗겼을 가능성이 있기에———."

우노의 추측이 정확하다면, 유그드라의 전사를 구하기 위해서는 고갈의 힘으로 상대방의 팬텀 부분만을 없앨 필요가 있다.

그런 팬텀이 몇 마리 있는지는 모른다. 사실 구해낼 수 있는 건 특히 힘이 강한 루인뿐이었고, 다른 사람들은 이미 구해내지 못하는 상태가 되었을 가능성도 있다.

하지만, 세렌은 도저히 포기할 수가 없었다.

팬텀을 쓰러뜨리지 않고 시간을 버는 것과 쓰러뜨려 버리는 것, 어느 쪽이 더 편할지는 굳이 생각해볼 필요도 없다. 압도적으로 후자가 더 편하다. 죽일 생각으로 덤벼드는 상대를 제압하는 건 상당한 실력 차이가 나지 않으면 힘들다.

고개를 숙이고 몸을 움츠리며 부탁하는 세렌에게《천변만화》
가 방긋방긋 웃으며 말했다.

"아, 그런 거였구나. 그래, 그래, 전혀 상관없어. 응, 그래, 몸
을 빼앗겼을 가능성이 있으니까 말이지. 알겠어, 알겠어. 안심해.
나는 적을 쓰러뜨리지 않는 것만 놓고 보면 누구보다 자신이 있
으니까. 아니, 처음부터 쓰러뜨릴 생각도 없었고."

"?! 가, 감사합니다!"

너무나도 쉽사리 받아들였기에 한순간 말문이 막혔다.

팬텀을 쓰러뜨리지 않고 끌고 다니는 것이 얼마나 힘든 건지는
헌터가 가장 잘 알고 있을 것이다. 얼마나 자신이 있으면 이렇게
쉽사리 받아들일 수 있을까? 세렌이 억지스러운 요구를 했는데
도 눈썹 하나 꿈쩍하지 않았다.

그뿐만이 아니라 처음부터 그럴 생각이었다니———.

지금까지도 세렌은 아직《천변만화》의 모습에서 대단하다는
느낌을 전혀 받지 못했다.

하지만, 그 아무런 생각도 없는 듯한 미소가 지금은 그저 믿음
직스럽기만 하다.

불과 얼마 전까지 인간이 이렇게까지 믿음직스러운 존재일 줄
은 몰랐다.

지금까지는 인간을 제멋대로 행동하는 무시무시한 존재로 여
겨왔었지만, 전부 잘 해결되면 유그드라도 인간과 교류를 시작해
야 할지도 모르겠다.

"그럼, 뒷일은 부탁할게. 나는…… 이것저것 할 일이 있어

서……."

대체 이것저것이라는 건 어떤 걸까?

인간은 어설픈 미소를 지으며 그렇게 말하고는 빠른 걸음으로 방에서 나갔다.

뭐가 뭔지 모르겠지만, 꽤 골치 아프게 되었는데.

머리를 벅벅 긁으며 모두가 모여 있던 연구소를 나섰다.

루인을 모두가 있는 곳으로 데려다주었을 뿐인데, 일을 부탁받아버렸다.

나는 툭하면 부탁을 받게 되는 체질이다. 거크 씨의 의뢰나 이번처럼 직구로 부탁받는 경우가 있는가 하면, 내가 모르는 사이에 뭔가 하게 되는 패턴도 있다. 아무래도 세상에는 레벨이 높은 헌터에게 일을 주고 싶어 하는 사람들이 잔뜩 있는 것 같다.

루인이라는 정령인과 마주친 것은 따뜻한 날씨에 이끌려서 내가 쓰라고 받은 방을 나선 뒤에 유그드라 안을 어슬렁거리며 산책하고 있었던 때였다.

성별은 알 수 없다. 짧은 머리카락과 타오르는 불꽃 같은 눈이 특징인 정령인이었다.

유그드라의 주민이 말을 건 것은 세렌을 제외하면 처음이었다.

세렌의 이야기에 따르면 유그드라에 남아있는 건 비전투원뿐이고, 그들 중 대다수는 피난했다고 한다. 거리에서 보이는 경우도 극히 드물게 있긴 했지만, 금방 도망쳐버렸기에 이야기를 나누지는 못했다.

　그런 이유 때문일 것이다. 잠깐 이야기나 나누자고 생각해버린 것이.

　루인이 말을 건 목적은 상황을 파악하기 위해서였다. 보아하니 깨어나서 세렌을 만나러 가던 도중에 나를 발견하고 말을 건 것 같았다.

　루인이 시트리의 작전과 관련이 있다는 건 이야기를 나누던 도중에 금방 알게 되었다.

　보아하니 루인은 가면에게 붙잡혀서 팬텀이 되어 있었던 모양이었다. 언제 붙잡힌 건지는 모르지만, 그 이후로 의지를 잃고 계속【근원의 신전】에 있었다고 한다.

　그리고 본능에 이끌리는 대로 유그드라에 쳐들어 왔고, 치열한 전투 끝에 주박에서 해방된 것이 바로 어제다. 그 이야기를 듣고 나서야 나는 그 사람이 어제 병원의 침대에 누워있던 사람이라는 게 생각났다.

　루인 세인토스 프레스텔은 유그드라에서도 손꼽히는 마도사였던 모양이다. 가면에게 지배당하는 상태라고는 해도 루시아와 마법으로 맞붙었으니 그 실력은 의심할 여지가 없다.

　나는 귀찮은 게 질색이다. 하지만 그게 위험과는 상관이 없고, 수고가 많이 들지 않고, 동료들에게 도움이 되는 일이라면, 먼저 나서서 움직일 때도 있다. 시트리가 세운 작전의 진행 상황에 대해서도 잘 알지는 못하지만, 전력이 한 명이라도 더 필요하다는 것 정도는 알고 있다.

나는 흔쾌히 지금 유그드라에서 일어나고 있는 일에 대해 루인에게 설명해 주었고, 루인을 세렌이 있는 곳까지 데려다주기로 한 것이다.

"정말, 세렌도 그렇고, 다른 사람들도 대체 무슨 생각을 하는 건지."

밖으로 나오지 말 걸 그랬다. 혼잣말을 중얼거리며 방으로 돌아왔다.

친절하게 안내해준 것에 다른 목적이 없었다고는 할 수 없다. 루인이 시트리의 작전을 도와주지 않을까, 하는 생각 정도는 있었다. 하지만 애초에 세계수 폭주의 장본인은 세렌과 루인 같은 유그드라의 백성이고, 우리가 협력자다. 어째서 내가 싸우는 게 당연하다는 것처럼 말하는 거지?

뭐, 백 보 양보해서 시트리와 다른 사람들이 싸우는 건 좋다. 루크를 구하기 위해서고, 향상심이 강한 《비탄의 망령》에게 있어서 수준이 높은 의뢰는 취미나 마찬가지다. 그래도 나를 끌어들이지는 말아줬으면 좋겠다.

나도 도움이 된다면 기꺼이 참가할 거거든? 하지만, 도움이 안 된단 말이야! 방해만 된다고! 위험하기만 하다니까! 있는 것보다 없는 게 분명히 더 나을 텐데.

침대에 앉아서 한숨을 쉬었다. 거기엔 겨우 몇 분 정도 있었을 텐데 피로가 장난이 아니다.

어떻게든 피하긴 했지만 하마터면 흐름에 떠밀려서 위험한 팬텀들과 싸우게 될뻔했다.

내게 지금까지 위험한 작전을 떠맡다가 험한 꼴을 당한 경험이 없었다면, 틀림없이 그대로 팬텀들 앞에 내동댕이쳐졌을 것이다. 위험하다. 위험해.

뭐, 그 대신 시간 벌이?를 하게 되어버렸지만, 그 정도는 감수하자. 팬텀과 싸우게 되는 것보다는 백배 낫다.

팬텀을 쓰러뜨리지 말라고? 그렇게 말하지 않아도 안 쓰러뜨린다고. 아니, 쓰러뜨릴 수가 없거든.

하지만, 공격력은 엄청나게 좁개 같은 나도 회피 능력은 어느 정도 지니고 있다. 겉치레로 세이프 링을 잔뜩 갖춘 것도 아니고, 이번에는 다양한 보구를 가지고 왔다. 미믹 군 안으로 숨을 수도 있다.

그리고, 헌터로서의 재능이 없는 내게도 미끼로서의 재능에는 자신이 있다.

팬텀이나 마물들이 노리는 건 물론이고, 범죄자나 헌터들이 적의를 보이는 건 일상다반사인 데다 자연현상인 번개조차 나를 노리고 있는 상황이니까.

아마 그냥 우연이겠지만, 우연도 여러 번 연달아 발생하면 필연이나 마찬가지.

내 옆에 자리 잡은 미믹 군을 내려다보며 한숨을 쉬었다.

"⋯⋯⋯⋯일단은 준비만 해둘까."

⋯⋯그런데, 준비는 뭘 해야 하지?

항상 가지고 다니는 세이프 링은 당연히 충전을 완벽하게 해두었고, 다른 보구도 대충 충전을 마친 상태다. 해야만 할 일이 있다면, 세렌으로부터 퍼펙트 배케이션을 회수하는 것 정도뿐이다.

보구를 고르는 건 할 수 있겠지만, 공교롭게도 뭐가 필요할지 전혀 모르겠다.

"북쪽, 북쪽에서 시간을 벌란 말이지⋯⋯⋯⋯."

그렇게 중얼거려 보았지만, 애초에 나는 시트리의 작전도 확실하게 알고 있는 건 아니다. 시간을 벌겠다고 제안한 건 나지만 그건 전투에 참가하게 될 것 같아서 급하게 꺼낸 이야기다.

다음에 하게 될 것은 마나 머티리얼 교반장치를 설치하는 작업일 텐데, 북쪽에 설치할 장치는 없다고 했지———. 일단 팬텀들을 끌어들이고 도망쳐 다니기만 하면 되려나?

그렇다면 필요한 건 발목을 묶어둘 수단이다.

도망치기만 해도 시간을 벌 수는 있겠지만, 상대에게 겁을 줄 수만 있다면 더 안전하게 시간을 벌 수 있을 것이다. 평소에는 누군가에게 호위를 해달라고 하겠지만 이번에는 인원이 부족한 모양이니 그럴 수 없을 것 같다. 애초에 내 호위를 부탁했다가 작전이 실패한다면 모든 게 허사가 된다.

자, 어떻게 할까⋯⋯ 상대가【길 잃은 여관】의 팬텀이라면 적당히 이야기만 나눠도 잡아둘 수 있을 텐데.

한동안 생각해봤지만 좋은 아이디어가 떠오르지 않았기에 품속에서 스마트폰을 꺼냈다.

"팬텀을 잡아두는 방법은 팬텀에게 물어볼 수밖에 없지."

상대는 물론 여동생 여우다. 같은 신전형 보물전의 팬텀이니 힌트 정도는 될 것 같다.

이번에 팬텀을 잡아둬야 하게 됐는데, 뭔가 좋은 방법 없어?

답장은 금방 왔다. 나는 알고 있다. 이런 걸 스마트폰 중독이라고 한다.

익숙한 동작으로 받은 메일함을 열었다. 답장은 겨우 두 마디였다.

『메일 보내지 마. 나는 친구가 아니야.』

…………왠지 쌀쌀맞네, 메일 친구면서. 뭐, 이 정도로 풀 죽으면 메일은 못 써먹는다.

나는 콧노래를 흥얼거리면서 메일을 입력했다.

『그래도 좀.』
『유부 내놔.』
『최대한 시간을 오래 벌고 싶어.』
『부탁을 할 거면, 우선 유부부터.』

유부 중독인가?

아니, 잘 생각해보니 여동생 여우 입장에선 유부를 내놓기만 해도 되겠구나.

어쩔 수 없이 스마트폰을 집어넣고 진지하게 생각했다.

역시 샷 링으로 마법 총알을 날려서 견제해야 하려나…… 그런데 그거, 【흰 늑대 소굴】의 울프 나이트 상대로도 거의 잡아두지 못했단 말이지. 쓰러뜨릴 정도는 아니라도 위력이 좀 더 필요하다.

하지만, 내 보구 라인업에 제대로 써먹을 만한 무기 같은 건 없다. 나도 쓸 수 있는 건 잘해봐야 루시아의 마법을 저장해둔 리얼라이즈 아우터(타향에 대한 동경) 정도일 텐데…… 그건 한 번밖에 못 쓰니까.

뭔가 좀 없을까. 나도 쓸 수 있고, 그럭저럭 강하고, 횟수 제한이 없고, 하는 김에 눈에 띄면 완벽할 텐데. 그리고 멀리서 쓸 수 있다면 더 바랄 게 없다. 독 체인처럼.

그렇게 생각하다 보니 머릿속에 어떤 아이템이 떠올랐다. 나도 쓸 수 있고, 강하고, 횟수 제한이 없고, 멀리서도 쓸 수 있고, 덤으로 정말 눈에 띄어서 안성맞춤인 아이템이.

문제는 나름대로 위험 부담이 있다는 점이지만――― 에잇, 상관없어.

나는 각오를 다지고는 미믹 군 안에 손을 집어넣어 그것을 꺼냈다.

―――목에 펜던트를 걸고 있는 저주받은 곰 인형을.

정령인의 수명은 인간보다 훨씬 길며, 고위 정령인 같은 경우에는 수명으로는 죽지 않게 된다.

하지만 그럼에도 시간의 흐름은 평등하다.

원하든, 원하지 않든, 싸움을 벌이게 되는 날은 다가온다.

유그드라의 정령인은 큰 싸움을 앞두고 파워 스폿에서 정신통일을 한다.

유그드라의 가장자리. 세렌과 루인은 나란히 샘에 물을 담그고 싸움을 앞둔 의식을 치르고 있었다.

루인이 행방불명된 이후로 200년. 하고 싶은 이야기도 많았지만, 싸움을 앞두고 할 이야기는 뻔하다.

《비탄의 망령》이 오고 나서 오늘까지 있었던 일에 대해 들은 루인은 살짝 웃었다.

"크라이 안드리히. 재미있는 인간입니다. 세렌 황녀님의 말씀대로 이 상황이 전부 그 인간의 예상대로 된 거라면———《천변만화》는 가면의 신, 케라조차 손바닥 위에서 놀아나게 만든 거겠죠."

가면의 신, 케라.

그것은 루인에게 얻어낸 몇 안 되는 【근원의 신전】의 정보———적대하는 사신(邪神)의 이름이었다.

케라는 가면을 내려줌으로써 생물을 자신의 권속으로 바꾼다.

루인도 팬텀에게 붙잡혀서 가면을 억지로 쓰게 된 결과, 팬텀이 되었다. 아마 다른 유그드라의 전사들도 비슷한 과정을 거쳐 팬텀이 되었을 것이다.

그것을 제외하면 루인이 알고 있는 정보는 거의 없었다. 수백 년 동안 팬텀이 되어 있었다고 해도 그동안에 루인의 의식은 꿈을 꾸는 것처럼 몽롱했고, 보물전에는 큰 변화도 일어나지 않았기 때문이다.

케라. 그것은 유그드라의 기록에도 나와있지 않은 이름이었다.

아마 먼 옛날에 군림했던 수많은 사신들 중 하나일 것이다.

세계의 중심에서 힘을 빨아들여 나타나려 하는 고대의 신.

세계수의 수호자로서, 어떻게 해서든 쓰러뜨려야만 한다.

"희망이야, 세렌 황녀. 믿도록 하자. 그 인간의 책략은 나를 다시 자랑스러운 정령인으로 되돌려 주었어. 승리를 가져다준다면, 아무리 말도 안 되는 책략이라도 따르도록 하자고."

루인이 진지한 목소리로 세렌을 달랬다. 정겨운 말투다.

그때, 세렌은 문득 신경 쓰이던 것이 떠올랐다.

"루인, 그러고 보니 당신은 어째서 루시아와 싸우다가 움직임을 멈춘 거죠? 제 쪽을 보고는 움직임이 멎은 것처럼 보였습니다만——— 혹시 그때 의식이 돌아온 건가요?"

이건 중요한 문제다. 팬텀 중에는 처음부터 팬텀으로 나타난 것과, 팬텀으로 바뀐 유그드라의 전사가 존재한다. 후자가 세렌을 보고 기억을 되찾아서 한순간이라도 움직임을 멈춘다면 동료들을 구분하는 수단으로 써먹을 수 있을 것이다.

루인은 그 질문을 듣고 한동안 침묵하다가 감정을 억누르는 듯한 목소리로 천천히 말하기 시작했다.

　"의식이 완전히 사라졌다고 하면 거짓말이겠지. 꽤 희미하긴 했지만, 팬텀이었던 나는 유그드라를 기억하고 있었어. 여기로 돌아왔을 때, 나는 향수를 느끼고 왠지 공격하면 안 될 것 같다는 느낌이 들었거든."

　시트리에게 들었던 이야기가 떠올랐다.

　전투를 처음부터 보고 있던 시트리의 이야기에 따르면, 루인의 움직임은 마치 무언가를 확인하려는 것처럼 둔했다고 한다. 루시아와 싸울 때도 처음에는 주로 방어를 하며 먼저 공격에 나서지도 않았다고 한다.

　유그드라의 백성으로서의 혼은 강제로 팬텀이 되어버린 이후로도 분명히 그 안에 잠들어 있었던 것이다.

　자랑스러웠다. 이야기를 들고 보니 【근원의 신전】이 나타난 이후로 지금까지, 유그드라를 습격한 팬텀은 없었다. 지금까지는 유그드라를 둘러싸고 있는 결계가 물리치고 있는 줄 알았지만, 사실은 팬텀들의 심층 의식에 유그드라의 전사였던 시절의 기억이 남아있기 때문이었는지도 모르겠다.

　그리고 루인은 한숨을 크게 쉬며 뭐라 말하기 힘든 표정으로 세렌을 보았다.

　"하지만 제가 공격하기 직전에 움직임을 멈춘 것은, 멈춰버린 것은――― 유그드라의 고귀한 황녀인 당신의 차림새와 표정이 지독했기 때문입니다. 머리를 얻어맞은 듯한 기분이었죠. 몽롱했던 의식이 한순간 꽤 선명해졌습니다. 한때 당신의 스승이었던 입장으로서 너무 괴로운 나머지 죽는 줄 알았죠."

"──억?! 으………… 으으~!"

노골적인 존댓말. 예상하지 못했던 말에 귀까지 빨개지는 게 느껴졌다.

너무하다…… 정말 너무하다.

그런 차림새였던 건 크라이에게 보구를 받았기 때문이다.

루인이 사라지고 나서 200년, 그때를 제외하면 한 번도 유그드라의 황녀로서 어울리지 않는 차림새를 한 적은 없었는데.

그래서 깨어나자마자 처음 한 말이 차림새 이야기였구나.

그 인간…… 설마 그걸 위해서 보구를 세렌에게 준 건가?

루인이 씁쓸한 표정으로 중얼거렸다.

"…………어쩌면, 세렌 황녀가 다시 한번 그 차림새를 보이면 팬텀들과 예전 동료들을 구분할 수 있을지도 모르지."

"?! 농담이죠?! 저는 안 할 겁니다. 용감하게 싸웠던 동포들에게 그런 꼴을 보일 수는 없다고요! 그럴 바에는 차라리 죽음을 선택하겠어요!! 으으~!"

역시 그 인간은 용서할 수 없다.

세렌은 몸을 웅크리고 끙끙대며 마음속으로 그렇게 맹세했다.

현인경은 【근원의 신전】에 잔뜩 모여있는 수많은 가면의 군세를 비추고 있었다.

　　그 숫자는 백 마리 정도가 아니었다. 팬텀의 형태는 천차만별이지만, 한 마리, 한 마리마다 확실한 힘이 느껴졌다.

　　일반적으로 보물전에는 몇 가지 종류가 있다. 팬텀이 대량의 군대를 이루고 덤벼드는 보물전은 성 형태가 유명한데, 신전형 보물전이 성 형태 보물전의 상위 호환이라는 건 진실인 모양이다.

　　절망적으로 전력 차이가 나는 상대와 싸우기 전에, 애들러는 언제나 고양감을 느낀다.

　　신전형 보물전이라는 지금까지 만나 보지 못한 강적. 거의 전부 사라져 버린 군세. 평소에는 없던 아군 헌터들과 혼자서 그 팬텀들 중 절반을 상대하겠다고 말한 《천변만화》.

　　확신이 들었다. 이 싸움은 분명 《천귀야행》의 역사에 새겨질 것이다.

　　유그드라의 가장자리. 아무도 없고 자연이 넘쳐나는 공원에서 애들러는 싸움을 상상하며 미소를 지었다.

　　"재미있잖아. 크큭⋯⋯."

　　"그런데 이렇게 소수로 싸우는 건 오랜만이네."

　　책상다리를 하고 앉은 퀸트가 굳은 표정을 짓고 있었다. 그 앞에는 무장을 갖춘 자그마한 카드 병사——— 퀸트군의 마지막 한 마리가 있었다.

　　《천귀야행》의 평소 싸움은 군세로 뭉개버리는 스타일이었다. 그 대부분이 수적 우세를 확보한 싸움이었고, 대규모 무리 상대로 소수로 덤벼드는 건 익숙하지 않았다.

새로운 마물을 지배하려 해도 그러기에는 전력이 필요하다.

특히 퀸트는 세 사람 중에서 유일하게 비장의 수인 다크 사이클롭스 조크를 잃었다.

카드 병사는 팬텀과의 싸움에서 살아남은 퀸트군 최후의 한 마리다. 결코 약한 건 아니지만, 애초에 무리를 짓는 마물이었기에 한 마리로는 아무리 생각해도 싸울 수가 없다.

"애들러는 유덴이 남아있고, 우노도 리퍼가 있으니까 괜찮겠지만, 나는 장군이거든? 이끄는 군대가 한 마리라니, 너무 꼴사납잖아."

"마나 머티리얼로 강화되긴 했잖아? 그리고 유덴을 돌봐주는데 도움도 되었고. 덕분에 아슬아슬하게 때에 맞춰 재생시킬 수 있었어."

"내 군대는 돌봐주기 위해 있는 게 아니야!"

성식 지네의 생명력은 매우 강하지만, 머리만 남은 상태로는 아무것도 할 수가 없다. 애들러 일행이 《천변만화》의 제자로 들어가 있는 동안 휴면 중이었던 유덴을 돌봐준 것은 카드 병사였다.

이곳 유그드라의 마나 머티리얼 농도는 꽤 높긴 하지만 카드 병사가 식량이나 물을 가져다주거나, 약초를 달여서 만든 약을 처방해 주는 등 자잘한 잡일을 해주지 않았다면 유덴도 제때 맞춰서 재생할 수 없었을 것이다.

작전이 조금만 더 늦게 시작된다면 회복된 유덴을 이용해서 군세를 재건할 수 있을지도 모르지만, 어차피 어중간한 마물들을 모아봤자 【근원의 신전】의 팬텀들 상대로는 도움이 되지 않을 것이다.

"뭐, 리퍼도 있으니까 어떻게든 되지 않을까요~? 퀸트는 카드 병사밖에 없으니까 검을 들고 함께 싸우면 되는 거 아니에요~?"

"검은 그 녀석들에게 뺏겨버렸으니까."

퀸트는 검사로서도 실력이 꽤 좋은 편이다. 병사형 마물은 약한 장군을 따르지 않기에 평소에도 훈련을 게을리하지 않는다. 단독 전투력은 《천귀야행》 제일이다. 마물을 제외하면 말이지만.

얼마 전까지는 검을 가지고 있었지만, 《비탄의 망령》과 처음 싸웠을 때 뺏겼다.

토라진 듯이 말한 퀸트에게 우노가 이야기했다.

"돌려달라고 하면 되잖아요~? 지금은 같은 편이니까, 《천변만화》에게 직접 이야기하면 분명 돌려줄 거예요~."

"!! 그렇구나!!"

"준비를 제대로 하지 않으면, 굴복시킬 수 있는 것도 못 하게 되니까……."

입술을 핥으며 거울에 비춘 팬텀을 보았다. 보아하니 현인경의 감시를 감지할 수 있는 건 신뿐인 모양인지, 제단만 보지 않으면 들킬 우려는 없는 것 같았다.

팬텀을 굴복시키는 방법은 아직 모른다. 하지만, 이번 작전은 그것을 시도해 볼 기회다.

이제 얌전히 《천변만화》가 움직일 때까지 기다릴 생각은 없다.

2단계가 성공하면 보물전이 약화되고 팬텀도 사라질 것이다.

애들러는 숫자가 필요하다.

기회는 지금밖에 없다.

루인의 이야기를 통해 보물전의 정보는 알아냈다.

팬텀 중에는 원래 유그드라의 주민이었던 녀석들과 팬텀으로 나타난 녀석들, 두 종류가 있다고 한다.

애들러는 이미 인도자로서의 후각으로 그 팬텀들을 구분하는 방법에 대해 대충 짐작하고 있었다.

"가면의 색이야……. 그 남자가 우리와 싸우게 했던 팬텀들은 다양한 형태를 띠고 있었지만――― 다들 금빛 가면을 쓰고 있었지! 루인은 검은색 가면을 쓰고 있었고! 가면이 신인 케라에 대한 신앙심을 나타내는 거라면, 가면의 색이 바로 출신의 차이를 나타내주고 있을 거다!"

팬텀이라고는 해도 상대방은 지성을 지니고 있다.

마물의 사고를 추적하는 것은 인도자로서의 첫걸음.

케라가 루인과 피니스에게 주변을 탐색하게 한 것은 우연이 아니다.

우연은 예측할 수 없다. 필연이었기에 《천변만화》도 유그드라의 백성이 변신한 팬텀을 끌어들일 수 있었던 것이다.

가면의 신 케라가 루인을 보물전 밖으로 보낸 것은――― 처음부터 그러한 형태로 나타난 권속들에 비해 루인의 신용도가 낮았기 때문이다. 그리고 실제로 루인은 유그드라를 습격할 때 망설이는 모습을 보였고, 팬텀으로서의 힘까지 잃었다.

현인경에 비추고 있는 곳은 【근원의 신전】의 입구 근처지만, 그 시점에서 팬텀들의 경향은 명백했다.

바깥쪽에 검은 가면을 쓴 팬텀들이 있고, 안쪽에 금빛 가면을 쓴 팬텀들이 있다. 숫자는 후자가 압도적으로 많다. 그리고 내부로 들어가 제단으로 다가가면 다가갈수록, 그 비율이 현저해질 것이다.

"검은 가면을 쓴 팬텀들은 그 녀석들에게 주자고. 《천변만화》가 거느리고 있던 팬텀들은 모두 금빛 가면을 쓰고 있었어. 그 남자는 이제 일반적인 팬텀 따위는 필요 없을 테고, 세렌 일행이 되찾고 싶어 하는 건 동료들뿐이야. 우리 이익과는 충돌하지 않지."

"그, 그래도 말이야, 애들러. 어떻게 굴복시킬 생각인데? 아직 방법을 전혀 모르잖아."

퀸트가 팔짱을 낀 채 굳은 표정으로 말했다. 그렇다. 제자로 들어간 이후로 《천변만화》는 팬텀을 한 번도 굴복시키지 않았다.

하지만, 애들러는 씨익 웃으며 말했다.

"아니, 이미 짐작은 된다고. 힌트는——— 곳곳에 있었어."

"?! 정말인가요~?!"

우노가 눈을 크게 뜨고 애들러를 보았다. 불과 며칠 전까지는 같이 고민하고 있었으니 갑자기 알아냈다고 하면 그런 표정을 지을 만도 하다.

"전대미문이야. 말도 안 되는 방법이긴 하지만, 매우 단순해. 우노, 나는 말이야…… 어제 현인경으로 《천변만화》를 지켜보고 있었어. 그리고——— 봤지."

믿기지 않았다. 하지만, 이치에는 맞는다. 팬텀은 마물과 정신

구조가 다르다. 죽음의 공포도 거의 느끼지 않기 때문에 마물들과 똑같은 방법으로 굴복시킬 수는 없다.

하지만, 그와 동시에——— 지성은 있다.

"나는 봤어! 《천변만화》가 통신 보구로 팬텀과 연락을 취하는 모습을! 여기에 온 뒤로 우리는 《천변만화》가 싸우는 모습을 본 적이 없지. 그게 답이었다고! 팬텀을 굴복시키는 방법은 십중팔구——— 언어를 통한 교섭이야!!"

"!!"

"말도 안 돼…… 아니, 그럴 수도 있나? 팬텀 상대로 그런 시도를 해본 적은 없긴 하지. 그 녀석들은 생물이 아니잖아?!"

우노가, 퀸트가 애들러의 말을 듣고 깜짝 놀랐다.

생각해본 적도 없을 것이다. 애들러도 마찬가지였다.

필요한 것은——— 발상의 전환. 단순하기 때문에 눈치채지 못한다. 애초에 언어를 이해할 만한 지성을 지닐 만큼 강력한 팬텀 상대로 언어를 통한 교섭을 시도하다니, 머리에 나사가 여러 개 빠져버렸다고밖에 할 수가 없다.

하지만, 냉정하게 생각해보면 이해할 수 있다. 유그드라에 와서 확인했던 모든 것이 그 사실을 나타내주고 있다.

제블디아 쪽으로 오길 잘했다. 그때 《비탄의 망령》과 마주쳐서 정말 다행이다. 그러지 않았다면 애들러 일행은 지금도 높은 경지를 알지 못했을 것이다.

"해볼 만한 가치는 있잖아? 우리는 오늘, 인도자로서 새로운 문을 연다!"

지금까지 많은 비경, 마경을 여행했고, 강하고 아름다운 마물들을 수없이 만났고, 싸우고, 지배해 왔다. 그러나 레벨 10 보물전에 가보는 것은 이번이 처음이다.

전 세계의 헌터들이 꺼리며 두려워하는 신의 팬텀.

과연 얼마나 강한 힘을 지니고 있을까. 그리고 《천변만화》는 어떤 수단으로 그에 맞설 셈일까.

애들러는 공포를 느끼면서도 살짝 미소를 지었다.

결전의 때는 머지않다.

【근원의 신전】 최심부, 칠흑의 제단. 마나 머티리얼로 인해 별의 기억에서 불려 나온 그곳에서 가면의 신, 케라가 깨어났다.

신이란 존재하는 것 자체만으로도 막대한 에너지를 소비한다. 아직 육체를 되찾지 못하고 불안정한 상태인 케라에게 있어서 깨어나는 것은 보물전에 큰 부담을 주게 된다.

제단의 방에 대기하고 있던 가면 쓴 신관들이 신의 의식이 나타났다는 사실을 깨닫고는 눈을 떴다.

깨어난 의식이, 사악한 기운이 신전 전체로 퍼져나갔다. 그리고 케라는 자신이 깨어난 이유를 파악했다.

불길한 예감이다.

뭔가, 바람직하지 못한 냄새가 났다. 그 사실이 신인 케라의 의식을 건져낸 것이다.

그 예감은 언어로 표현할 수가 없었다. 구체적으로 뭔가 흔적을 발견한 것도 아니다.

하지만, 권속들을 움직이는 데는 예감만으로도 충분하다.

신전의 수비는 철통같고, 권속의 숫자도 많이 갖춰졌다. 하지만 지키기만 해서는 밀릴 뿐이다. 기분 나쁜 예감이 외적 요인이라는 사실은 분명했다.

【근원의 신전】주변에는 지적 생명체가 어느 정도 정착해 있다.

이미 저항을 하지 않게 된 지도 오래 지났지만, 뭔가 꿍꿍이가 있는 모양이었다. 별것 아닌 존재였기에 무시하고 있었지만, 신전에 공격을 가할 셈이라면 이야기가 달라진다.

이미 힘을 할애해서 결계를 펼치고 있다. 바깥에서 들어올 수는 없고, 신전 안쪽뿐이긴 하지만 공간 도약 대책도 세워두었다. 그럼에도 추가로 방위를 위해 신탁을 내렸다.

【근원의 신전】군세 일부를 바깥으로 보내 외적을 제거한다. 보낼 자들 중 대부분은 케라의 힘을 받고 신도로 바뀐 신참들이니 만약 쓰러진다 해도 아무런 타격도 없다.

문제는 없다. 육체가 부활하는 것도 시간문제다.

케라는 신탁을 마치고는 다시 깊은 잠에 빠져들었다.

그리고, 각오를 다질 틈도 없이 싸움의 날이 다가왔다.

큰 싸움에 나서는 건 이번이 몇 번째일까. 점점 나도 모르는 사이에 휘말렸던 것까지 포함하면 분명 10번은 넘을 것이다.

깨끗한 침대 위에서 깨어난 다음, 토할 것 같은 기분을 억누르며 옷을 갈아입었다.

세수를 하고, 준비되어 있던 식사를 하고, 옷을 갈아입었다.

장비할 보구는 세이프 링을 비롯한 평소 세트다. 이번에는 퍼펙트 배케이션을 입지 않았다.

세렌의 확 바뀌어버린 모습을 보고 이제 와서 위협을 느낀 것도 있지만, 가장 큰 이유는 세렌에게서 회수하는 걸 잊어버리고 있었기 때문이다.

그 밖에도 보구가 있지만 쓰지 않는 이유는 내 이번 목적이 시간을 버는 것이기 때문이다. 미믹 군도 데리고 갈 테고, 이럴 때는 몸을 가볍게 하는 게 좋다.

미믹 군을 데리고 합류 장소인 유그드라의 입구로 향했다.

내가 도착했을 때는 이미 멤버들이 모두 모여 있었다.

이번에는 루크의 저주 해제 작전 때처럼 쓰러진 사람이 없는 모양이었다. 《비탄의 망령》과 《별의 성뢰》, 《천귀야행》과 유그드라의 마도사들. 커다란 싸움에 나서기 전 특유의 팽팽한 긴장감이 감돌고 있었다.

나는 푹 쉬어버렸지만, 다른 멤버들은 각자 아침부터 준비를 하고 있었던 모양이다.

지금부터 위험한 작전에 참가하려는 상황인데, 다들 의욕이 넘처 보인다.

여기 모인 멤버들은 (나를 제외하고) 모두가 틀림없이 재능 있는 사람들이다. 원래는 함께 싸울 수 있게 된 것을 영광으로 여겨야만 하겠지만, 쓰레기 같은 능력밖에 없는데 혼자서만 휘말리게 된 나로서는 아무래도 의욕이 생기지 않는다.

"……딱히 기다릴 필요는 없는데. 내 역할은 별것도 아니고."

반쯤, 진심으로 말했다. 시트리가 생각한 작전에 대해 어느 정도는 들었다.

내 역할은 시트리와 다른 사람들이 마나 머티리얼 교반장치를 발동시키는 동안에 팬텀들의 시선을 끄는 것이다. 굳이 말할 필요도 없이 위험한 일이지만, 팬텀으로부터 도망치기만 하는 거니까 내가 발동시킬 수 있을지 여부도 모르는 장치를 들려주는 것보다는 백배는 나을 것이다.

도망치기만 하는 거라면 항상 하고 있고…….

시트리가 오늘도 신이 난 듯이 인사를 해주었다.

"좋은 아침이에요, 크라이 씨! 그렇게 슬퍼지는 말씀은 하지 마시고, 처음 정도는 함께 싸우게 해주세요. 그리고, 크라이 씨께서 계시면 다들 의욕이 생길 거예요!"

내가 있으면 의욕이 생긴다니, 무슨 시스템인지 신경 쓰이네.

다들 의욕이 넘치는 것 같긴 하지만, 그건 나와는 아무런 상관도 없겠지.

그때, 시트리가 왠지 불안해 보이는 표정을 지었다.

"그런데…… 정말로 마나 머티리얼 교반장치를 가지고 가지 않으실 건가요? 일단, 저희 쪽 숫자를 줄여서 그쪽에 드리는 방법도 있긴 한데요———."

보아하니 시트리는 어떻게 해서든 내게 일을 더 시키고 싶은 모양이다. 무심코 한숨이 나왔다.

그런 위험한 걸 떠넘겨 봐야 나는 어떻게 쓰는지 모르고, 애초에 숫자가 부족한 모양이니 그렇게 귀중한 걸 떠넘겨도 골치가 아프기만 하다.

"필요 없어, 필요 없어. 내게는 내 방식이 있으니까. 이래 봬도 이것저것 준비를 했고. 게다가 이쪽에 장치를 할당했다가 그쪽에서 문제가 생기면 곤란하잖아?"

"만에 하나를 대비해서 추가로 하나 더 만들어 두었어요. 괜찮으시다면 써주세요."

"……고마워. 뭐, 필요 없긴 하지만 무슨 일이 생기면 쓰도록 할게."

"……무슨 일이 생기지 않아도 써라, 입니다. 약한 인간, 아무리 그래도 너, 너무 자유롭잖아, 입니다!"

준비해버렸나………. 장치도 귀중하니까 그쪽에서 효과적으로 활용해주는 게 더 좋겠지만, 어쩔 수 없다.

"……오빠. 일단 확인하는 건데요. 혼자서 북쪽을 담당하겠다니, 책략은 있는 거죠? ……역시 저희와 함께 싸우시는 게 어떨까요?"

신기하게도 루시아가 약간 불안한 듯한 표정으로 물었다.

어쩌면 내가 맡게 된 임무는 내가 생각하는 것보다 더 위험한 건지도 모르겠다.

하지만, 싸우는 건 질색이다! 아무리 위험하다 해도 나는 싸울 바엔 차라리 시간을 버는 쪽을 선택할 거다.

그리고, 이번에는 내게 신기하게도 책략이 있었다.

"괜찮아. 성심성의껏 부탁해서 도움을 받기로 했으니까."

"??? 부………… 부탁요?"

엎드려 비는 것도 의외로 도움이 된단 말이지. 내 필살기라 해도 과언이 아닐지 모르겠다.

"뭐, 나는 신경 쓰지 말고 루시아는 루시아가 해야 할 일을 하도록 해! 작전이 성공할지는 그쪽에 달려 있으니까. 최선을 다하긴 하겠지만, 내 쪽은 성공할지 어떨지 꽤 의심스러우니까 실패한다는 전제로 움직여줘. 내가 맡게 되는 건 어디까지나 약간의 보조라는 걸 잊지 말고."

"실패한다는 전제라니………… 네에. 뭐, 오빠가 그렇게 말한다면요."

일단 내게 기대하지 말라고 못을 박아두었다. 어쩌다 보니 바깥으로 나가게 되어버렸지만 할 수만 있다면 나가고 싶지 않을 정도다.

…………뭐, 이런 상황에서 나 혼자 유그드라에 대기하는 것도 좀 그렇지.

마음속으로 나 자신을 타이르고 있자니 시트리가 모두를 둘러보며 말했다.

"그럼, 여러분. 작전대로 부탁드릴게요!"

"……………난 작전에 대해 이야기를 못 들었는데?"

"?? 물론, 크라이 씨께서는 마음대로 행동하셔도 상관없어요. 위치도 다르니까요. 평소처럼 무슨 일이 생기면 저희가 맞출 테니 큰 배를 탔다고 생각해 주시고요!"

큰 배라기보단 나만 나뭇잎 배에 탄 것 같은 기분인데…… 시트리의 배에 태워줘.

뭐, 그래도 미리 이렇게나 말해두었으니 무능한 내가 폐를 끼치게 돼도 차질은 없을 것이다. 나는 어깨를 으쓱이고는 일단 하드보일드한 미소를 지어 보였다.

숲속에서 모두가 대열을 맞춰서 좁은 길을 나아갔다.

하늘에는 두꺼운 구름이 끼어 있어서 그렇지 않아도 햇볕이 잘 들지 않는 숲속은 불길한 느낌이 들 정도로 어둑어둑했다.

살짝 고개를 드니 거대한 세계수를 볼 수가 있었다. 목적지는 세계수에서 꽤 떨어진 앞쪽이다.

미리 받은 지도에는 이번 방위 지점이 표시되어 있었다.

총 여덟 군데. 각각 담당하게 될 팀이 적힌 채 보물전 남쪽 꽤 떨어진 곳을 가로로 둘러싸듯이 나란히 선 표시. 아마 이 표시가 늘어선 곳이 마나 머티리얼의 새로운 길이 될 것이다.

북쪽에는 표시가 없다. 완전히 믿고 있는 모양이다.

도움이 되진 못하더라도, 적어도 방해만은 되지 않게끔 해야지———.

가던 도중에는 이야기를 나누지 않았다. 그저 팽팽한 분위기가 감돌고 있다. 마물들이 습격하지 않는 건 폭풍전야의 고요함 같은 건가?

그리고 우리는 무사히 첫 번째 목적 지점에 도착했다.

나무들도 군데군데 있어서 약간 트인 공간이다. 지키기 편할지는 모르겠지만, 적어도 시야는 확보되어 있고 근처에는 맑은 물이 솟아나는 샘도 있었다.

아마 이곳이라면 물의 정령도 힘을 충분히 발휘할 수 있을 것이다.

"《천변만화》, 미레스를."

"크라이 씨, 장치를 꺼내주세요."

"훗………… 맡겨만 주시라!"

미믹 군도 있고, 나는 이제 도구 담당만 하면 안 되나? 그게 내가 제일 활약할 수 있는 방면인 것 같다. 문제는 미믹 군은 보통, 누구나 써먹을 수 있다는 점인데———.

세렌과 시트리의 요청에 따라 미믹 군에게 장치와 미레스를 꺼내 달라고 했다.

마나 머티리얼 교반장치는 지금까지 내가 봤던 것들 중에서 가장 기괴한 장치였다.

생김새는 나선을 그리는 유리관, 아래쪽은 좁고, 위쪽은 넓어서 척 보기에는 깔대기 같기도 했다. 밑바닥은 자그마한 유리 상자처럼 되어 있어서 동력을 끼워 넣는 부분도 보였다. 이게 시트리가 하던 연구의 집대성이자 마나 머티리얼을 어지럽히는 위험하기 짝이 없는 힘을 지니고 있다니 신기하다.

크기는 높이 2미터, 폭 1미터 정도인가? 미믹 군의 입으로 수납할 수 있는 아슬아슬한 크기다.

미레스는 마지막으로 봤을 때보다 색이 희미해진 것 같은 느낌이 들었다. 마나 머티리얼에 침식되어 다시 이성을 잃지 않게끔 대피해 있었는데 몸 상태는 꽤 좋은 모양이었다.

생김새는 거대한 만쥬 같고, 반짝반짝 빛나며 투명한 느낌을 준다. 동그란 눈으로 세렌을 보고 있다.

이번에 세렌은 미레스와 함께 장치를 하나 지킨다고 한다.

수호정령과 마주 보는 세렌은 쾌적했을 때의 모습을 생각하면 믿기지 않을 정도로 당당한 표정을 짓고 있었다.

루인이 미레스 앞에 서서 공손하게 말을 걸었다.

"오랜만입니다, 미레스. 유그드라를 수호해주셔서 감사합니다. 다시 함께 싸울 수 있게 되어 영광입니다."

미레스는 루인을 보고는 방울 소리 같은 소리를 내기 시작했다.

정령어다. 여전히 무슨 말을 하는 건지 모르겠다.

루인은 심각한 표정으로 한동안 그 말을 듣고 있다가 억누르는 듯한 목소리로 말했다.

"…………모르겠습니다. 아마 이번 싸움이 가장 큰 싸움일 겁니다. 상대는 너무나도 강대합니다. 하지만, 이번에는 유그드라의 백성뿐만이 아니라 종이 다른 동료와 먼 옛날에 갈라섰던 동포들도 있습니다. 작전도 있고요. 사력을 다하겠습니다. 정령인의 긍지를 걸고——— 부디 저희에게 힘을 빌려주십시오."

무슨 말을 하는 건지는 모르겠지만, 의욕이 넘치네. 나는 100

년 뒤를 위해서 그렇게까지 의욕이 나지는 않지만——— 뭐, 루크가 있거든.

루인이 갑자기 이쪽을 보았다. 조용히 타오르는 진홍의 눈. 그리고 지금까지 루인 쪽을 보고 있던 미레스가 내 앞으로 이동해 왔다.

방울을 울리는 듯한 소리와 함께 그 몸이 반짝거렸다.

바람이 불었다. 둔감한 나도 느낄 수 있을 만큼 거대한 기운. 정령이란 일종의 초월자다. 특히 강한 힘을 지닌 존재는 신이라 불리는 경우도 있는 모양이다.

나는 한동안 미소를 지으며 고개를 끄덕이다가 중간부터는 왠지 귀찮아졌다.

애초에 이번 문제는 전부 이성을 잃은 미레스와 마주쳤을 때부터 시작된 것 같다.

물론 이제 와서 불평할 생각은 없지만, 이해할 수 없는 언어로 말을 걸면서 동의를 얻어내려 하다니, 냉정하게 생각해보면 너무하지 않나? 알아듣지도 못하면서 고개를 끄덕인 내 잘못도 있긴 하지만 말이지!

방울 소리가 사라진 순간, 나는 미소를 지으며 솔직하게 말했다.

"하하………… 무슨 말을 하는 건지 모르겠네."

"?!"

위아래로 흔들리고 있던 미레스의 움직임이 멎었고, 루인과 루시아 같은 사람들이 깜짝 놀랐다.

보아하니 마도사는 정령어를 대충 알아듣는 모양이네…….

"뭐, 결국에는——— 무슨 일이 생기더라도 우리는 최선을 다할 수밖에 없다고. 준비는 모두 갖추었고, 시트리의 작전은 (아마도) 완벽해. 나도 할 만큼은 해볼 테니까, 너는 세렌을 잘 부탁할게!"

헌터로서 계속 활동하다 보면 이렇게 각오를 다져야만 하는 기회라는 게 반드시 오기 마련이다. 특히 나 같은 경우에는 사사건건 절체절명의 사태에 빠지곤 한다.

이번에는 싸울 수 있는 멤버들이 있다. 시트리라는 믿음직스러운 사령탑이 있다. 항상 고군분투하던 상황과 비교하면 얼마나 마음이 편한지.

그러고 보니 결국 아크를 부르지 못했네. 세렌이 쾌적해졌던 충격 때문에 깜빡 잊고 있었다. 부르려 해도 받아들이지 않았을 가능성도 있지만.

"…………뭐, 오빠 말이 맞아요. 신전형 보물전은 공략된 경우가 너무 적죠. 무슨 말을 하더라도 결국에는 죽을힘을 다해 도전할 수밖에 없어요."

"으음."

"저, 저도, 마스터어를, 믿고 있어요!"

티노는 나를 좀 더 의심해주세요.

마지막으로 라피스가 코웃음 치고는 미레스와 세렌에게 말했다.

"흥…… 이제 와서 사죄 같은 건 필요 없다. 세계수의 중대사는 세계의 중대사, 싸우는 건 당연하다. …………하지만, 일단은 말해두지. 작전이 성공했을 때는 대가를 제대로 치러줘야겠다. 우리《별의 성뢰》에게는 동포들의 문제지만, 《비탄의 망령》에게는 그렇지 않지. 이 이상 정령인의 수치를 보이면 곤란하다."

정령인은 친지들에게 자상하게 대한다고 하던데, 라피스는 상대가 누구든 마찬가지네.

그리고 보아하니 미레스는 내게 사과하고 있었던 모양이다.

라피스 말대로 사과 같은 건 필요 없다. 시간은 돌이킬 수 없고, 그 일이 없었더라도 결국에는 비슷한 전개가 되었을 가능성이 크다. 운이 안 좋으니까……

"알고 있습니다. 유그드라의 백성은 받은 은혜를 결코 잊지 않습니다. 이번 건이 해결되었을 때는 원하시는 것을 내드리도록 하지요."

원하는 걸 보수로 주겠다니, 정말 통이 크다.

하지만, 헌터에게 있어서 보수와 위험 부담은 표리일체다. 큰 보수에는 큰 활약이 필요한 법이니까, 그렇게 말하면 무능한 내게는 압박감이 심하다.

미리 못을 확실하게 박아두어야겠다.

"보수 같은 건 필요 없어. 힘들 때는 서로 도와야지. 우리도 그렇게 대단한 일은 못 할지도 모르니까."

"?! 인간, 당신은………… 정말로 욕심이 없군요."

세렌이 눈을 크게 뜨며 감탄한 듯이 말했다.

크류스와 다른 정령인들도 말문을 잃었지만, 내 행동에 익숙해진 루시아 같은 사람들은 질렸다는 표정이었다.

욕심이 없는 게 아니다. 내게 없는 건 책임감이다.

보수를 받는다는 건, 책임이 발생한다는 뜻이기도 하다. 무급이라면 문제가 생겼을 때 아무것도 못 하더라도 보수를 받지 않았다면서 발뺌할 수도 있다.

《비탄의 망령》 전체의 재무를 담당하고 있는 시트리가 곤란하다는 듯한 미소를 지으며 내 어깨를 찔러댔다.

"정말, 크라이 씨도 참, 또 그런 말씀을 하시고…………. 뭐, 하기 힘든 경험이긴 하지만요."

뭐, 내가 무슨 말을 하든 필요하다면 시트리가 대가를 회수할 것이다. 우리 멤버들은 빈틈이 없다. 그렇게 안심할 수 있기에 내가 마음대로 떠들어댈 수 있는 것이다.

시트리가 다시 분위기를 잡으며 설명하기 시작했다.

"원래는 땅속에 파묻어야 하겠지만, 이번에는 팬텀들의 간섭이 예상되기 때문에 속도를 중시해서 지상에 설치할 거예요. 장치가 기동되고 그 영향이 【근원의 신전】에게까지 전달되면 상대방도 잠자코 있진 않겠죠. 장치를 기동시키고 나서 보물전까지 영향이 생길 때까지 시간이 얼마나 걸릴지는 모르겠지만, 상대가 반격에 나서는 건 오히려 바라던 바예요. 공급이 없는 상태에서 힘을 쓰면 팬텀이 사라질 때까지 걸리는 시간이 짧아지니까요."

보물전에 영향이 생길 때까지 시간이 얼마나 걸릴지 모르는 건가…… 긴 전투가 될 것 같네.

뭐, 나는 시간을 최대한 벌다가 얼른 미믹 군 안으로 도망쳐야지.

지면에 내려놓은 장치는 불안정해 보이면서도 장식품 같은 안

정감을 주었다.

옆에 있는 장치를 만족스럽게 올려다보며 시트리가 말했다.

"성공 여부의 판단은 제가 맡겠습니다. 10시 정각에 작전 개시——— 장치를 발동시켜 주세요! 세계수에 모여드는 큰 강 같은 마나 머티리얼의 흐름에 간섭해서 새로운 길을 만들기 위해서는 각 장치를 동시에 발동시킬 필요가 있습니다."

모두가 진지하게 이야기를 듣고 있었다. 마지막으로 시트리가 가방에서 크고 파란 보석 같은 것을 꺼내서 내밀며 말했다.

"이미 알고 계시겠지만, 이게 장치의 동력인 마석이에요. 끼워 넣으면 마나 머티리얼 교반장치가 기동되기 시작할 겁니다. 일단 드릴게요."

"그래, 고마워. 상황에 따라서는 쓰도록 할게."

끼워 넣기만 해도 기동된다라……. 생각보다 간단하네. 그 정도라면 나도 할 수 있겠어.

"필요한 것들을 나누어드릴게요. 장치는 튼튼하게 만들었지만, 어디까지나 유리예요. 신중하게 운반해 주세요. 중간에 부서지면 전부 허사라고요!"

작전에 필요한 것들을 미믹 군 안에서 꺼내서 건네기 시작했다.

마나 머티리얼 교반 장치와 시계. 전투 때 사용할 포션 세트와 장치의 동력원인 마석.

꺼낸 마나 머티리얼 교반장치는 크기가 각각 달랐고, 모두 합쳐서 여덟 개나 되었다.

대충 다 나누어주자 애들러가 시트리에게 받은 마석을 빤히 바라보며 말했다.

"그럼 우리는 곧바로 준비에 들어가도록 하지. 지킬 장소의 상황도 봐두고 싶으니까."

"퀸트, 장치를 운반하는 건 당신 임무예요~."

"나도 알아, 안다고!"

퀸트가 데리고 있던 1미터 정도 크기의 카드 병사가 장치를 끌어안듯이 들어 올렸다. 어디서 손에 넣었는지는 모르겠지만, 가냘파 보이는 데도 힘이 센 모양이다.

그때, 퀸트가 나를 보았다.

"맞다. 《천변만화》. 내게서 빼앗은 검을 돌려주면 안 될까?"

그랬지…… 리즈에게 뺏겼었지.

"……어쩔 수 없네. 무기도 제대로 갖추지 못하면 싸울 수도 없을 테고———."

사실은 돌려주고 싶지 않았지만, 어쩔 수 없다. 《천귀야행》은 분명 범죄자지만 지금은 작전을 함께 수행할 일원이다. 나보다 더 중요한 역할을 맡고 있으니 쉽사리 패배해버리면 곤란하다.

《비탄의 망령》 상대로 도망치는 데 성공했다고 하지만, 그때 그들에게는 군세가 있었다. 군세 없이 얼마나 싸울 수 있을지는 미지수다.

"애들러, 그 지네는?"

"…………완치되었어. 덕분에 말이지. 유덴!!"

애들러가 이름을 외치자 그녀의 발치가 거세게 떨렸다. 대지가 솟아올랐고, 이빨이 튀어나왔다. 그을린 듯한 붉은 장갑이 지면을 찢어발기며 드러났다.

거대한 지네가 애들러를 등에 태운 채 몸을 들어 올리고는 기괴한 목소리로 포효했다.

보물전에서 싸운 이후로 처음 보는데, 여전히 크다. 너무 크다.

벌레 마물은 여러 번 봤지만 이렇게까지 거대한 마물은 처음이다.

고대종이라고 했던가? 고대에 이런 벌레가 우글거렸다면 현대에 태어난 게 고마울 뿐이다.

팔짱을 낀 채 날카로운 눈초리로 유덴을 보던 리즈가 눈을 흘리며 무뚝뚝하게 말했다.

"좀 짧아졌잖아. 괜찮은 거야?"

"머리를 제외하고 거의 전부 날아가 버렸다고, 어쩔 수 없잖아. 괜찮다니까. 전투력에는 지장이 없어. 마나 머티리얼을 잔뜩 흡수해서 더욱 강해졌을 정도지."

그렇지 않아도 레벨 10 보물전의 팬텀 군세를 동귀어진까지 밀어붙였을 만큼 강했는데 더 강해졌다니………. 걱정할 필요는 없겠지만, 왠지 마음이 복잡하네.

우노가 유덴 위로 훌쩍 올라타서 손을 살랑거리며 흔들었다.

"무슨 일이 생기면 연락할게요~. 무운을 빌어요~."

"《천변만화》, 당신의 행동도 현인경으로 지켜보겠어. 기대한다고!"

범죄자이긴 하지만, 왠지 이렇게까지 협조적이니 맥이 빠진단 말이지…….

나는 한숨을 쉰 다음, 떠나가는 애들러 일행을 향해 손을 흔들어 주었다.

라피스가 일어서서 《별의 성뢰》 멤버들을 둘러보며 사기를 끌어 올렸다.

"우리도 가도록 하지. 《천귀야행》에게 질 수는 없다."

꽤 의욕적이네. 이대로 여기 있으면 휘말려서 함께 싸우게 될지도 모르겠다.

받을 것도 받았고, 작전도 들었다. 쓸데없이 기대하게 만들기 전에 얼른 떠나야지.

"그럼, 나도 슬슬 갈게. 다들 열심히 해. 우리도 한가한 건 아니니까 얼른 끝내버리자."

그러고 보니 문제가 한 가지 있었지. 나 혼자서는 목표 지점에 도착할 수가 없다.

나는 그곳에 있던 사람들을 차례대로 훑다가, 리즈 옆에서 우두커니 서 있던 티노를 보았다.

도적이 필요하겠구나. 그런 김에 융단을 운전할 수 있다면 더더욱 훌륭하다는 건 굳이 말할 필요도 없다.

숲 안쪽으로 떠나는 그 순간까지, 그 인간의 표정에는 긴장한 기색이 털끝만큼도 없었다.

위용이 전혀 느껴지지 않는 생김새에 약간 한심한 인상을 풍기는 미소. 너무나도 강대한 상대와의 전투를 앞두고도 그 발걸음에서는 긴장이 전혀 느껴지지 않았다.

세렌이 처음 만났을 때와 달라진 점이 유일하게 있다면, 퍼펙트 배케이션을 장비하지 않았다는 점일까? 아무리 그래도 그 보구를 사용한 상태로 보물전에 도전하는 건 위험할 거라 판단한 건지도 모르겠지만, 반대로 그 보구 없이 저렇게까지 평상심을 유지할 수 있다는 건 세렌에게 있어서 경악스러웠다.

함께 데리고 간 티노가 절망한 표정을 보였기에 그 이질적인 느낌을 더욱 잘 이해할 수 있었다.

"약한 인간………… 여전히 긴장감이 너무 없잖아, 입니다. 인간 주제에. 그리고, 티노를 대체 뭘로 보는 거야, 입니다! 융단 운전 같은 건 자기가 하면 되잖아, 입니다!"

『으음~, 융단 운전수가 필요하겠네…… 좋아, 티노. 너로 정했다!』

그렇게 가벼운 말과 함께 지명당했을 때 티노의 표정은 다른 종족인 세렌이 보기에도 가엾을 정도였다.

리즈와 시트리가 불안한 듯한 표정으로 이야기하고 있다.

"……있지, 시트. 요즘 크라이, 티를 너무 부려먹는 거 아니야?"

"……으음~, …………어쩌면 마무리 단계에 들어간 건지도 모르겠어. 뭐, 우리가 부려먹는 것보다 크라이 씨께서 부려먹는 게 티에게 도움이 더 될 테고———."

"에휴………… 레벨 10 보물전에 도전하기 전이면, 좀 제대로 해줘도 될 텐데."

루시아가 머리를 누르며 한숨을 크게 쉬었다.

이번 작전은 지극히 위험하다. 시트리는 얼마 되지 않는 정보를 토대로 더할 나위 없는 작전을 세웠지만, 작전에 불확정 요소가 많다는 건 마찬가지다.

신전형 보물전의 공략은 인간의 세계에서도 거의 유례가 없는 모양이었고, 마나 머티리얼 교반장치를 이용한 보물전의 약화도 실적이 있는 게 아니다. 전력도 별로 없고, 정보 수집이나 계산도 완벽하다고는 할 수 없는 데다 운도 작용할 것이다. 절체절명의 상황이었기에 결행하자는 판단을 내릴 수 있었다. 만약 지금처럼 절박한 상황이 아니었다면 분명히 제안을 기각했을 것이다. 그 정도 수준의 책략이다.

습격자의 숫자도 전혀 알 수가 없다. 전력은 최대한 갖추긴 했지만, 그럼에도 불구하고【근원의 신전】이 지닌 전력은 세렌 일행과는 비교도 되지 않을 것이다. 게다가 이번에 세렌 일행은 마나 머티리얼 교반장치 8개를 지기기 위해 그렇지 않아도 적은 전력을 분산시켜야만 했다.

────하지만,《천변만화》가 맡은 역할의 난이도는 세렌 일행과는 비교도 되지 않는다.

조사해본 결과,【근원의 신전】 북쪽과 남쪽은 지맥의 두께, 지형 같은 것들이 거의 비슷했다.

다시 말해, 단순 계산으로 그 인간은 세렌 일행 모두가 어떻게든 저항하려 하는 팬텀들을 혼자서 맡겠다는 뜻이다. 물론 설치할 장치의 숫자가 다른 이상, 습격할 팬텀의 숫자도 달라지겠지만, 그래도 엄청난 숫자일 것이다.

뭔가 설명을 할 거라 생각했다. 팬텀 군세를 상대할 책략이라거나, 지금까지 숨기고 있었던 비장의 수라거나, 정 뭐하면 각오나 자신감처럼 불확실한 말이라도 상관이 없었다.

작전의 성공을 뒷받침할 무언가를 보여준다면——— 세렌도 조금이나마 안심할 수 있었을 텐데.

"……정말, 그 인간은 괜찮은 건가요?"

"흥…… 괜찮다고 생각했기에 다들 《천변만화》의 제안을 받아들인 거다. 그리고 세렌은 아직 그 남자를 얕보고 있다. 성격은 제쳐두더라도——— 그 남자의 공적을, 힘을 알고 있었다면 걱정해봤자 소용없다는 사실을 이해할 수 있었겠지."

라피스가 감정이 담기지 않은 목소리로 담담하게 말했다.

담담했기에 그 말은 진심 같았다.

"오히려 사력을 다해야만 하는 것은 우리 쪽이다. 우리는 레벨 8이 아니니까."

세렌 일행에게는 최상위 수호정령이 둘이나 딸려 있다. 아무리 레벨이 높은 헌터라 하더라도 전력을 따지면 뒤처질 것 같지는 않았다.

그럼에도 불구하고 부족하다는 걸까?

라피스의 시선을 느낀 《별의 성뢰》 멤버들이 주문을 외우기 시작했다.

유덴의 등장으로 인해 부서진 대지가 꿈틀대며 인간 형태를 이루었다. 주변에 돋아나 있던 풀과 나무가 마치 무거운 엉덩이를 들어 올리는 듯이 뿌리를 뽑아내 움직였고, 샘물이 부자연스럽게 흘려서 짐승 형태를 이루었다.

자연물로 병사를 만드는 마술이다. 라피스가 어깨를 으쓱이며 말했다.

"상대가 군세라면 우리도 군세로 상대한다. 세세한 지시를 내릴 수 없고 전투력도 약하지만, 어찌 됐든 우리는 인원이 부족하니까. 보통은 쓰지 않는 술법이지만 벽 정도는 될 거다."

"그건…… 좋은 아이디어로군요."

자연물로 만들어내는 병사는 기본적으로 약하다. 【근원의 신전】의 팬텀 상대로는 종잇장이나 마찬가지일 테고 생성하는 데도 마력을 소비하기 때문에 효율이 별로 좋진 않지만, 시간을 버는 데 쓰기에는 나쁘지 않을 것 같긴 하다. 부서지면 그것을 소재로 벽을 만들 수도 있다.

옆에 떠 있는 미레스를 보았다. 그리고 세렌은 그 힘을 빌려 마술을 행사했다.

힘의 경로가 이어지는 것이 느껴졌다. 미레스로부터 밀어닥친 막대한 힘을 술식을 통해 현상으로 변환한다.

미레스의 힘은 피니스와 대조적이다.

종언의 피니스와 개벽의 미레스. 피니스가 '고갈'을 관장한다면, 미레스는 '창생'을 관장한다.

전투 쪽이라면 모를까, 미레스의 힘은 피니스보다 뒤처지지 않는다.

유덴이 나타났을 때와는 비교도 되지 않을 정도로 강한 진동이 대지를 덮쳤다.

마치 땅속에서 기어 나온 것처럼, 흙으로 이루어진 병사들이 생성되기 시작했다.

"미레스의 창생입니다. 미레스는 풀과 나무를 키우고 대지를 융기시키며 물을 조종합니다."

그 숫자는 《별의 성뢰》가 만들어낸 것과 비교도 되지 않았다.

아무리 약하더라도 이렇게 많은 숫자로 밀어붙이면 무시할 수 없을 것이다. 그리고 미레스의 힘이라면 이 정도 수준의 병사들은 재료가 바닥나지 않는 한, 계속 만들어낼 수 있다.

"완전히는 힘들지도 모르겠지만, 밀도를 높이면【근원의 신전】의 팬텀들 움직임도 제한할 수 있을 겁니다. 우리도 만들 수 있고요."

"조작이나 성형까지 자유자재로, 말인가…… 이렇게 많은 숫자를 단숨에 생성하다니, 역시 유그드라의 정령이로군."

"방어에 전념하는 미레스를 쓰러뜨리는 건 쉽지 않은 일이죠. 피니스의 공격을 막을 수는 없지만, 그런 의미에서 이번 작전이 시작되기 전에 피니스가 돌아와 준 게 행운이었어요."

만약 이번 작전 중에 루인이 습격했다면, 분명히 위험한 상황이 되었을 것이다.

유그드라의 수호정령은 하나 더 존재하고 그쪽도 행방불명되었지만, 그쪽은 미레스보다 더 공격에 적합하지 못하다. 피니스처럼 적 쪽에 붙었다 하더라도 큰 문제는 되지 않을 것이다.

"흥…… 잊지 마라. 목숨의 우선순위는 우리가 더 높다. 동포를 되찾고 싶어 하는 심정은 이해한다만, 붙잡아두려다가 우리가 당해버린다면 모든 게 허사가 될 거다."

"일반적인 생물처럼 번개로 움직임을 막을 수 있다면 좋겠는데 말이지, 입니다."

"……감사합니다."

《별의 성뢰》멤버들도 강력한 마도사들뿐이지만, 레벨 10 보물전의 팬텀들을 얼마나 잡아둘 수 있을지는 모른다. 목숨을 걸라고 말할 생각은 없었다.

그저 작전을 믿고 최선을 다할 뿐이다.

피니스 바로 옆에 있던 루인이 세계수 쪽을 지긋이 바라보며 말했다.

"이쪽 습격이 잠잠해지면 곧바로 그쪽으로 가마. 최대한 눈에 띄지 않게끔 움직일 생각이다."

원래 유그드라에서 손꼽히던 마도사였던 루인의 힘은 이 순간 더욱 날카로워져 있었다. 피니스를 사역하고 그 힘을 자유자재로 컨트롤할 수 있는 지금, 루인을 이길 수 있는 팬텀은 거의 존재하지 않을 것이다.

이길 수 있다. 이길 수 있을 것이다. 상대가 아무리 엄청난 군세를 보낸다 하더라도———.

세렌의 불안한 마음을 들여다보았는지, 시트리가 격려하는 듯이 말했다.

"이길 겁니다. 이렇게까지 했는데 실패한다면 부끄러워서 크라이 씨를 뵐 면목이 없어요."

"그러게. 레벨 10 보물전의 팬텀과 싸울 수 있는 기회는 거의 없으니까 즐겨야지."

"…………《비탄의 망령》에 들어간 이후로는 이런 일뿐이야. 나는 도적인데…….."

"엘리자 씨가 가입한 뒤로는 횟수가 줄어들었어요. 뭐, 오빠가 함께 행동하지 않게 되기도 했지만요."

"으음, 으음."

에휴, 깊은 한숨을 쉬며 어깨를 으쓱인 루시아를 보고 안셈이 고개를 크게 끄덕였다.

세렌은 미레스의 힘으로 만들어낸 군세와 함께 무사히 자기가 맡은 지점에 도달했다.

마나 머티리얼은 모든 생물을 강화해준다. 식물도 마찬가지였기에 지맥이 모여드는 세계수 주위에는 풀이나 나무가 다른 곳보다 더 크게 성장하게 됐다.

그곳은 세계수 정도까지는 아니더라도 특히 오래된 나무가 늘어서 있는 숲의 한복판이었다. 척 보기에는 주위의 숲과 다를 게 없는 것 같지만, 발치를 보니 지면 아래로 흐르는 마나 머티리얼의 양이 주위보다 진하다는 걸 알 수 있었다.

외부에서 들어오는 지맥이 교차하는 점들 중 하나. 외부에서 마나 머티리얼이 모이는 얇은 지맥은 이곳에서 교차하며 두꺼운 지맥이 되어 세계수와 이어져 있다. 미레스의 힘을 쓰더라도 지맥을 끊을 수는 없겠지만, 만약 이곳의 지맥을 차단시키면 세계수로 흘러드는 힘이 줄어들 것이고, 흘러드는 마나 머티리얼을 방해하면 【근원의 신전】의 힘도 저하될 것이다.

군세에게 운반하게 한 시트리 특제 마나 머티리얼 교반장치를 보았다.

크기는 높이 2미터, 폭 1미터. 유리로 만들어진 그 기괴한 장치는 나뭇잎 사이로 스며드는 햇빛을 머금으며 반짝반짝 빛나고 있었다.

여전히 세렌의 눈에는 매우 끔찍한 물건처럼 보였지만, 지면을 흐르는 막대한 마나 머티리얼의 거센 물결과 비교하면 세계의 운명을 맡기기에는 너무나도 불안하게 느껴졌다.

흙으로 이루어진 병사들에게 장치를 설치하게 한 다음, 주위를 둘러싸도록 지시했다.

미레스의 힘을 써서 만들어낸 병사들의 숫자는 수백이 넘는다. 무너지더라도 간단히 재생시킬 수 있는 데다 자유롭게 형태를 바꿀 수 있는 군세. 정밀한 움직임은 불가능하지만, 상대방을 향해 돌격시키는 것 정도는 가능하다.

이제 시간에 맞춰서 마석을 끼워 넣어 장치를 기동시키고 효과가 나타날 때까지 지키기만 하면 된다.

해야 할 일을 마친 다음, 시트리에게 받은 시계를 확인했다.

작전 개시 시각까지는 이제 얼마 남지 않았다. 이제 와서 긴장

때문에 숨쉬기가 힘들어졌다.

유그드라의 황녀인 세렌은 대규모 전투 같은 것을 거의 경험한 적이 없다.

【근원의 신전】의 결계 안쪽에 늘어서 있는 팬텀들의 모습은 애들러가 가지고 있던 거울의 힘으로 확인했다.

장치를 기동시키면 그 팬텀들이 덤벼드는 걸까? 대체 그 안에 있던 팬텀들 중 몇 마리가 세렌을 저지하기 위해 움직일까?

미레스의 힘은 위대하지만, 상대방은 자신보다 경험이 풍부한 유그드라의 전사들이 도전했다가 아무도 돌아오지 못했던 상대다. 얼마나 싸울 수 있을지, 황녀로서 꼴사나운 싸움을 하진 않을지, 별로 자신이 없다.

하지만, 분명 그런 생각을 하고 있었기에 그 인간은 퍼펙트 배케이션 같은 것을 건넸을 것이다.

기합을 다시 넣고, 눈을 감은 뒤에 정신을 집중해서 작전의 성공을 기원하고 난 다음, 세계수를 올려다보았다.

미레스도 세렌과 똑같은 심정인지 조용히 세계수를——— 지금은【근원의 신전】에 삼켜져서 끔찍하게 바뀌어버린 '고향'을 보고 있었다.

"슬슬 시간이 되겠네요…….."

지금까지는 숲속이 평화롭다. 흙으로 만들어진 병사들은 미레스가 마법으로 조종하고 있다. 말하자면 그것들은 미레스의 팔이자, 눈이자, 귀다. 다가오는 마수나 팬텀이 있다면 금방 알 수 있다.

무슨 일이 생기면 신호를 보냈을 테니, 다른 팀도 아직 습격당하지는 않았을 것이다.

부디 이대로 아무 일도 일어나지 않기를.

세렌은 각오를 다지고는 시트리에게 받은 새빨간 보석을 장치에 끼워 넣었다.

———딸깍, 작은 소리가 들렸다.

손가락에 느껴진 감촉은 놀라울 만큼 가벼웠다. 마석에서 흘러든 마력이 나선을 그리는 유리관으로 전달되자 장치가 소리 없이 진동했다.

"으………… 이, 이건———."

심장이 크게 뛰었다. 무심코 나온 목소리는 의도치 않게 떨리고 있었다.

장치가 기동된 뒤로도 풍경은 아무런 변화가 없었다. 대지가 떨리거나 소리가 들리거나, 또는 빛을 내뿜는 듯한 변화도 없었다.

아마 세렌처럼 '눈'을 지니지 못한 자들은 그 현상을 이해하기 힘들 것이다.

마나 머티리얼 교반장치라니, 정말 이름을 잘 붙인 것 같다.

그것은 그야말로 '교반(휘저어 섞음)'이라 부르기에 걸맞은 동작이었다.

장치가 대지로부터 빨아들인 마나 머티리얼을 나선의 유리관을 따라 조용히 휘저어 섞고 있었다.

장치 윗부분으로 방출된 마나 머티리얼은 강물처럼 한쪽 방향으로 계속 흐르는 지하와는 달리, 주위로 힘차게 발산되었다. 그것은 마치 물이 솟아나는 샘 같았다.

발산된 마나 머티리얼은 마치 파문처럼 전방위로 퍼져나가고 있었지만, 잘 살펴보니 그 파문이 유리관 끝이 향하고 있는 방향으로 가늘게 변형되어 있다는 걸 알 수 있었다.

시트리의 작전은 각 장치가 교반하여 발산한 마나 머티리얼의 거센 물결을 한데 이어서 새로운 마나 머티리얼의 흐름을 만들어 내는 것인데ㅡㅡㅡ.

이건, 힘들겠다. 세렌은 마나 머티리얼을 눈으로 볼 수 있기에 그나마 낫지만, 마나 머티리얼을 눈으로 볼 수 없는 자들은 장치가 제대로 작동하고 있는지 구분할 수단조차 없다.

역시 이번 같은 사용 방식은 원래의 용도에서 벗어난 것 같다.

이 장치의 구조만으로 지맥의 흐름을 일그러뜨려서 보물전을 약화시키려면 치밀한 계산이 반드시 필요하다. 새삼 확인해보고 알게 되었는데, 이 장치는 마나 머티리얼을 확산시켜서 그곳에 머물게 하는 기능에 특화되어 있다. 그렇다면 장치의 원래 기능은 보물전의 강화ㅡㅡㅡ겠지만, 약화에도 쓰지 못하진 않을 것이다.

장치 자체의 구조는 잘 모르겠지만 고안해낸 자는 천재이거나 제정신이 아닌 자, 둘 중 하나이리라. 어쩌면 양쪽 모두에 해당될지도 모르겠다. 유그드라의 백성들은 이미 존재하고 있는 지맥의 힘을 이용하는 기술은 가지고 있지만, 지맥 그 자체를 어떻게 할 생각은 해본 적이 없다.

지맥에 흐르는 마나 머티리얼은 장치의 힘으로 대부분이 뽑혀

나왔기에 분명히 줄어들긴 했다. 다른 팀도 장치를 제대로 기동시켜서 남쪽에서 흘러드는 마나 머티리얼을 차단할 수 있다면【근원의 신전】에 흘러드는 마나 머티리얼은 절반까지 줄어들 것이다.

이미 보물전에는 이상 사태가 전달되었을 것이다. 팬텀들은 틀림없이 그 원인을 알아내려 할 것이고, 세렌 일행의 움직임을 감지할 것이다———. 계속 작동하는 장치를 확인하며 팬텀의 기척을 탐지했다.

그때, 근처에 떠 있던 미레스가 방울 소리 같은 소리로 정보를 전달했다.

"··········짐승형이 일곱 마리——— 선발대, 인가요."

자세한 내용은 늑대형이 다섯 마리, 예전에 엘리자 일행이 상대했던 도마뱀형이 두 마리.

발소리는 들리지 않지만 미레스의 눈을 속일 수는 없다. 바람은, 대지는, 풀과 나무는 미레스 그 자체다.

지금, 세렌과 미레스는 보이지 않는 힘으로 이어져 있다. 확장된 오감이 팬텀의 접근을 가르쳐주었다.

소리 없이, 기척도 없이, 꽤 빠른 속도다. 만약 기습을 당했다면 눈치채지도 못하고 일격에 당했을지도 모른다. 아무리 강력한 마도사라 해도 마술을 사용하기 전에 공격당하면 어떻게 해볼 방법이 없다.

하지만, 지금 세렌에게는 빈틈이 없다. 세렌은 전투 경험이 그리 많지 않지만 그런 건 상관없다.

숲은 세렌 유그드라 프레스텔의 아군이다.

세렌은 애용하는 긴 지팡이를 꽉 쥐고는 작은 목소리로 말했다.

"··········미레스."

명령 따위는 필요 없었다. 지금 미레스는 세렌의 의지를 정확하게 받아들이고 있다.

발치의 대지가 솟구쳤고, 숲을 이루고 있는 큰 나무들보다 세렌을 높게 밀어 올렸다. 흙으로 만들어진 병사들이 통일된 동작으로 팬텀이 다가오는 쪽을 향했다.

아래쪽을 보았다. 장치의 힘이 확산시키고 있는 마나 머티리얼. 발치를 너무 높게 밀어올린 탓인지, 팬텀의 모습이 나뭇가지와 나뭇잎에 가려져서 보이지 않았다. 하지만 반대로 말하자면 지금 세렌을 멀리서 보면 매우 눈에 띌 것이다.

팬텀의 숫자는 무한대가 아니다. 많이 끌어들일수록 다른 팀이 편해진다.

미레스의 보고를 받고 눈살을 찌푸렸다.

"추가로 열다섯 마리, 전부 짐승형. 얕보고 있군요."

다가온 것이 짐승형인 것은 행운이었다. 유그드라의 전사들 중에 짐승은 없다.

붙잡을 필요 없이 모두 한꺼번에 박살 내버려도 된다.

짐승들의 속도가 느려졌다. 상대는 고도의 지능을 지니고 있다. 다 함께 둘러싸서 덤벼들 생각일 것이다.

그때까지 기다려 줄 이유는 없다.

세렌은 지팡이로 발치를 찍고는 자신의 약한 마음을 날려버리려는 듯이 외쳤다.

"가세요!!"

대지가, 분명히 흔들렸다.

자세를 취한 채 수백이 넘게 존재하던 흙으로 만들어진 병사들이 일제히 팬텀들 쪽으로 돌격했다.

팬텀들은 갑작스러운 반격을 당하고도 비명 하나 지르지 않고 반응을 보였다. 기척을 숨기던 걸 멈추고, 덤벼드는 흙으로 만들어진 병사들을 몸으로 부딪혀 부수면서 지면을 박찼다. 그 단단한 표피는 흙으로 만들어진 병사들의 공격에 꿈쩍도 하지 않았고, 그 일격은 병사들을 손쉽게 산산조각냈다.

전부 예상대로다. 이쪽 병사들은 한 마리 한 마리가 별다른 힘을 지니지 못했다.

아니——— 그것은 엄밀히 말하자면 병사조차 아니었다.

팔다리가 있고 머리도 있지만 급소는 없다. 그것들을 조작하고 있는 것은 미레스다. 대지를 조종하는 미레스에게 있어서 그 병사는 그저 흙덩어리에 불과했고, 일제 돌격은 단순히 흙의 해일이었다.

흙으로 이루어진 병사를 새롭게 만들어낸다. 생성 속도를 높인다. 부서진 병사의 흙을 재활용해서 새로운 병사를 만든다. 앞으로 나아가려 하는 짐승의 발치를 진흙으로 변화시킨다. 튕겨 나가기 전에 짐승들을 흙으로 파묻는다.

팬텀들이 몸을 비틀며 날뛰기 시작했다. 이제 와서 그 위험성을 눈치채봤자 이미 늦었다.

"———대지로 돌아가세요."

뿌득, 귀를 막고 싶어질 정도로 기분 나쁜 소리가 들렸다. 여러 팬텀들의 반응이 단숨에 사라졌다. 덮어씌운 흙을 조작해서 온몸을 압축시켜 뭉갠 것이다. 꽤 튼튼하고 생명력도 강하지만, 그렇다면 죽을 때까지 뭉개버리면 된다.

대지로 인한 구속을 힘으로 돌파한 도마뱀형 팬텀들 몇 마리가 세렌을 향해 뛰어올랐다.

지면을 진흙으로 바꾸었는데도 용케 뛰어올랐다. 감탄하고 있자니 팬텀들이 일제히 턱을 벌렸다.

"윽?!"

입 안에 모여든 빛이 단숨에 세렌을 향해 뿜어져 나갔다. 하지만, 공격이 세렌에게 닿지는 않았다.

지면에서 생겨난 두꺼운 토벽이 빛을 막아냈다. 벽이 새빨갛게 달아오르고 주위의 온도가 단숨에 올랐지만 관통되지는 않았다. 세렌은 오히려 발생시킨 토벽을 쓰러뜨려서 팬텀들을 짓뭉갰다.

반응이 조금씩 약해지다가 이윽고 완전히 사라졌다.

주위에 조용함이 돌아왔다. 첫 전투에 걸린 시간은 불과 5분 정도.

지팡이를 짚으며 흐트러진 숨을 돌렸다. 어느새 이마에 맺혀 있던 땀을 닦았다.

문제없다. 하지만, 승리의 기쁨도 없었다.

미레스의 힘에 한순간이나마 저항할 수 있었던 시점에서 강적이다. 다른 멤버들은 세렌보다 전투 경험이 풍부하지만, 그렇게 많은 숫자가 몰려들면 오래 버티지는 못할 것이다. 제3파도 언제

올지 모른다.

　장치의 상태는———.

　지맥의 상태를 확인한 세렌은, 한순간 말문이 막혔다.

　"…………발산된 마나 머티리얼이…… 원래대로 돌아왔어?"

　장치는 제대로 작동되고 있다.

　하지만, 장치 때문에 크게 흐트러져서 옆으로 퍼져 나간 마나 머티리얼의 거센 물결은 약간 떨어진 곳에서 원래 지맥으로 빨려 들어가듯 돌아가고 있었다. 높은 곳에서 내려다보니 잘 알겠다. 그것은 마치 분기된 물의 흐름이 하류에서 합류하는 것 같아서——— 이래선 보물전으로 흘러드는 힘의 양은 마찬가지다.

　팬텀이 뭔가 한 건가? 아니………… 그게 아니다.

　급하게 옆 팀이 장치를 기동시키고 있는 방향을 보았다. 그쪽도 세렌과 똑같은 결과였다.

　장치를 기동시키고 마나 머티리얼을 빨아들여서 퍼뜨리는 것까지는 성공했다. 하지만, 새로운 흐름을 만들어내지는 못했다.

　———이건, 확산이 부족한 것이다.

　마나 머티리얼이 기존의 지맥을 무시하고 새로운 흐름을 만들어내기 위해서는 장치로 흐트러진 모든 마나 머티리얼이 서로 이어져야만 한다.

　마나 머티리얼은 힘이 더욱 강한 곳으로 모이려 하는 성질이 있다.

　그것은 생물이 마나 머티리얼을 흡수할 수 있는 이유이자, 지금 흐트러진 마나 머티리얼이 원래 지맥으로 돌아가고 있는 이유이자, 시트리의 작전에 장치를 동시에 기동시킬 필요가 있는 이유이기도 했다.

"계산 실수…… 장치의 크기가 부족했나……? 아니, 애초에 미지수인 부분이 많은 계획이었어."

작전은 실패다. 이래선 아무리 지켜봤자 의미가 없다.

아니, 그뿐만이 아니라 세렌이 방금 쓰러뜨린 팬텀들의 마나 머티리얼도 지맥에 빨려드는 게 보인다. 양은 얼마 되지 않지만 이대로 지맥을 통해【근원의 신전】으로 흘러 들어갈 것이다.

실패할 가능성이 있다는 건 알고 있었다. 하지만 최악이다.

어서 다른 사람들에게 알리지 않으면 아무런 의미도 없이 강적과 계속 싸우게 된다.

미레스는 멀리서 다가오는 팬텀 무리가 있다는 사실을 알려주고 있었다. 그러나, 상대하고 있을 여유는 없다.

솟아오른 발치를 원래대로 되돌렸다. 심호흡을 크게 한 다음, 마음을 가라앉혔다.

방침은 잘못되지 않았다. 좀 더 강력한 장치를 설치하면 분명히 성공할 것이다.

그때, 갑자기 쩌적 소리가 들렸다. 머리가 터져버리기 직전인 와중에 겨우 소리가 난 쪽을 돌아보았다.

계속 가동되고 있던 마나 머티리얼 교반장치. 그 유리에 작은 금이 가 있었다.

금은 세렌이 보고 있는 사이에도 점점 벌어졌다. 그리고———.

"?! 어째서?!"

마나 머티리얼 교반장치는 산산조각으로 부서졌다. 동력원으로 끼워넣었던 마석이 데굴데굴 굴렀다.

최악이다. 최악이라고 생각했던 상황 위에 더 최악이 있었다. 게다가 영문을 알 수가 없다.

자신의 용량을 초월한 사태가 연달아 일어나자 얼어붙은 세렌. 그때, 멀리서 붉은 빛이 솟아올랐다.

장치를 회수해서 철수하라는 신호다. 세렌은 떨리는 몸에 채찍질을 하며 겨우 철수 작업을 시작했다.

빛이 솟아오른 곳——— 시트리가 장치를 가동시키고 있는 이번 작전의 본부에 도착했다.

그때는 이미 거의 모든 팀이 모여 있었다. 세렌과 거의 동시에 반대쪽에서 장치를 지키고 있던 루인도 도착했다.

그곳에도 마찬가지로 전투의 흔적이 진하게 남아 있었다. 세렌이 있던 곳만큼은 아니지만, 꽤 많은 팬텀들이 습격을 가한 모양이었다. 종이봉투를 뒤집어 쓴 이질적인 시트리의 사역마가 팬텀의 시체를 옮기고 있었다.

그리고 그게 끝이 아니었다. 짐승형 팬텀 몇 마리가 접근하고 있다.

숫자가 얼마 안 되는 이유는 아직 상황을 지켜보는 단계이기 때문일 것이다. 하지만, 시간문제다. 안셈의 결계가 펼쳐져 있긴 해도 오래 버티진 못할 것이다.

인상을 찌푸린 시트리. 그녀의 얼굴을 본 순간, 세렌은 충동적으로 소리치고 있었다.

"대체 어떻게 된 겁니까! 장치가 산산조각 나버렸습니다!!"

냉정함을 유지해야만 한다는 건 알고 있었지만, 그렇게 말할 수밖에 없었다.

이번 작전은 세계의 운명이 달린 작전이었던 것이다.

시트리는 한숨을 쉬고는 눈금과 바늘이 달린 장치를 들어 올린 다음에 말했다.

"실험은 완전히 실패예요. 원인은 지맥의 마나 머티리얼량이 예상을 훨씬 뛰어넘었기 때문이죠. 장치는 정상적으로 동작했지만, 새로운 흐름을 만들지는 못했어요."

긴박한 상황. 사방에서 접근하는 팬텀들의 기척이 느껴지는 가운데, 시트리는 차분한 목소리로 설명을 이어나갔다.

"이건 저희가 장치와 함께 만들어낸 마나 머티리얼의 측정기입니다. 바늘이 오른쪽으로 끝까지 돌아가 있죠? 이건 이곳의 지맥에 흐르는 마나 머티리얼량이 우리가 예상한 지맥의 허용 최대치를 넘어섰다는 뜻입니다. 간단히 말하자면, 그 마나 머티리얼 교반장치는 이 정도의 마나 머티리얼을 버틸 수 있는 힘을 지니지 못했어요. 견적이 어설펐다고 하면 드릴 말씀이 없지만, 지맥 쪽으로는 미지의 요소도 많아서——— 뭐, 어쩔 수 없죠."

시트리가 설치한 장치는 아직 파손되지 않았다. 이 지점의 지맥에 흐르는 마나 머티리얼량은 세렌이 지키던 지점보다 조금 적은 것 같다.

세렌의 장치도 처음에는 문제없이 가동되었다. 정말로 버틸 수 있는 아슬아슬한 수준이었을지도 모른다. 팬텀을 쓰러뜨린 직후에 파손된 것을 보면 팬텀이 죽은 결과 발산된 마나 머티리얼 때문에 한계를 넘어 버렸을 가능성도 있다.

하지만, 어찌 됐든 당장 어떻게 해볼 방법이 없다는 건 틀림없다.

"그, 그러면, 어떻게든 되는 거죠?! 왜냐하면, 당신은 제조한 장치를 조정할 수 있다고———."

마법진의 파라미터를 변경함으로써 장치의 크기나 성능을 바꿀 수 있다. 분명히 그렇게 말했을 텐데.

하지만, 세렌의 지푸라기라도 잡으려는 듯한 말에 대한 대답은 너무나도 잔혹했다.

"안 될 거예요. 애초에 저는 이번에 손에 넣은 유리 중 대부분을 써서 가장 강력한 장치를 만들었어요. 재료를 절약하다가 실패하면 모든 게 허사가 되니까요…… 루시아도 장치를 만드는 데 마력을 많이 썼겠죠."

"…………어쩐지, …………어떤 마도사라도 만들 수 있다는 것치고는 소모가 심하다 싶었어."

씁쓸한 표정을 지은 루시아. 어째서 이런 상황에도 아직 차분한 태도를 보일 수 있는 거지?

라피스가 불쾌하다는 듯이 시트리에게 물었다.

"흥…… 그렇군, …………일단 물어보는 거다만, 장치를 개조할 순 없나?"

"곧바로 개조하긴 힘들겠죠. 연구를 다시 시작해야만 하고, 함께 연구하던 동료들은 감옥에———— 아니, 아무것도 아닙니다. 단순해 보여도 일류 마도사들을 모아서 연구한 끝에 겨우 개발한 거라서…….”

마나 머티리얼 관련 연구가 얼마나 어려운지는 알고 있다. 유그드라도 수호 마법을 만드는 데 오랜 시간을 투자했다. 울고 싶었지만, 울고 있을 때가 아니었다.

지금 필요한 것은———— 후퇴다.

이대로 방침을 유지하든, 바꾸든, 여기에서 버티고 있어봤자 아무런 도움도 되지 않는다.

소모가 적을 때 후퇴해야 한다.

한곳으로 모여들었기 때문인지, 이 지점으로 접근하는 팬텀들의 숫자가 꽤 빠른 속도로 늘어나고 있다. 흙으로 만들어진 병사들을 돌격시키고 있긴 하지만, 발목도 붙잡지 못하는 상황.

미레스는 결코 무적이 아니다. 힘도 소모하고, 공격하는 순간에는 방어가 허술해진다. 좀 전에는 이겼지만 100마리, 200마리에게 둘러싸인다면 짓눌려버릴지도 모른다.

마도사는 빈약하다. 우리를 일격에 해치울 수 있는 팬텀 무리와 계속 싸우는 건 그리 현명한 행동이라 할 수 없다.

“후퇴………… 하겠습니다. 뒷일은 유그드라로 돌아간 뒤에 생각하죠.”

잘 풀리지 않는구나……. 아니, 지금까지가 너무 잘 풀린 걸까.

아직 신이 각성할 때까지는 100년이라는 시간이 있다. 그만큼 시간이 있다면 장치의 개량도 분명히 성공할 것이다.

돌아가서 방어에 힘쓴다. 지금은 그게 최선이다.

이번 실패가 괜히 적을 건드린 결과가 되지 않았을까, 그것만이 걱정이다.

"…………의뢰 달성률 100퍼센트라고 들었습니다만, 그《천변만화》도 실패를 하는군요."

미레스를 정신 차리게 해주고, 루인을 되찾아낸 그 솜씨를 너무나도 믿고 있었다.

《천변만화》도 인간이다. 실패할 가능성이 있다는 것도 고려해야 했지만, 종잡을 수 없는 여유로운 태도만 계속 보이는 것도 잘못이라고 생각한다. 지금 상황을 알게 되면 그 맥빠지는 표정도 무너지게 되려나?

시트리가 눈을 깜빡이고《비탄의 망령》동료들과 얼굴을 마주본 뒤에 의아해하는 듯한 표정으로 말했다.

"…………아뇨, 크라이 씨께서는 실패하지 않으세요. 지금 실패한 건 크라이 씨가 아니라 저죠."

"…………네?"

주위를 확인했지만,《천변만화》는 아직 돌아오지 않았다.

그리고《천귀야행》도 보이지 않는데———.

그때, 근처에 있던 큰 나무에서 인간 형태가 떨어져 내렸다.

엘리자 벡이 땅바닥에 슬쩍 착지하고는 시트리를 보며 말했다.

"시트리, 팬텀들이——— 도망치는 것 같아. 아니——— 도망치다기보다는 새로운 목표를 찾아낸 것처럼———."

바람을 가르며 숲속을 재주도 좋게 날았다. 티노의 카 군 조종 실력은 얼마 보지 않은 사이에 더욱 능숙해진 것 같았다. 여기저 기 있는 나무들 사이를 빠르게 빠져나갔고, 가끔 진행 방향을 가 로막는 나뭇가지와 나뭇잎도 앞에서 카 군을 운전하고 있는 티노 가 쳐내 주고 있기에 그 파편조차 내게는 맞지 않았다.

미믹 군과 나, 티노를 태우고도 카 군의 속도는 꽤 빨랐다. 만 약 카 군이 나 혼자 태워줬더라도 내가 조종했다면 나무에 부딪 혔을지도 모르겠다.

카 군을 조종하는 티노의 옆얼굴은 왠지 긴장한 것 같았다.

주물 소동 때 험한 꼴을 당한 지도 얼마 지나지 않았으니, 그런 표정을 지을 만도 하다. 그래도 이번에는 리즈에게 스파르타식 훈 련을 받는 것보다는 나와 함께 도망 다니는 게 더 편할 텐데…….

"이렇게 강한…… 기운이! 멀리 돌아서 들어가고 있는데! 마스 터어, 시선이…… 느껴져요. 이게——— 레벨 10 보물전이군요!"

"…………응, 그래, 그렇지."

끝없는 공포가 느껴지는 목소리. 하지만, 티노의 몸은 이제 떨 리지 않았다.

각오를 다진 모양이다. 절체절명의 상황에서야말로 헌터의 진 가가 드러나는 법이다.

나는 시선이 전혀 느껴지지 않는데…… 이제 아무 말도 안 해야지.

티노는 융단을 조종하면서 가끔 방향도 바꿔가며 앞으론 나아갔다. 눈앞에 있는 소녀가 몇 년 전까지 거친 일과는 인연이 없었다는 걸 누가 믿을 수 있을까. 유일하게 내가 더 뛰어났던 보구를 다루는 솜씨까지 밀리고 있다.

역시 티노를 데리고 오길 잘했다. 이 숲속은 주위 경치가 다들 비슷해서 나 혼자서는 북쪽에 도착하지도 못했을 것이다.

"마스터어…… 저기…… 도착하면 전 뭘 해야 하는 건가요? 한심하긴 해도…… 저기…… 저도 온 힘을 다해 싸울 생각이지만, 【근원의 신전】의 팬텀 상대로는 역부족일지도 몰라요."

"응, 그래, 그렇지. 그래도 괜찮아. 이번 목적은 시간을 버는 거고, 전투 쪽은 내게 책략이 있어. 정 뭐하면 티노는 미믹 군 안에 숨어 있어도 돼."

나도 아마 숨게 될 테니까. 애초에 레벨 10 보물전의 팬텀 상대로 온 힘을 다해 싸울 생각이라니, 티노도 정말 배짱이 좋아진 것 같다.

내 제안을 듣고 티노는 몇 초 동안 심호흡을 하다가 이쪽을 돌아보고 결심한 듯이 말했다.

"아뇨………… 저도, 마스터께 선택받았으니 이번에야말로 기대에 부응할게요!! 숨기만 하면 훌륭한 헌터가 되지 못해요!!"

"…………마, 말 잘했어. 티노, 기특하다, 기특해."

왠지 의욕이 넘치는 모양이다.

그리고 마음이 아프다. 나는 숨기만 해서 훌륭한 헌터가 되지 못하는구나.

티노는 언제나 내 기대에 부응해주고 있다. 이번도 기대했던 것보다 융단 조종 솜씨가 뛰어나다.

솔직히, 길 안내부터 운전까지 전부 티노에게 의존하고 있습니다.

"아, 아뇨, 마스터어께 칭찬을 받을 정도는——— 이 근처가 북쪽이에요. 어디로 내려갈까요?"

티노가 약간 볼을 붉히며 가르쳐 주었다.

북쪽으로 들어왔구나…… 전혀 눈치채지 못했다. 이런, 이런, 이래서 숲은———.

약간 트인 곳에 접어들었다. 장치를 내려놓을 곳도 있으니 이 근처도 괜찮을 것 같은데.

시트리는 마음대로 해도 된다고 했지. 이번 계획의 진짜배기는 시트리 같은 사람들일 테니, 조금이라도 팬텀들의 주의를 끌고 시트리 일행의 부담을 줄일 수 있다면 나치고는 훌륭한 활약일 것이다.

"그럼, 여기서 내려줄래?"

"?! 네? 여, 여기서요?"

티노가 눈을 크게 뜨며 깜짝 놀란 듯한 표정으로 나를 보았지만, 지시대로 융단을 내려주었다.

지금부터는 시간과의 싸움이다.

"나는 준비를 할 테니까, 티노는【근원의 신전】쪽을 경계해줘!"

"겨, 경계고 뭐고,【근원의 신전】은 바로 거기——— 아, 아뇨,

아무것도 아니에요. 알겠습니다.”

“만약에 팬텀들이 다가오면 붙잡아두기만 해. 쓰러뜨려도 되고.”

“흐에?!”

티노가 이상한 목소리를 냈다. 나는 재빨리 미믹 군에게 다가간 다음, 장치를 꺼내 달라고 부탁했다.

미믹 군이 한 아름 정도 크기의 마나 머티리얼 교반장처를 토해냈다.

보면 볼수록 기괴한 장치다. 구조 자체는 단순해 보이는데 어떻게 이런 장치로 눈에 보이지 않는 마나 머티리얼을 조작할 수 있는 걸까…… 이 세계에는 신기한 게 잔뜩 있다.

뭐, 장치의 구조에는 흥미가 없다. 내게 있어서 중요한 것은 기동 방법뿐이다.

마음대로 해도 된다고는 했지만, 일단 기동 시간은 시트리에게 맞추기로 했다. 시계를 보니 아직 시간이 조금 있었기에 이번 비장의 수를 꺼내기로 했다.

티노가 이쪽을 힐끔거리며 보고 있었다. 뭘 할 생각인 건지 신경 쓰이는 모양이었다.

나는 미믹 군에게 하드보일드한 목소리로 지시를 내렸다.

“미믹 군, 저번에 넣었던 주물을 꺼내줘.”

“?! 주물요?!”

티노가 이상한 목소리로 말했다. 나는 티노가 놀라주었기에 만족했다.

내가 가지고 있는 보구 중에 레벨 10 보물전의 팬텀을 상대할 만한 건 존재하지 않는다.

하지만, 보구가 아닌 것까지 포함한다면——— 있다.

얼마 전에 제도에서 일어난 소동의 원인 중 하나. 한 번은 아크를 포함한 초고레벨 헌터들 여러 명을 상대로 대등하게 맞서 싸웠던, 인간이 만들어낸 최악의 저주.

소동이 끝난 뒤에는 어쩌다 보니 내 곁에 남은 최강의 주물이 있다.

미믹 군이 내 부탁을 듣고 주물을 토해내기 시작했다. 십자가 펜던트와 곰 인형. 칠흑의 칼집에 들어있는 검과 뒤틀린 검은색 지팡이.

내가 원한 건 인형뿐이었는데. 뭐, 내가 부탁을 잘못한 거지.

걸리적거리는 검과 지팡이를 그대로 두고 진짜 목적인 인형———
'마린의 통곡'의 목에 펜던트를 걸어주었다.

티노는 내가 꺼낸 물건을 보고는 어리둥절하며 물었다.

"그건, 설마———⋯⋯⋯⋯⋯⋯??? 왠지 제가 알고 있던 물건과 형태가 달라진 것 같네요."

"너덜너덜하길래 리메이크했지."

내가 마린의 통곡을 주웠을 때 인형은 매우 낡은 데다 너덜너덜한 상태였다. 표면은 까맣게 그을렸고, 군데군데가 터져 있던데다 눈과 팔이 떨어져 나가기 직전이었다. 아마 전투에 휘말렸기 때문이 아니라 원래 그런 상태였을 것이다.

마린 때문에 험한 꼴을 당하긴 했지만, 쓰레기 같은 상태가 되어버린 인형을——— 주물을 그대로 내버려 둘 정도로 나는 차갑지 못했다.

헌터들이 애용하는 세정 포션을 사용했고, 터진 부분은 꿰맸다. 솜을 교체하고 옷까지 입혀주었다.

봐주세요. 마치 새것 같죠(새것이라기보다는 아예 다른 것).

"?! 리메이크?! 저주받은 아이템을 리메이크하신 건가요?! 아니, 마린의 통곡은 셰로의 공격을 맞고 소멸했던 거 아닌가요?!"

"그렇게 생각했지? 얌전해졌을 뿐, 사라진 건 아니라고."

제일 처음에 접촉한 건 인형을 수리한 뒤였다. 꿈에 나왔다. 무슨 꿈이었는지는 잊어버렸지만 아마 인형을 수리해줘서 고맙다는 내용이었을 것이다.

보아하니 인간에 대한 살의는 좀 진정된 모양이지만 금방 사라지는 건 아닌 것 같았다.

뭐, 나름 위험 요소가 남아 있다는 건 맞다. 하지만 제도에서 소동이 일어났을 때도 마지막에는 셰로로부터 나를 감싸주었던 걸 보면 나를 그렇게까지 싫어하는 건 아닌 모양이다.

새것이나 마찬가지로 수선된 곰 인형을 땅바닥에 내려놓았다. 사연을 모르면 이렇게 귀여운 인형 안에 광령교회조차 버거워했던 저주가 들어 있을 거라는 생각은 하지도 못할 것이다.

잠깐 기다렸지만, 곰 인형은 마치 평범한 인형인 것처럼 움직이지 않았다. 목에 걸어준 펜던트에는 흑기사도 들어있을 텐데 그쪽도 나올 낌새가 없다.

어제 엎드려 빌면서 싸워달라고 부탁했을 때는 고개를 끄덕여 줬는데, 설마 당일이 되니까 취소할 셈인가? 뭐, 그때는 카 군을 타고 도망칠 뿐이지만———.

………안 나오네. 맞다! 이럴 때는 공물을 바쳐야지.

경의를 나타내면 마린도 분명히 나와줄 것이다. 곧바로 보구가방——— 미믹 군과는 달리 초코바만 수납할 수 있는 결함품 속을 뒤졌다.

항상 가지고 다니는 초코바를 꺼내서 인형의 머리 위에 얹었다. 두 개, 세 개, 그렇게 얹어나가다가 다섯 개를 얹자 누군가가 인형을 옆에서 낚아챘다.

어느새 나타난 건지, 어떤 여자애 한 명이 곰 인형을 꽉 끌어안았다. 그 옆에는 칠흑의 기사가 마치 동상처럼 서 있었다.

마린의 통곡.

비극적인 처지 끝에 저주가 된 소녀. 하지만 그 모습은 처음 봤을 때보다 훨씬 얌전했다. 그을린 듯한 드레스는 그대로지만, 썩어가던 시체처럼 무너져 내리던 얼굴이나 팔다리는 인간이었던 시절의 몸을 되찾았고, 그 표정에는 원한 이외의 감정이 드리웠다.

왠지 기분이 안 좋은 듯 이쪽을 노려보는 마린.

뭐, 겨우 도와주겠다고 허락을 받아냈을 뿐 흔쾌히 승낙해준 건 아니니까 어쩔 수 없지. 적어도 살의를 드러내지는 않았잖아.

손을 모은 다음, 공물로 바쳤다가 땅바닥에 떨어져 버린 초코바를 들고는 마린에게 내밀며 말했다.

"부탁할게. 인형을 파워업시켜 줄 테니까."

"………그, 그러지 마……."

"서, 설마……… 마린의 통곡을 꼬드기실 건가요?! 마스터 어! 아니, 말을 할 수 있었어요?!"

티노가 이상한 목소리로 말했다.

나이스 아이디어잖아. 힘이 없는 자에게는 나름의 전투 방식이라는 게 있는 거니까.

그리고, 셰로도 말을 했으니까 마린이 말을 한다고 해서 이상할 건 없다.

"꼬드기다니, 말이 심하네…… 잠깐 도움을 받을 뿐이야."

여자애를 싸우게 만드는 건 마음에 좀 걸리지만, 마린의 힘이 엄청나다는 건 이미 경험했다. 셰로에게는 당해내지 못했지만 【근원의 신전】의 팬텀은 상대할 수 있을 것이다. 게다가 마린은 실체가 없기에 공격당하더라도 죽을 염려도 없고, 흑기사의 저주도 딸려 있다.

게다가 지금 생각난 건데――― 저주에겐 그 특유의 장점이 있다.

나는 땅바닥에 내려놓았던 검과 지팡이――― 마술학원과 검성 도장을 혼란의 소용돌이에 빠뜨렸던 주물을 가리키며 말했다.

"자, 저 검과 지팡이를 들어."

"…………"

―――그래, 부작용 없이 다른 주물을 쓸 수 있다는 것이다.

주물은 보통 간과할 수 없는 부작용과 맞바꾸어 일반적인 무기와는 차원이 다른 성능을 지니고 있다. 지팡이 쪽은 미지수지만, 마검 쪽은 실제로 검성의 도장을 잔해의 산으로 만들었다. 그렇지 않아도 장난이 아닌 힘을 지닌 마린과 흑기사가 휘두르면 호랑이에 날개 단 격, 내게 보구를 들려준 격이다.

마린과 흑기사는 주물이 없는 상태로도 아크를 포함한 역전의 헌터들 및 광령교회와 대등하게 싸웠다. 무장한 그녀들이라면 팬텀 따위는 몇 마리가 덤벼들어도 상대가 안 될지도 모르지.

마린과 흑기사가 느릿느릿한 움직임으로 저주받은 무기를 들었다.

그때, 티노가 움찔거리며 숲 안쪽을 보았다.

"마, 마스터어, 기척이———— 팬텀이, 다가오고 있어요!!"

"그래, 고마워. 벌써 그런 시간이 되었나…….."

…………아직 장치를 기동시키지도 않았는데, 빠르네. 나는 아무것도 느껴지지 않지만———.

시계를 확인했다. 어느새 예정된 시간이 지난 뒤였다.

마린이 계속 나오지 않아서…… 시트리와 다른 사람들은 이미 장치를 기동시켜버렸을 것이다. 뭐, 모처럼 가지고 왔으니까 이쪽에서도 기동시켜둘까…….

시트리에게 받은 마석을 꺼내 장치의 구멍에 끼워 넣었다.

유리관이 조용히 떨렸다. 소리나 빛 같은 게 발생할 줄 알았는데, 꽤 수수한 반응이다. 이거 정말 기동된 거 맞나?

티노가 눈을 크게 뜨고는 떨리는 목소리로 말했다.

"이 소리, 이 기척———— 발소리를 죽이고 있긴 하지만, 알겠어요………… 어, 엄청난 숫자예요!"

귀를 기울여보았지만, 내게는 바람 소리 말고는 아무것도 들리지 않았다.

도적이 탐색 능력이 뛰어나다고는 해도 티노의 감각은 정말 괴물 같다. 설마 계속 위험한 상황에 처하다 보니 마나 머티리얼의 힘으로 그런 쪽 감각이 강화된 건가?

"오～, 몇 마리 정도 있는데?"

"…………엄청나게 많아요. 다 셀 수도 없을 것 같아요. 아마 이곳이 시트리 언니네보다【근원의 신전】과 가까우니까———."

그렇구나…… 보아하니 미끼의 역할은 제대로 달성할 수 있을 것 같다. 진짜배기가 시트리 쪽이라고는 상상도 못 하겠지.

그건 그렇고 여기가【근원의 신전】하고 가까운 곳이라니. 흐음～, 그런 이야기는 처음 들었는데…….

언제든 도망칠 수 있게끔 미믹 군을 가까이 다가오게 했다. 손가락에 낀 세이프 링을 확인했다.

【근원의 신전】의 팬텀이 얼마나 강한 힘을 지니고 있는지, 나는 잘 모른다. 애들러가 이끄는 군세와의 격돌을 바로 앞에서 보긴 했지만 그때는 그냥 멍하니 서 있기만 했고, 애초에 전력을 정확하게 이해하려면 보는 쪽도 어느 정도 힘이 있어야만 한다.

알아봐야 저항할 수가 없으니 아무런 의미도 없지만─── 뭐, 내게는 세이프 링이 있으니 몇 번 정도는 공격을 당해도 괜찮다.

"티노, 이쪽으로 와."

"?! 네, 네……."

티노가 나무들 건너편을 경계하며 빠른 걸음으로 다가왔다.

경험상, 나와 다른 사람이 나란히 서 있을 경우에는 공격이 내게 먼저 날아든다. 만약 범위 공격을 맞더라도 내 세이프 링으로 함께 지켜줄 수 있고, 상대방의 공격 수단만 알아낸다면 티노가 대처할 수 있을 것이다.

티노의 옆얼굴은 그저 씩씩해 보였다. 긴장은 했어도 위축된 것 같지는 않네. 엄청난 숫자가 다가온다고 방금 말했으면서, 정말 믿음직스럽기 짝이 없다.

뒤쪽으로 물러서자 흑기사가 아무런 감정도 드러내지 않은 채 앞으로 나섰다. 그 뒤를 따르는 형태로 마린도 흑기사 옆에 슬쩍 섰다. 마린은 지팡이를 쥔 채 어두운 표정으로 숲을 보았다.

……………어라? 그러고 보니 이제 와서 하는 이야기인데, 마린은 마도사였나?

"윽………… 와, 와요!!"

티노가 숨이 막힌 듯한 목소리로 말했다. 그녀의 하얀 볼에 땀이 한 줄기 흘러내렸다.

나는 그제야 우리가 포위당했다는 사실을 눈치챘다.

어느 정도 트인 곳을 골라서 내려오긴 했지만, 몇 미터만 가면 깊은 숲이다. 푸르게 우거진 큰 나무 위에, 한 아름이나 되는 줄기 그늘에, 칠흑의 가면으로 얼굴을 가린 인간형 팬텀들이 있었다.

아마 열 마리 이상은 있는 것 같다. 대체 어느새 이렇게 가까운 거리까지 다가온 거지?

팬텀들은 숨지 않았다. 만약 저렇게 강한 팬텀들이 온 힘을 다해 숨으려 했다면 이렇게 가깝게 다가온 상태라 해도 나는 눈치채지 못했을 것이다. 그들의 전의를 나타내주는 모습일지도 모르겠다.

"허억, 허억…… 마스터어…… 마도사형과 도적형이에요. 모두 숲속에서 싸우는 데 익숙해요!!"

나뭇가지와 나뭇잎이 스치는 소리. 나무 위에서 검은 그림자가 움직였다. 무엇보다 조용하고, 무엇보다 빨랐다. 하지만, 그 이상으로 무시무시한 건 팬텀들이 아직 공격을 가하지 않는다는 점일 것이다.

뛰어난 지성이 있다. 통솔되고 있다. 아마 확실하게 우리를 해치우기 위해서.

그 기척에 주눅이 든 건지, 상대가 거의 움직이지 않았는데도 티노의 숨소리가 거칠어졌다.

"……세렌은 죽이지 말라고 했는데 말이지……."

"윽……."

티노가 살짝 숨을 들이마시고는 자연스러운 움직임으로 자세를 잡았다. 무기 같은 건 들고 있지 않은 맨손.

이제 와 생각해보면 티노는 언제나 무기를 들고 있지 않던 것 같다. 루크조차 목검을 쓰고, 리즈도 무기를 쓸 때는 쓰는데. 어째서 티노가 제일 근육뇌인 건지——— 아니, 아니, 지금은 그런 생각을 할 때가 아니다. 티노를 싸우게 만들 생각은 없다.

흑기사가 검을 뽑아 들며 지면을 세게 박찼다. 몇 미터 거리를 단숨에 좁히는 달인의 접근. 하지만, 결과적으로 그것은 실패로 끝났다.

나무 위에서, 나무 그늘에서, 사방팔방에서 수많은 화살이 날아들었다. 흑기사가 파고드는 것보다 빠른 속도로.

폭풍 같은 공격에 흑기사가 대처했다. 화살을 쳐내는 날카로운 소리가 울렸다.

어떤 원리일까. 화살의 사출 속도는 거의 탄막 같아서 내 눈에는 선이 모여 있는 것처럼 보였다. 그것들을 전부 쳐내는 요격 소리도 거의 이어져서 들렸다.

그곳에는 나 따위가 상상도 할 수 없는 절기와 절기의 충돌이 있었다.

"윽………… 이렇게, 빠르다니───── 움직일 수 없어요!! 우리를 노리고 있어요!"

화살이라는 건 보통 총기나 화기보다 사출 속도가 느리다. 하지만 이 화살의 폭풍은 사그라들 낌새를 보이지 않았다. 수백, 수천 명이 일제히 쏘고 있는 것만 같다.

잘려나가 지면에 박힌 화살이 큰 구멍을 뚫었다. 마치 폭탄이다. 활은 마이너한 무기지만, 결코 약한 무기는 아니다. 실제로 스벤은 활을 주무기로 삼아 별명을 얻는 경지까지 도달했다.

그 화살 한 발 한 발은 필살의 위력을 자랑하고 있었다. 흑기사는 마검의 힘과 무시무시한 검술 실력으로 그것들을 쳐내고 있지만, 한 발짝도 앞으로 움직이지 못하고 있었다. 아니, 조금씩 후퇴하고 있다. 위험한 적이다. 우리가 표적이 되지 않은 건 한 명씩 해치울 셈이기 때문인가?

그때, 고전하는 흑기사를 보고 각오를 다진 건지 마린이 앞으로 나섰다.

슬픔과 불안함이 뒤섞인 듯한 표정. 살짝 벌린 입술에서 나온 앙칼진 비명이 조용한 숲을 뒤흔들었다.

그 저주의 이름의 유래가 되었으며, 들은 자를 죽이고 물리적인 힘조차 지니는 마린의 '통곡'.

광령교회를 뒤흔들었던 그 힘에 화살의 선이 한순간 떨렸다.

그리고——— 티노가 떨리는 목소리로 말했다.

"??! 마, 마스터어, 왠지 약해지지 않았나요?!"

"……약하네."

이상하다. 너무 뜻밖이다. 광령교회에서 싸웠을 때, 마린은 이정도가 아니었다. 그것은 혼조차 얼어붙게 만들고 무방비하게 들은 자를 기절시키는 힘, 그야말로 최강의 저주라는 이름에 어울리는 힘을 지니고 있었다.

하지만 방금 그 통곡은 평범한 비명이다. 힘이 전혀 없는 건 아니지만 교회에서 벌어진 전투를 알고 있는 입장에서 보기에는 기대에 너무나도 못 미친다. 그리고 보니 그때는 검은 불꽃 같은 걸로 흑기사의 방패라든가 만들지 않았던가? ……그건?

공격을 당하자 팬텀들의 표적이 바뀌었다. 화살 중 일부가 필사적으로 통곡하는 마린에게 날아가 그 자그마한 몸을 꿰뚫어서 날려버렸다. 손에서 주물 지팡이가 떨어져 발치로 굴러갔다.

날아간 마린에게 정신이 팔린 건지, 흑기사가 화살을 제대로 맞고 날아갔다. 흑기사는 그대로 땅에 몇 번 튕기고는 큰 나무뿌리 근처에 부딪혔다. 뿌리를 제대로 내린 커다란 나무가 충격으로 인해 크게 흔들렸다.

저게 정말 화살에 맞은 건가, 싶을 만큼 무시무시한 위력이었다. 공격이 멈추고 정적이 돌아왔다.

나였다면 즉사했을 것이다. 하지만…… 그들은 내가 아니다.

"??! 서, 설마………… 저기………… 원한이 거의 사라진 거 아닐까요? 애초에 인간이 하는 말을 들어준 시점에서 꽤 인간스럽잖아요?!"

"…………하, 하긴, 그렇게 생각할 수도 있겠네."

완전히 까맣게 잊고 있었다. 저주라는 것은 술식으로까지 승화된 강한 감정의 발로. 원한이라는 감정이 희미해지면 힘도 약해진다. 봉인하지도 않았는데 얌전히 지내던 시점에서 이미 예상했어야 했다.

큰일이네. 예상이 완전히 빗나갔어. 마린에게 전부 떠넘기려 했는데―― 어쩌지?

멀리 날아간 마린이 공중을 미끄러지듯 떠올라 돌아왔다.

약해진 상태로도 광령교회에서 보여주었던 마린의 불사신 같은 모습은 건재한 모양이었다. 화살이 완전히 몸의 중심에 박혔는데, 그녀의 몸에는 상처가 없었다. 하지만 그녀의 표정에는 두려움과 당황이 드러나 있었다.

"??? 어, 어째서??"

당황한 듯한 목소리로 말하는 마린. 내가 물어보고 싶을 정도인데……. 보아하니 본인도 힘을 잃었다는 걸 눈치채지 못하고 있었던 모양이다.

아무래도 흑기사의 힘 또한 마찬가지로 약해진 듯하다. 세로에게 한번 삼켜졌던 것도 원인일지 모르고, 내가 소중히 다뤄줘서 미련이 사라졌을지도 모른다. 적이었을 때는 그렇게 강했는데, 아군이 되자마자 약해지다니ㅡㅡㅡ.

한 시간 전에 가르쳐줬으면 했는데. 팬텀에게 습격당하고 나서 그 사실을 알게 되는 건 타이밍이 너무 안 좋다.

"…………아, 아직 멀었어."

"?!"

다른 책략도 없으면서, 자포자기하듯이 그렇게 말했다. 마린이 깜짝 놀란 듯이 나를 보았다.

원래는 마린의 힘이 통하지 않아서 시간을 버는 데 실패하면 곧바로 도망칠 생각이었지만, 그 사출 속도ㅡㅡㅡ 루시아의 공격 마법에 필적할 만큼 거센 화살의 폭풍을 과연 벗어날 수 있을까?

뛰어난 사수(아처)는 1킬로미터 이상 떨어진 곳에서 저격하는 것도 가능하다고 한다. 레벨 10 보물전의 팬텀이라면 시력도 엄청날 것이다. 어디에서든 화살이 날아오겠지.

사격은 멈췄다. 하지만 팬텀들은 아직 떠나지 않았다.

조용히. 그리고 불길하게. 가면이 이쪽을 관찰하고 있다.

내동댕이쳐졌던 흑기사가 비틀거리며 돌아왔다. 갑옷이 찌그러졌고 커다란 구멍이 뚫리긴 했지만, 다행히도 아직 움직일 수 있는 것 같았다.

흑기사가 검을 들고 마린을 지키려는 듯이 앞으로 나섰지만 전방위에서 노려지는 상황이기에 별로 믿음직스럽진 않다.

"마스터어ㅡㅡㅡ 상대 쪽에는 아직 마도사가 있어요."

"왜 공격하지 않는 것 같아?"

"⋯⋯⋯⋯저, 저희 역량을, 재보고 있는 것 같아요. 전투를 확실하게 끝내기 위해서⋯⋯ 헌터들도 처음 싸우는 마물일 경우에는 지켜보곤 하니까요. 아니면 동료들을 기다리고 있을 가능성도————."

그렇구나⋯⋯ 고레벨 보물전의 팬텀 특유의 행동인 거야. 불행 중 다행이라고 해야 하나.

이대로 계속 상황을 지켜봐 주면 안 되나⋯⋯.

팬텀들을 경계하며 발치에 떨어져 있던 지팡이를 주워든 다음, 티노에게 말했다.

"티노, 미믹 군 안으로 도망쳐."

마린과 흑기사는 강하다. 아니, 약해져 버린 것 같긴 하지만 저주라는 건 애초에 일반적인 공격으로는 쓰러뜨릴 수가 없다. 그리고 내게는 세이프 링이라는 보험이 있지만, 티노에게는 없다.

미믹 군 안으로 도망치고 나서 어떻게 할 건가 하는 문제가 있긴 하지만, 여기서 싸우는 것보다는 나을 것이다.

내 말을 들은 티노가 입술을 꽉 다문 채 이쪽을 올려다보았다.

그 아름답고 까만 눈은, 당장에라도 울음을 터뜨릴 듯이 일그러져 있었다. 그리고 티노가 떨리는 목소리로 말했다.

"아, 아뇨———— 이번에는, 저도 싸우겠어요!!"

"⋯⋯⋯⋯뭐?"

"역부족이라는 건 저도 알아요. 언제나⋯⋯ 언제까지나 마스터어———— 마스터께 보호만 받을 수는 없어요!! 제가 수행하는 건,

마스터와 함께 싸우기 위해서니까요!!"

말을 끝까지 마친 뒤에는 목소리에서 떨림이 사라져 있었다. 티노가 팬텀들을 노려보았다.

그 말에 담긴 것은 강한 각오. 마린도 흑기사도 티노를 보고 놀란 모양이었다.

……나도 티노를 도망치게 한 다음에 도망칠 생각이었는데, 그런 말을 꺼낼 분위기가 아니네.

하드보일드한 미소를 지은 내게 티노가 작은 목소리로 말했다.

"상대방은 신중해요. 그리고, 아직 저희 쪽 전력을 관찰하고 있죠. 파고들 빈틈은 있을 거예요. 저는 거리를 좁히지 못하면 아무것도 할 수가 없어요. 제가 앞으로 나설게요."

??? 좀 전에 흑기사가 앞으로 나가려다 집중포화를 맞은 걸 못 본 거야?

"비록 저라도 일단 돌격하면 무시하지 못할 거예요. 제가 빈틈을 만들게요. 마스터께서는 공격해주세요!"

"…………화살 공격을 어떻게든 할 수 있어?"

"셋이서 돌격하면 공격이 분산될 거예요. 기합으로…… 피할게요."

티노가 주먹을 쥐고는 마치 자기 자신을 타이르는 듯한 말투로 말했다. 너무 무모해서 웃음이 나왔다.

무모하지만, 그 무모함——— 용기는 분명 내 소꿉친구들에게 물려받은 것이다. 왠지 책임이 느껴진다. 괜찮아…… 도망칠 거니까 그렇게까지 힘내지 않아도 괜찮다고.

만약 싸운다 하더라도 그 역할은 바람직하지 못하다.

나는 전투 능력이 거의 없는 수준이니까, 메인 어태커는 나 말고 다른 사람이 맡아야……

한숨을 쉰 다음, 용감한 후배의 어깨를 잡고 앞으로 나서며 말했다.

"티노, 용기는 헌터의 적성이야. 하지만 잊어선 안 돼. 이번 목적을."

비슷한 말을 【흰 늑대 소굴】에서도 했던 것 같다.

"목……적…………!!"

티노가 눈을 크게 떴다. 그렇다. 이번 목적은 적을 쓰러뜨리는 것이 아니다.

마린과 흑기사들을 내보낸 건 시간 벌이의 일환이다. 더 따지자면, 우리는 장치를 지킬 필요조차 없다.

팬텀들은 아직 상황을 지켜보고 있다. 시트리는 보물전을 약화시키면 형태를 유지할 수 없게 될 거라고 했는데, 사라질 때까지 시간이 얼마나 필요한 거지? 지금 당장 사라져 주면 좋겠는데…….

일단 티노가 내 지시에 따라 미믹 군 안에 숨을 수 있게끔, 자신만만하게 말했다.

"내게는──── 책략이 있어."

"윽?!"

그때, 갑작스럽게 폭발 같기도 한 파쇄음이 울려 퍼졌다.

사고가 새하얗게 물들었다. 위쪽에서 유리 파편이 반짝반짝 떨어져 내려 반사적으로 그쪽을 보았다.

마나 머티리얼 교반 장치가 반쯤 부서졌다. 이곳저곳에 까만 화살이 박혀 있다.

아무런 반응도 보이지 못했는데, 팬텀들이 장치를 공격한 모양이었다.

장치에 대해서는 모를 텐데………… 머리가 좋구나, 너희들.

"?! 마스터!"

"지, 진정해, 티노. 장치 같은 건 필요 없어."

중요한 건 우리 목숨이다. 보아하니 그들의 약체화를 기다리고 있을 시간은 없는 모양이다.

갑자기 세이프 링이 발동되었다. 화살이 세차게 튕겨 나간 뒤에야 공격당했다는 사실을 눈치챘다.

그 속도는 완전히 내 지각 능력을 뛰어넘었다. 회피 같은 걸 생각할 수준이 아니다.

흑기사가 검을 휘둘러 화살을 쳐냈고, 마린이 약해진 통곡으로 팬텀들을 위협했다. 티노가 필사적인 표정으로 숨을 살짝 내쉬고는, 멍하니 서 있는 내 앞에서 주먹을 휘둘렀다.

화살 몇 발이 땅바닥에 박혔다. 궤도를 흘린 건가…… 내게는 보이지도 않는 레벨 10 보물전의 팬텀이 날린 화살을 맨손으로 흘리다니, 괴물이야?

"윽! 마, 마스터, 마도사가, 힘을 모으고 있어요!"

티노가 비명 같은 목소리로 말했다. 아무래도 팬텀들이 상황을 살피기를 그만둔 모양이었다.

내 귀에도 파직파직, 번개 같은 소리가 들렸다.

하늘을 보았다. 사방에서 하늘로 빛이 모여들고 있었다. 마도사의 마술은 규모에 비례해서 힘을 모으는 시간이 길어진다. 게다가 이건——— 의식 마법이다. 여러 마도사들이 힘을 합쳐 날리는 강력한 일격. 화살로 견제하면서 모든 것을 날려버릴 셈이다.

뭐, 그래도 내게는 세이프 링이 있으니까. 이번에는 아직 하나밖에 기동되지 않았으니 여유가 있다.

"?! 마, 마스터어, 갑자기 무슨——— 꺄악?!"

표정이 굳은 티노를 끌어당겼다. 세이프 링은 기본적으로 1인용이지만, 밀착하면 아슬아슬하게 두 명까지 지킬 수 있다. 마린하고 흑기사는 뭐, 지켜주지 않아도 어떻게든 되겠지. 저주니까.

그리고, 별생각 없이 지팡이를 들어 올리려 하다가 눈치챘다.

지팡이가——— 무겁다. 들어 올릴 수가 없다. 재빨리 아래쪽을 보았다.

지팡이 끄트머리가 땅바닥에 파묻혀 있었다. 아니——— 파묻혀 있다는 표현은 정확하지 않을 것이다.

지팡이 끝에서 뻗은 뿌리가 대지에 박혀 있다. 촉수처럼 생긴 뿌리가 현재진행형으로 꿈틀대며 땅바닥을 기는 중이다. 힘을 줘서 뽑아내려 해도 빠지지 않는다. ·········특이한 지팡이네.

내가 끌어안긴 티노가 발치를 눈치채고 굳었다.

그리고, 땅바닥을 기던 뿌리가 갑작스럽게 방향을 틀었다.

뿌리가 노리고 있던 것은——— 하늘 위에서 구축되어 가던 파괴의 에너지였다. 수많은 뿌리가 빛에 닿았다가 멀리 튕겨 나갔다.

뿌리 중 절반이 타버렸고, 그을린 듯한 냄새가 주위에 가득 찼다. 하지만 지팡이는 포기하지 않았다.

더 많이 갈라진 수많은 뿌리가 상처 입는 것도 아랑곳하지 않고 빛으로 쇄도한 것이다.

발치가 크게 흔들렸다. 대지가 갈라지고 까만 것들이 솟구쳤다.

아래쪽을 보았다. 그것은, 줄기였다. 지팡이와 똑같은 색을 한 칠흑의 줄기. 보아하니 땅바닥에 박힌 지팡이가 땅속에서 성장하고 있었던 모양이다.

떨어질 뻔했기에 급하게 지팡이를 잡았다. 미믹 군은 팔을 뻗어 줄기를 잡았다.

영문을 알 수 없는 상황에 미소를 지어버린 내 곁에서 티노가 소리쳤다.

"?! …………이, 이건………… 검은 세계수!!"

그 말을 듣고 나는 눈을 크게 떴다.

그것은 제블디아 마술학원을 반쯤 무너뜨린 주물의 이름. 최종적으로 루시아와 레벨 8 헌터, 《심연화멸》 로제마리 퓨로포스가 잿더미로 만들었다.

그리고 그 재를 재료로 만들어낸 것이——— 이 지팡이다.

완전히 잊고 있었다. 아니, 그…… 지팡이를 만든 건 내가 아니니까.

"……재로 변해서 다시 만들어졌는데 살아 있었다니, 무섭네."

팬텀들이 만들어낸 빛은 뿌리를 맞을 때마다 조금씩 어두워졌고, 나중에는 삼켜졌다.

주물 도감에 나와 있던 정보를 떠올렸다.

검은 세계수는 세계수의 모조품인 모양이다. 지맥으로부터 힘을 빨아들여 거대하게 성장하는 세계수와는 달리, 모조품은 능동적으로 생물을 덮쳐서 마력을 먹는다. 제블디아 마술학원에서도 수많은 마도사의 공격 마법을 먹고 학교 건물보다 클 정도로 성장했었다.

하지만, 지금 검은 세계수의 성장 속도는 그때보다 더 빠른 것 같다. 시점이 단숨에 올라갔다.

지면을 가르고 성장한 검은 세계수는 마치 검은 거인 같았다.

원래 형태를 유지하고 있는 지팡이 부분을 필사적으로 잡은 채그 거인의 머리에서 떨어지지 않게끔 달라붙었다.

다행히도 아직 이 나무는 나나 티노에게 흥미가 없는 듯하다.

팬텀들이 일제히 공격을 개시했다. 우리에게 날아들던 화살이, 새롭게 구축된 공격 마법이, 검은 세계수의 줄기를 뚫었다.

거센 진동이 우리를 덮쳤지만 검은 세계수는 무너지지 않았다. 이미 그 크기는 화살에 뚫린 정도로는 무너지지 않을 정도로 거대해졌다. 크게 뚫린 구멍도 그보다 빠른 속도로 회복되고 있다.

"마, 마스터어, 이거—— 지맥으로부터 마나 머티리얼을 빨아들이고 있는 거 아닌가요?!"

"어?"

"제제, 제가, 그 이후로 공부했는데요—— 검은 세계수는 마나머티리얼이 없으니까 어쩔 수 없이 마력을 빼앗는 거라고——."

큰일이네…… 궁지에서 벗어난 것 같긴 한데, 우린 터무니없는 괴물을 부활시켜버렸는지도 모르겠다. 같은 주물인 데도 얌전해진 마린과 흑기사에 비해 엄청나게 날뛰고 있다. 마술학원에서 봤을 때보다 더 심각할지도 모르겠다.

티노가 깜짝 놀라며 소리쳤다.

"서, 서서서, 설마, 이런 책략이——— 존재한다니——— 마스터어! 마스터어어!!"

"……응, 그래, 그렇지."

설마 이런 책략이 존재했다니 말이야·········· 이런 책략이 존재하겠냐고!

팬텀들이 경계하는 듯이 거리를 벌렸다. 검은 세계수의 움직임이 한순간 멈췄다.

추격을 포기한 건가? 역시 대미지가 컸던 건가?

침을 삼키며 상황을 지켜보던 우리 밑에서 갑자기 지면이 떨렸다.

검은 세계수의 꼭대기에서 내려다본 광경, 그것은 마치 천재지변 같았다.

넓은 범위의 지면이 부서지고, 갈라진 부분에서 까만 뿌리가 튀어나왔다.

바로 아래쪽에서 날아든 기습이라는 지극히 특수한 공격. 튀어나온 수많은 뿌리는 마치 숙달된 창병의 공격처럼 빠르고 예리했기에 피할 방법이 없었을 것이다.

수많은 뿌리가 팬텀들에게 달라붙었다. 팬텀들은 뿌리를 자르려 했지만, 마술을 흡수하고 큰 구멍이 뚫려도 재생하는 뿌리로

부터 도망칠 수 있을 리가 없었다. 아무리 【근원의 신전】의 팬텀
이라 하더라도 도적이나 마도사에게 구속을 뿌리칠 만한 힘은 없
었던 모양이다.

우리와 마찬가지로 성장한 줄기에 달라붙은 주물 동료, 마린과
흑기사도 검은 세계수가 폭주하는 모습을 보고는 멍하니 서 있었
다. 나도 멍하니 서 있고 싶은데. 이 상황——— 어쩌면 운이 좋
은 거 아닐까?

적어도 팬텀들보다는 이 검은 세계수가 살의는 더 약할 것이
다. 뭐, 세렌하고 했던 약속——— 최대한 죽이지 않는다는 약속
은 지킬 수 없을 것 같지만, 그건 어쩔 수 없다.

힘이 밀집해 있는 이 숲은 세계수에게 절호의 사냥터겠지. 뿌
리가 맥박치며 점점 성장해 나갔다. 모조품이라고는 해도 역시
세계수를 목표로 삼을 만하다.

우리를 노리지 않는다고 해도 이렇게 크니 미끄러지면 뭉개질
것이다. 그런 상황만큼은 피해야지——— 그렇게 생각한 순간,
팬텀을 감싸고 있던 뿌리가 꿈틀대며 안에 들어 있던 것을 땅바
닥에 토해냈다.

그걸 보고 나와 같이 지팡이에 달라붙어 있던 티노가 몸을 앞
으로 내밀며 소리쳤다.

"?! 아, 안에서, 정령인이 나왔어?! 그런 건가요?!"

진짜로?! …………아니, 나하고 똑같은 상황인데 기운이 넘치
는구나, 너.

자세히 살펴보았지만 한참 밑에서 일어난 일이라 잘 보이지 않

았다. 시력이 그렇게까지 나쁘진 않은데 말이다.

유그드라의 백성들이 팬텀으로 바뀌었다는 이야기는 들었다. 피니스가 지닌 힘으로 마나 머티리얼을 소멸시킴으로써 구해낼 수 있는 것 같다는 이야기도.

지맥에서 마나 머티리얼을 빨아들일 수 있다면, 팬텀에게서도 빨아들일 수 있을 것이다.

검은 세계수가 붙잡은 팬텀들을 차례차례 내팽개치기 시작했다. 이제 볼일이 없다는 것처럼.

내팽개쳐진 팬텀——— 정령인들은 움직이지 않았다. 하지만 아마 죽지는 않았을 것이다. 마술학원에서 사건이 일어났을 때도 죽은 사람은 없었던 모양이고———.

티노가 눈을 크게 뜨고 전장을 바라보며 흥분한 듯이 말했다.

"이렇게 빨리——— 저렇게 많이…… 피니스의 고갈보다도 효율이 좋네요! 마스터어! 검은 세계수에 이런 능력이 있었다니…… 헉! 서, 설마…… 제도에서 일어났던 주물 소동은——— 예행연습이었던, 건가요?!"

대체 뭘 어떻게 생각하면 그런 결론이 나오는지 이해가 잘 안 된다.

자랑은 아니지만, 이번에도 내 생각대로 된 건 하나도 없다.

"정말, 대체 몇 명이나 팬텀이 된 건데……."

작은 목소리로 그렇게 불평하는 동안에 숲이 조용해졌다. 그사이 이쪽으로 공격이 날아온 적은 한 번도 없었다. 너무나도 일방적이다.

끈기는 정말 중요하구나…… 설마 추정 레벨 10 보물전의 팬텀들이 아무것도 못 해보고 당해버릴 줄이야.

맛있는 먹잇감을 대충 다 먹어치운 검은 세계수가 움직임을 멈췄다.

만족했다면 이제 다시 지팡이로 돌아가 줬으면 하는데…… 내팽개쳐진 사람들의 상태도 확인하고 싶으니까.

성장에 성장을 거듭한 그 크기는 이미 숲에 자라난 큰 나무들보다 컸다. 그렇게 작은 지팡이가 이렇게까지 거대한 나무가 될 줄이야, 마나 머티리얼을 얼마나 빨아들인 거지?

──하지만, 진짜 세계수보다는 훨씬 작다.

세계수는 코앞에 있다. 그래도 몇 킬로미터는 떨어져 있겠지만, 이렇게 높은 곳에서 보니 세계수가 얼마나 큰지 알 수 있을 것 같다.

싸늘한 바람이 불자 무심코 몸을 떨었다. 그때, 검은 세계수가 천천히 움직이기 시작했다.

──세계수가 솟아오른 쪽으로.

보아하니 이 나무는 팬텀들 무리로부터 힘을 흡수한 정도로는 만족하지 못한 것 같다.

티노도 눈치챈 건지, 당황한 듯이 보고해 주었다.

"마, 마스터어, 이 애──【근원의 신전】으로 다가가고 있는데요?!"

"……그거 큰일이네."

생물이라면 본능으로 위험하다는 걸 이해할 텐데, 이 나무에는 그런 게 존재하지 않는 모양이다.

아무리 상성이 좋다 해도 신의 팬텀이 있는 적의 본거지로 쳐들어가는 건 그냥 내버려 둘 수가 없다. 만에 하나, 침입에 성공해서 더 성장한다 하더라도 그것 또한 골치 아파질 것 같고…….

시간 벌이는 이제 충분할 것이다. 장치가 부서진 이상 여기에 머무를 이유도 없고, 시트리와 다른 사람들이라면 이 검은 세계수도 어떻게든 해줄 것이다.

"좋아…… 시트리네가 있는 곳으로 데리고 갈까."

"?! 어, 어떻게, 말씀이신가요?!"

"그야 뭐…… 그거야, 그거, 그거. 말의 머리 앞에 당근을 매다는 것처럼———."

이 검은 세계수는 처음에 먼저 팬텀을 공격했다. 아마 【근원의 신전】으로 가는 것을 그렇게 우선하고 있진 않을 것이다.

"그, 그런데………… 당근이라면 뭘 미끼로 삼으실 건가요? 저희에게는 흥미가 없는 것 같은데———."

"음~, 그러게………… 학원에서는 마도사를 표적으로 삼았다고 했는데……."

다시 말해, 이 나무는 마력이나 마나 머티리얼에 이끌린다는 뜻이다. 마린을 노리지 않는 건 같은 주물이기 때문일까, 아니면 마린에게는 마력이 없기 때문일까.

끌어들일 수만 있다면 유도도 분명히 어떻게든 될 것이다. 보구에 반응해주면 편할 텐데, 보구에는 흥미가 없는 것 같다. 일단 마력이 꽤 많이 담겨 있긴 한데. 검은 세계수가 덮치는 기준을 잘 모르겠다.

나는 살짝 한숨을 쉬고는 반쯤 포기한 기분으로 미믹 군에게 말했다.

"미믹 군, 마력이 담겨 있는 것들 중에서 보구가 아닌 것 좀 꺼내줘."

미믹 군의 성능은 대충 파악했다. 그는 매직 백으로서는 더할 나위 없이 뛰어난 능력을 지니고 있지만, 그래도 없는 물건을 꺼내주진 못한다.

하지만, 미믹 군은 망설이지도 않고 천주머니 하나를 토해냈다.

아무런 특징도 없는 주머니다. 본 적이 있는 것 같기도 하고, 없는 것 같기도 하고———.

쿠웅, 쿠웅, 발소리를 내며 움직이던 검은 세계수가 멈췄다. 나는 눈을 깜빡인 다음, 각오를 다지고 주머니를 열어 안을 들여다보았다.

그 안에 들어있던 것은——— 금빛과 은빛 실이었다. 가늘고 윤기가 있는 데다 만져보니 시원한 실.

아니, 정확하게 말하자면 실이 아니다. 나는 그것을 꺼내 빤히 바라보다가 눈을 크게 뜬 채 굳어 있던 티노에게 건넸다.

이건——— 머리카락이다. 세렌을 구해냈을 때 억지로 받게 되었던 아스톨 일행의 머리카락. 마술에 적성이 있는 정령인의 머리카락. 강력한 마술 촉매로 이용할 수 있으며, 정령인에게 있어서는 목숨과 긍지 다음으로 소중한 물건.

그것에는——— 정령인의 강력한 마력이 깃들어 있다.

깜짝 놀란 티노. 그녀의 좌우에서 까만 나뭇가지가 세차게 뻗었다.

나는 티노가 붙잡히기 전에 빠르게 말했다.

"티노, 카 군을 이용해서 유도 좀 부탁할게."

그것은 수백 년의 세월을 살아온 세렌도 도저히 이해할 수 없는 광경이었다.

지금까지 본 적도 없는 칠흑의 거인이 숲속을 나아가고 있었다. 그 크기는 숲을 구성하고 있는 큰 나무보다 훨씬 컸고, 그 몸에서는 수많은 촉수 같은 것들이 뻗어 나와 있었다.

아니——— 거인이 아니다. 그것은 식물이었다.

지금까지 유그드라를 둘러싼 숲속에서 풀과 나무를 어여삐 여기며 살아온 세렌도 본 적이 없는 칠흑의 나무. 발처럼 뿌리를 다루며, 팔처럼 나뭇가지를 다루는 그런 기묘한 식물.

수많은 나뭇가지 끝에 있던 것은 그 인간과 함께 행동하던 티노였다.

융단을 조종하며 이리저리 뻗은 나뭇가지를 필사적으로 피하고 있었다.

검은 세계수의 몸에 흐르는 것은 막대한 힘, 마나 머티리얼과 마력.

아니—— 정확하게 말하자면 그게 아니다. 혼란스러워서 멈춰버릴 것 같은 생각을 억지로 움직였다.

"마나 머티리얼을 흡수하고 있어…………?"

무엇보다 주목해야 할 곳은 커다란 나무가 지나온 흔적이었다.

마치 물이 높은 곳에서 낮은 곳으로 흐르는 것처럼, 공기의 마나 머티리얼이 커다란 나무를 향해 흘러들고 있었다. 마나 머티리얼을 빨아들이고 있는 것이다.

좀 전까지 기동되었던 교반장치가 빨아들였던 마나 머티리얼도 그쪽으로 끌려가고 있다. 마나 머티리얼의 흐름이 생겨나고 있다.

그것은 우연히도 좀 전까지 세렌 일행이 하려던 일이기도 했다.

"저건…………………………."

루시아가 눈을 크게 뜨며 소리쳤다. 하지만, 그 이상 의미를 지닌 단어가 입술 밖으로 새어 나오지는 않았다.

분명 저것을 알고 있는 자의 반응이다. 정색하며 굳은 루시아 다음으로 다른 《비탄의 망령》 멤버들이 말을 이었다.

"…………크라이, 화려하네."

"………………으음."

"아~, 아~, 아~, ……그, 그렇군요…… 그런 수가, 있었나요. …………아니, 저에게는 불가능하겠지만요!!"

"……꽤 신기한데, 약한 인간은 저런 짓을 자주 저지르는데도,

어째서 아직 잡혀가지 않은 거냐? 입니다."

"흥…… 인간도 의외로 너그러운 건지도 모르겠군."

미레스를 날려서 확인했다. 보아하니 그 인간은 저 까만 나무 위에 있는 모양이었다.

그렇다면 이게 좀 전에 시트리가 말했던 《천변만화》의 책략인가…….

마나 머티리얼 교반장치만 하더라도 세렌은 도저히 떠올릴 수 없는 책략이었는데, 이번 책략은 뭐가 뭔지 전혀 알 수가 없다. 《천변만화》의 책략을 보고 나니 시트리가 입안한 책략이 얌전해 보였다.

티노가 융단을 필사적으로 조종해서 공격을 피하며 비명처럼 외쳤다.

"시트리 언니이이이이이이이이이이이! 살려주세요오오오오오오오오오오오!"

"……! 티! 장치를 설치하는 위치, 기억하고 있지?! 선을 따라가!"

시트리가 외쳤다. 시트리는 마나 머티리얼의 상태를 눈으로 확인할 수 없겠지만, 세렌이 한 말을 듣고 단숨에 무슨 상황인지 이해한 모양이었다. 저 나무를 이용해서 새로운 방법으로 목적을 달성할 셈이다.

"?! 어, 어째서요오오오오오오오오오오오오오?!"

"됐으니까 해! 티! 아니면 나랑 교대하든가!!"

"하, 할게요오오!!"

나무의 공격은 그렇게까지 빠르지 않았지만, 일단 숫자가 많았다. 잡히면 뭔진 몰라도 험한 꼴을 당하는 건 확실할 것이다.

세렌은 티노의 새파랗게 질린 표정이 예전의 자신과 겹쳐 보였기에 눈을 돌렸다.

안타깝게도 도망치지 말라고 할 순 없다. 세렌이 할 수 있는 건 아무것도 없다.

그때, 지금까지 티노를 쫓아오던 나무가 갑자기 멈췄다.

뻗어가던 나뭇가지가 티노를 쫓아가다가 멈추자 숲에 정적이 돌아왔다.

세렌과 마찬가지로 멍하니 나무를 보고 있던 크류스가 의아해하는 목소리로 말했다.

"?! 머, 멈췄다…… 입니까? 약한 인간, 무슨 짓을 할 셈이냐, 입니다!?"

"……애초에 저게 뭔지 잘 모르겠습니다만…… 컨트롤할 수 있는 건가요?"

티노가 필사적으로 도망치던 걸 고려하더라도 도저히 제어하고 있는 것처럼 보이진 않는데———.

정지한 나무를 다시 관찰했다. 줄기와 잎까지 햇빛을 빨아들이는 칠흑빛을 띤 나무다. 뿌리는 거대한 몸을 움직일 만큼 두껍고, 줄기 또한 유그드라와 비슷할 만큼 오래전부터 존재한 숲의 큰 나무와 비교해도 훨씬 더 두껍다. 가만히 보고 있자니 뭐라 말하기 힘든 불쾌감이 머릿속에서 솟구쳤다. 생리적 혐오감이라고 해야 할까.

공기의 마나 머티리얼을 한없이 흡수하는 나무는 숲에 있어도 되는 존재가 아니다.

"정말 끔찍한 나무군. 피니스가—— 유그드라의 수호정령이 동요하고 있다."

루인이 굳은 표정으로 말했다. 그 머리 위에서는 고갈의 피니스가 겁먹은 듯이 떨고 있었다.

어떤 상황에서도 냉정해서 믿음직한 친구가 그런 표정을 지은 것은 처음이었다. 아무래도 루인 또한 저 나무를 처음 본 것 같았다.

지금까지는 세계의 위기를 막을 수만 있다면 독을 삼키더라도 상관이 없다고 생각했지만, 어리석은 생각이었을지도 모르겠다.

그때, 오빠가 저지른 작전을 보고 굳어 있던 루시아의 얼굴에서 핏기가 가셨다.

피니스와 싸웠을 때도 들려주지 않았던 절박한 외침이 숲속에 울려 퍼졌다.

"다, 다들, 도망쳐요! 저건, 강한 마력을 노릴 거예요!!"

"??!"

"저건 지금, 표적이 늘어나서 망설이고 있는 거예요!!"

나무가 다시 움직이기 시작했다. 채찍처럼 힘차게 뻗은 나뭇가지가 방치해 두었던 흙으로 만들어진 병사들을 휩쓸고는 세렌 쪽으로 뻗었다. 그 속도는 실제로 보니 상상했던 것보다 훨씬 빨랐다.

급하게 옆으로 뛰어서 피했다. 숲속은 마치 지옥 같은 모습으로 바뀌었다.

보아하니 저 나무는 표적을 고르면서 고민한 결과, 모두를 한 꺼번에 노리기로 한 모양이었다.

라피스가 늠름한 목소리로 소리쳤다.

"크윽·········· 뛰, 뛰어라!! 절대로 붙잡히지 마라!"

"?! 진짜로, 입니까?! 약한 인간, 이 바보오오오오오오오오 오오오!"

《별의 성뢰》 멤버들이 일제히 뛰어가기 시작했다. 나뭇가지는 이미 멤버들을 향해 뻗어오고 있었다. 루인이 조금 늦게 뛰었고, 세렌도 급하게 지면을 박찼다.

나뭇가지의 속도는 그렇게까지 빠르진 않았지만 방심해도 될 만큼 느리지도 않았다. 온 힘을 다해 도망치지 않으면——— 붙 잡힌다.

쫓기는 대상은 《별의 성뢰》와 루시아, 그리고 루인과 세렌.

루시아가 공격을 피하며 얼음 화살을 때려 넣었지만, 나무의 움직임은 전혀 둔해지지 않았다. 왠지 모르게 쫓기고 있지 않은 리즈도 루시아와 함께 뛰어가고 있었다.

"이동 속도를 맞춰주세요~! 장치의 배치는 기억하고 계시죠?! 마나 머티리얼의 흐름을 유도해 주세요!"

공격 대상이 아닌 모양인지, 나무 그늘로 피한 시트리가 그렇 게 외쳤다. 그 목소리는 왠지 신이 난 것 같았다.

그렇게 결코 붙잡혀선 안 되는 지옥의 술래잡기가 시작되었다.

첫 번째 조우는 우연이었다. 《천변만화》가 동류일 가능성을 짐작했을 때는 충격을 받은 것과 동시에 흥분했고, 팬텀 군세와 맞붙게 되었을 때는 패배라는 쓸쓸한 감정을 품으면서도 새로운 힘의 가능성에 환희했다. 루인을 구해낸 솜씨를 보고 두려움을 느꼈지만, 그와 동시에 그것을 통해 팬텀을 거느리는 기술을 이끌어 냈다.

하지만 지금, 현인경에 비친 광경을 보고 애들러는 지금까지보다 더 강한 충격을 받고 있었다.

"크…… 크큭………… 이게, 《천변만화》의 신산귀모. 의뢰 달성률 100퍼센트라는 소문은 들었다만………… 있을 수 없는 일이야!!"

이미 기쁨은 없다. 기대도, 언젠가 《천변만화》를 뛰어넘겠다는 그 의지조차 박살 나버렸다.

거기에는 아무리 강력한 마물을 거느린다 하더라도 메꾸지 못할 정도로 엄청난 차이가 있었다.

작전 입안 능력은 인도자에게 중요한 능력이긴 하지만, 가장 우선시해야 할 능력은 아니다. 그렇게 생각하고 있었다. 가장 필요한 것은 전 세계를 돌아다니며 강력한 마물들을 굴복시키는 것이라 생각했다.

하지만, 이 능력은——— 이길 수가 없다. 절대로.

그야말로 신산귀모——— 신이나 귀신에게만 허락된 지모다. 능력이나 상황을 컨트롤하는 실력, 그리고 용기조차 다르다. 힘에 차이가 있다는 건 이해하고 있었다고 생각했지만, 어차피 그건 생각에 불과했던 것이다.

눈을 감으니 좀 전까지 거울에 비추고 있던 상황이 처음부터 끝까지 머릿속에 선명하게 떠올랐다.

티노와 함께 융단을 타고 세계수 근처에 내려선《천변만화》. 불러낸 유령과 흑기사. 그리고 그 지팡이를 거대화시켜서 팬텀을 정령인으로 되돌린 그 순간까지.

"설마, 모두를 구해낼 줄이야………… 어떻게 정령인 출신 팬텀만을 끌어들인 거지?"

"…………저 나무도, 수수께끼네요. 마물인지 아닌지…… 컨트롤은 하지 못하는 것 같지만요."

"지팡이 형태로 휴면시키고 있었던 거겠지, 분명히. 컨트롤할 수 없는 마물을 이용할 생각은 해보지도 않았는데…… 이게 '용계'라는 건가? 젠장."

퀸트가 주먹을 쥔 채 욕설을 내뱉는 듯이 말했다.

용계란, 먼 옛날에 사용되었다는 책략이다. 분노한 용을, 초상적인 능력을 지닌 마물들의 움직임을 컨트롤해서 압도적인 전력 차이가 나는 적을 쓰러뜨린다는 위험 부담이 지극히 큰 책략.

애들러는 예전에 그걸 웃어넘겼던 적이 있다. 부담이 큰 책략을 써야만 한다는 건 약자라는 증거이고, 애초에 애들러 같은 인도자에게 있어서 강력한 마물이라는 건 굴복시켜야만 하는 상대다.

만약 자신에게 버겁다면, 그건 자신의 미숙함에 불과하다.

《천변만화》의 제자로 들어갔던 것은 그 힘을 흡수하고 언젠가 뛰어넘기 위해서였다. 하지만, 지금 《천귀야행》은 싸우지도 않고 마음으로 패배했다. 우노도, 퀸트도 전의를 상실했다.

너무나도 화려하고, 너무나도 자유롭다. 항상 태연한 표정을 지으며, 신의 눈을 보고도 안색 하나 바뀌지 않는다.

그것은 동경하는 마음조차 품지 못할 정도로 너무나도 큰 재능의 차이이다.

애들러는 지금, 《천변만화》를 두려워하고 있다. 한때 애들러 일행의 앞을 막아섰던 헌터들이나 군대가 유덴을 보고 겁에 질렸던 것처럼———.

인도자는 마물을 조종할 때 마술 같은 것을 사용하지 않는다. 마물들이 인도자를 따르는 이유는 단 하나, 그 카리스마 때문이다.

그렇기 때문에 인도자는 마물들의 절대자여야 한다는 의무가 있다.

마물들은 왕이 아니게 된 인도자를, 약한 모습을 드러낸 인도자를 따르지 않는다.

세계수의 폭주는 어떻게든 할 수 있을 것이다. 아니, 저 남자라면 어떻게든 해버릴 것이다. 하지만, 만약에 모든 것이 무사히 끝난다 하더라도 이대로는 《천귀야행》도 끝장이다.

궁지에 몰렸다. 패배자는——— 마음으로 패배한 자는 왕이 될 수 없다. 어떻게든 지금 상황을 바꿔야만 한다. 하지만 《천변만화》는 너무나도 강하다. 완벽한 준비를 갖춘 상태로도 이길 수가 없었다.

"저 나무에는…… 지맥으로부터 직접 마나 머티리얼을 빨아들일 정도의 힘이 없었어요. 아마 그래서 《천변만화》가 교반장치를 이용하는 책략을 동시에 진행시켰던 것 같아요. 장치 때문에 흐트러진 마나 머티리얼을 그 나무에 흡수시키기 위해서——— 그리고 성장시켰죠. 애들러 님, 저거라면———【근원의 신전】을 함락시킬 수 있을지도 몰라요."

우노가 진지한 표정으로 말했다. 그 눈이 《천귀야행》의 향후 움직임에 대해 묻고 있었다.

우노 실버는 똑똑한 여자애다. 상황을 정확하게 이해하고 있다. 애들러는 자연스럽게 중얼거리고 있었다.

"…………………………영웅, 인가."

확신이 들었다. 저 남자는 언젠가 역사를 만들 것이다.

그리고, 그 역사 속에서 《천귀야행》이 어떤 대접을 받게 될지는 애들러의 행동에 달려 있다.

조용히 작동하는 마나 머티리얼 교반장치를 보면서 생각했다. 《천변만화》는 이제 곧 애들러 일행이 있는 곳에 도착할 것이다. 입장을 결정해야만 한다.

이대로 《천변만화》와 합류해버리면 애들러 일행은 분명 그저 《천변만화》에게 패배해서 제자로 들어간 일개 집단이 되어버릴 것이다. 적도 아니고, 아군도 아닌, 그런 한심한 입장이 되는 것이다.

그러나 싸운다 하더라도 승산은 없다. 유덴은 마나 머티리얼을 흡수해서 성장했다. 리퍼의 능력도 아직 쓸 수 있다. 하지만, 그러한 능력들은 이미 《천변만화》에게 알려져 버렸다. 아니, 만약 그 남자라면, 설령 우리가 【근원의 신전】의 팬텀을 굴복시키는 데 성공하더라도————.

"윽………… 아니, 아직 방법은 있다. 단 하나, 그 남자를 이길 수 있는 방법이————."

"?!"

창을 든 손이 언제부터인지 떨리고 있었다. 자신이 떠올린 무시무시한 '책략'으로 인해.

그것은 하늘의 계시라고 할 만한 아이디어였고, 번개에 맞은 것 같은 충격과 함께 솟구쳤다. 심장이 경종처럼 빠르게 뛰고 있다. 손끝과 발끝이 얼어붙을 정도로 차갑다. 심한 현기증을 느끼고 창을 든 손에 힘을 주었다.

불과 몇 시간 전의 애들러였다면 떠올릴 수 없었을 책략이다. 이렇게 바보 같은 책략을 떠올려버린 것도 《천변만화》의 수법에 영향을 받은 걸까.

필사적으로 호흡을 가다듬으며 작전의 타당성을 생각했다.

마물을 지배하고 수많은 나라와 적대해온 애들러. 《비탄의 망령》과 엮이지 않고 그대로 계속 진격했다면 조만간 마왕 애들러의 이름이 전 세계로 퍼져나갔을 것이다. 하지만 이미 그 미래는 끊겼다.

하지만, 이 책략이 성공하면 애들러는 인류 전체의 적이 될 것이다.

아니, 모든 게 잘 풀리지 않아도 된다. 그 남자에게 한 방 먹여 줄 수만 있다면————.

성과는 미지수. 위험 부담은 지극히 크다. 필요한 것은———— 우노의 협력이다.

심호흡을 크게 한 다음, 동료들을 보았다.

너무나도 위험한 책략이다. 마음을 굳게 먹지 않으면 약한 마음에 패배해버릴 것 같다. 애들러는 소리쳤다.

"우노, 퀸트, 우리는————《천귀야행》이야. 아무것도 해보지도 않고 패배하는 건, 용납되지 않아!"

창을 회전시킨 다음, 힘차게 마나 머티리얼 교반장치를 내리쳤다.

한 번, 두 번, 세 번. 유리관이 산산조각 났고, 파편처럼 떨어져 내렸다.

우노와 퀸트는 아무런 말도 하지 않고 애들러의 행동을 보고 있었다.

"적대다. 영합 따위는 죽음이나 마찬가지지!《천변만화》의 제자는 이제 끝이다. 《천귀야행》은 지금부터 그 남자에게 도전한다! 따라와 주겠지?"

"뭐, 어쩔 수 없죠. 그래서 승산은 있는 건가요~?"

"……젠장. 좋아. 지기만 해서는 조크에게 면목도 없고. 해주겠다고!"

그렇게 대답한 두 사람은 망설이지 않았다. 우노는 냉정하며 침착했고, 퀸트의 용감한 성격도 여전했다.

《천귀야행》은 아직 끝나지 않았다.

애들러는 진심에서 우러난 미소를 짓고는 동료들에게 최후의 작전에 대해 설명하기 시작했다.

널리 보이는 대수해를 자기 마음대로 걸어가는 검은 세계수. 평평해진 그 나무의 머리 위에서 나는 유일하게 예전 모양의 흔적이 남아있는 지팡이 부분에 매달린 채 한없이 뻗어 있는 진짜 세계수를 바라보고 있었다.

아래쪽에서는 또 상황이 바뀐 모양이었다. 보아하니 티노의 유도에 따라 시트리가 있던 곳에 도착한 검은 세계수가 이번에는 루시아와 크류스 같은 마도사 녀석들을 쫓아다니기 시작한 듯하다.

아스톨 일행의 머리카락에 반응을 보이며 티노를 쫓아가기 시작한 시점에서 눈치챘어야 했다. 하지만 그렇게 많은 팬텀들을 먹어치웠는데도 힘을 더 원하다니. 정말 무시무시한 지팡이네. 중간에 나타난 새로운 팬텀들도 전혀 당해내지 못한 모양이니 제도에서 막아낼 수 있었던 게 뜻밖일 정도다.

"두, 두고 보자, 입니다! 약한 인간!!"

"오빠! 이거, 언제 멈추는 거죠?!"

검은 세계수의 머리 위쪽은 그저 조용하기만 했다. 주위에 들리는 것은 바람 소리뿐, 크류스와 루시아의 목소리도 거의 들리지 않는다. 그리고, 그 희미하게 들리는 목소리도 신경 쓸 여유가 없었다.

세로로 너무 심하게 흔들리고 있어서 약간 토할 것 같다.

퍼펙트 배케이션을 곧바로 세렌에게서 돌려받지 않았던 건 완전히 실수였다. 검은 세계수의 움직임은 그렇게까지 거칠지 않았지만, 오랫동안 위에 있었기에 멀미가 나기 시작했다. 오랜 시간에 걸친 완만한 진동 공격은 세이프 링으로 막을 수 없는 몇 안 되는 공격 중 하나다.

세계수를 바라보며 마음을 가라앉혔다. 커다란 나뭇잎이 쏟아져 내리고 있는 그 한없이 거대한 나무는 몇 번을 봐도 웅대하고 기묘한 모습이었다. 하늘을 올려다봐도 너무 크기가 커서 나뭇가지와 나뭇잎 부분을 눈으로 볼 수가 없다. 대체 마나 머티리얼을 얼마나 흡수해서 성장한 걸까?

이 검은 세계수가 저렇게까지 성장하려면 아마 천년 단위의 시간이 필요할 것이다.

겨우 몇 분 만에 주위의 큰 나무들을 뛰어넘을 정도로 커진 검은 세계수도 지금은 성장이 멈춘 상태다. 아마 급격하게 성장하는 건 초반뿐이고, 지금부터는 오랜 세월에 걸쳐 조금씩 커질 것 같다.

문득 옆을 보니 나와 마찬가지로 검은 세계수에 달라붙어 있던 마린(과 흑기사)이 당황한 듯이 세계수를 보고 있었다.

"고생했어. 덕분에 살았네. 이제 돌아가도 돼. 인형은 괜찮게 강화시켜 둘 테니까."

"················죽인다."

마린은 원망하는 듯한 눈초리로 살벌한 말을 한 다음, 들고 있던 인형을 내게 떠넘기고 사라졌다. 어느새 흑기사도 사라진 뒤였다.

우선 잃어버리지 않게끔 그녀가 남기고 간 인형을 미믹 군 안에 수납했다. 생각보다 도움이 되진 않았지만, 나보다 강하니 또 부탁하게 될 일도 있을 것이다. 잘 보여야지······.

다시 토할 것 같아졌기에 급하게 멀리 있는 세계수를 본 순간 나는 눈치챘다.

비처럼 나뭇잎을 쏟아져 내리게 만들고 있던 세계수. 그 나뭇잎의 밀도가 아주 조금 떨어진 것이다.

역시 시트리다. 작전이 성공한 모양이다. 아무런 생각도 없이 이판사판인 나와는 다르다.

멀미와 무력감 때문에 멍하니 서 있던 그때, 갑자기 검은 세계수 아래에서 움직임이 멈췄다.

잡고 있던 지팡이 부분 끄트머리가 뻗었다. 그 끝에 자그마한 봉오리가 생겨난 뒤에 자그마한 보라색 꽃이 피어났다. 제블디아 마술학원에서 날뛰었을 때도 마지막에 피어났던 꽃이다.

검은 세계수는 멈춘 채 움직이지 않았다. 어쩌면 만족한 걸까.

피어난 꽃을 살며시 따고 나서 한숨을 쉬었다.

이제야 일단락되었나······ 이번에는 왠지 피곤하네. 강력한 보구는 다른 사람에게 빌려주면 안 되겠다.

꽃을 미믹 군 안에 수납한 다음, 제자리에 누웠다.

높은 곳은 별로 좋아하지 않지만 가릴 것이 없는 하늘은 기분이 정말 좋았다. 멈춘 세계수를 어떻게 할지는 시트리 같은 사람들하고 다시 생각해 봐야겠다.

아래쪽이 흔들리지 않게 되자 그제야 멀미도 가시기 시작했다. 기지개를 크게 켜면서 눈을 비비고 있자니 계속 검은 세계수를 유도하고 있던 티노가 카 군을 타고 올라왔다.

마침 잘됐네…… 슬슬 내려가고 싶었던 참인데. 세이프 링이 있으니 뛰어내려도 되긴 하겠지만, 원만하게 내려갈 수 있다면 그게 제일이다.

"티노, 고생했어. 완벽한 타이밍이야. 미안한데, 지면까지 좀 태워다줄래?"

티노의 안색은 지독했다. 좀 전에 보여주던 각오를 다진 표정, 그 늠름했던 표정은 사라져버렸고, 볼도 약간 굳어 있었다. 그녀는 살짝 헛기침을 한 다음, 겁먹은 소형 동물 같은 눈으로 물었다.

"마, 마스터어…… 저기…… 이것저것 하고 싶은 말이 많긴 한데요. 이번에는 이걸로, 끝인가요?"

…………그런 걸 내가 알 리가 없잖아.

티노는 할 말이 없어서 일단 방긋방긋 웃은 내게 당장이라도 울음을 터뜨릴 듯한 미소를 지었다.

지상으로 내려갔다. 검은 세계수가 돌아다니던 숲은 내가 상상했던 것보다 파괴된 흔적이 훨씬 적었다.

보아하니 유연한 뿌리를 발로 삼아서 그렇게까지 거대한 크기로도 자연을 거의 손상시키지 않고 돌아다녔던 모양이다. ……만 신창이가 된 건 동료들뿐이었다.

세렌이 큰 나무에 손을 짚고 어깨를 들썩이며 숨을 쉬면서 중얼거렸다.

"주…… 죽는 줄, 알았습니다. 공격 마법도 통하지 않아서……."

"흥…… 어떻게 데리고 온 건지는 모르겠다만, 여전히 수단을 가리지 않는 남자로군."

"………………이봐, 약한 인간. 자잘한 건 따지지 않겠지만, 한 가지만 가르쳐줬으면 해, 입니다. 우리가 쫓겨 다닐 필요가 있었냐? 입니다."

왠지 평소보다 강한 압박감을 내며 마치 욕설처럼 말하는 라피스와 눈에 눈물을 머금은 크류스. 다른 멤버들에게서도 세렌을 구해냈을 때 쏠리던 존경 어린 시선이 점점 줄어드는 게 느껴졌다. 정령인은 숲에서 행동하는 게 특기지만, 아무래도 검은 세계수에게 쫓겨 다니는 건 매우 힘들었던 것 같다.

쫓겨 다닐 필요는…… 없었던 것 같은데. 왠지 미안하네.

"학원에서 싸웠을 때보다 기운이 넘치던데요. 정말이지!!"

"저기, 크라이. 이거 이제 안 움직여?"

리즈가 검은 세계수의 줄기를 툭툭 두드리며 말했다. 좀 전까지 맹위를 떨치던 주물을 아무렇지도 않게 만지다니, 여전히 위기감이 마비된 것 같다.

그리고 움직이지 않을지 어떨지를 내가 어떻게 알아! 나를 대체 뭘로 보는 건데!

뭐, 한번 잿더미가 되고 나서 지팡이로 다시 제조되었는데도 부활했으니 다시 움직일 가능성은 충분하지 않을까……. 정 뭐하면 늦기 전에 다시 한번 잿더미로 만들어버리는 게 좋을지도 모르겠다.

그때, 시트리가 엘리자와 키르키르 군을 데리고 빠른 걸음으로 다가왔다.

아마 공격의 표적이 되지 않았던 멤버들일 것이다. 시트리는 평범한 나무처럼 움직이지 않는 검은 세계수를 보고 루시아와 다른 사람들까지 본 다음, 마지막으로 나를 보며 흥분한 듯이 말했다.

"고생 많으셨어요! 크라이 씨, 정말 놀라운 책략이었어요! 마나 머티리얼의 흡수 장치로서는 매우 뛰어난 기능을 지니고 있었던 모양이에요! 계속 움직이게 하려나 싶었는데, 여기서 멈추셨군요!"

"어?! 아…… 응, 그래, 그렇지. 계속 움직일 수는 없잖아."

무심코 그 미소에 주눅이 들어서 맞장구를 쳤다. 계속 움직일 리도 없고, 애초에 움직이게 했다는 말 자체가 잘못된 표현이다. 내가 움직이게 한 게 아니라 제멋대로 움직인 거라고.

"짜릿했어요! 저도 참, 교반장치를 이용하는 것만 고집했던 모양이라…… 부끄럽네요. 뭐, 물론 제가 크라이 씨처럼 이걸 이용하는 건 절대로 불가능했겠지만…… 예를 들어 시트리 슬라임을 만드는 방법도 있었겠죠. 그 애도 마나 머티리얼을 흡수하니까요."

그러지 말아주세요. 세계가 멸망해버린다고요. 짜릿했다니, 머리 부분이 짜릿해져 버린 거야?

호흡을 가다듬은 세렌이 기대고 있던 나무에서 몸을 떼고는 나를 빤히 보며 애걸하듯이 말했다.

"이제…… 전부 끝난 건가요? 새로운 길은, 생겨난 모양입니다만."

리즈도, 세렌도, 티노도, 왜 나한테 물어보는 거지? 평소였다면 적당히 대답했겠지만, 안타깝게도 이번에는 대답할 생각이 없다. 잘못 대답하는 건 싫으니까.

방긋방긋 웃고 있자니 시트리가 대신 대답해 주었다.

"적어도 시간을 벌 수는 있었던 것 같네요. 저 나무——— 검은 세계수의 마나 머티리얼 흡수 능력은 미지수지만, 일시적으로라도 유입량을 줄일 수 있다면【근원의 신전】은 상당히 약화될 거예요. 신의 의식도 잠들겠죠. 아무리 신이라 하더라도 지맥의 조작을 예상하진 못할 테니까요."

시트리는 언제나 자신만만하게 말한다. 내가 기댈 수 있는 건 시트리뿐이다.

"응, 그래, 그렇지!"

"…………저기, ……시간이 있으면 교반장치를 강화할 수도 있고요. 시간을 들여서 검증한 다음, 지맥에 다시 손을 댈 수 있게 되면 반드시【근원의 신전】을 없앨 수 있을 거예요. 저는 그렇게 생각하는데, 어떨까요? 크라이 씨?"

있는 힘껏 맞장구를 쳤는데도 시트리는 왠지 모르게 불안한 듯한 표정으로 나를 보았다.

혹시 내가 역병신 같은 거라 생각하는 거야? 지금까지도 잘 풀렸으니까 괜찮을 텐데.

"시트리, 괜찮아. 너는 잘하고 있어. 이번 책략도 훌륭했고. 자신감을 가져."

"……………………윽."

"크라이, 심하다아…………."

리즈가 안쓰러운 것을 보는 듯한 눈초리로 입을 다문 시트리에게 향했다. 어째서?

기운 내라고 말해줬을 뿐인데, 뭔가 문제라도 있나?

"…………우선, 유일한 의문은…… 자취를 감춘 애들러 일행이겠죠. 그 장치의 파괴 흔적——— 검은 세계수로 인해 파괴된 것이 아니에요. 크라이 씨의 제자라고 생각해서 방심했네요."

"어? 애들러 일행이 사라졌어?"

"…………왜 기뻐하는 거냐, 입니다."

애들러도 드디어 내 무능함에 정이 떨어진 모양이다.

범죄자 제자라니, 골치 아프기만 하니까 기뻐해 버리는 것도 어쩔 수 없지. 좋은 녀석들이었어…… 범죄자가 아니었다면 친구가 될 수 있었을 거야. 아니, 기뻐하긴 아직 이르지.

"아니, 아직 몰라. 임무를 내팽개치고 유그드라로 돌아갔을지도 모르잖아."

"너, 용케도 원격 시야 능력을 지닌 녀석들을 그렇게까지 도발하는구나, 입니다."

"…………깜빡 잊고 있었네. 원격 시야 같은 능력을 지닌 사람이 별로 없어서 툭하면 잊곤 한다.

나는 손뼉을 한 번 치고는 애써 밝은 목소리로 말했다.

"좋아. 더 이상 여기 머물러봤자 소용이 없지. 작전은 성공했으니까, 유그드라로 돌아가자고."

【근원의 신전】최심부. 이 세계에서 가장 힘이 많이 모여드는 제단의 방에서 가면의 신, 케라의 의식이 다시 떠올랐다.

신의 의식이 나타나자 신전이 떨렸고, 가장 가까운 곳에 무릎을 꿇고 있던 최상위 신관들이 엎드렸다.

의식은 일부러 떠오른 것이 아니었다. 케라는 곧바로 자신이 깨어나 버린 원인을 확인했다.

케라가 가장 먼저 인식한 것은 신관들의 기도에 뒤섞인 극히 희미한 흐트러진 마음이었다. 신이 완전히 나타나지 않은 지금, 【근원의 신전】은 지성을 지닌 신관들이 운영하고 있다. 제단의 방, 신과 가장 가까운 곳에 머무르는 것을 허락받은 신관들은 케라에게 기도와 모든 것을 바치며 의식으로만 존재하는 케라가 내려주는 신탁을, 신의 뜻을 받아들일 수 있는 진정한 신도들이다.

하지만 지금, 어떤 사태가 발생하더라도 끊임없이 바쳐질 그 기도에 극히 희미하게나마 흐트러진 부분이 생겨났다.

신의 앞에서 최상위 신관―――권속이 동요를 드러내는 건 엄청난 비상사태가 아니라면 있을 수 없는 일이다.

그리고 그 이유는 의식을 신전으로 확대시킬 필요도 없이 금방 알 수 있었다.

지맥을 통해 【근원의 신전】으로 흘러들고 있던 거센 물결과도 같은 마나 머티리얼의 흐름이 약해졌다.

마나 머티리얼은 보물전의 핵심이다. 케라와 그 권속들은 그 힘의 중요성을 먼 옛날, 사라지기 전부터 알고 있었다. 그리고 지금은 케라와 권속들에게 있어서 그 힘이 예전보다 더 중요하다는 사실도 알고 있다.

이건 분명히 의식이 떠오르기에 합당한 사태다. 마나 머티리얼을 통해 보물전은 구축되며, 팬텀이 생겨나고, 케라의 부활 또한 이루어지는 것이다.

지금 이 신전은 물질이 아니다. 흘러드는 마나 머티리얼이 감소하면 직접적으로 약화된다.

힘이 없으면 과거의 신전에 존재하던 수많은 함정과 무구의 재현이 억제되고, 권속인 팬텀들도 생겨나지 않게 되는 데다, 케라의 부활도 뒤로 미뤄지게 된다.

이 신전은 그저 존재하는 것만으로도 막대한 마나 머티리얼을 소비하고 있다. 만약에 이대로 유입량의 감소가 멈추지 않는다면 【근원의 신전】은 조만간 완전히 소멸되어 버릴 것이다.

케라는 신이다. 하지만, 아직 의식만 존재하는 것에 불과하다. 육체가 있다면 마나 머티리얼의 공급이 멈춘다 해도 한동안 살아 갈 수 있을지도 모르지만, 애매하게 의식만 존재하는 상태로는 아무것도 할 수가 없다.

신관들의 의식에 말을 걸어 상황을 확인했다. 하지만, 이 비상사태의 원인은 알 수가 없었다.

알아낸 것은 그들이 신탁을 충실하게 실행했다는 것뿐.

그 보고에는 뚜렷한 초조함과 혼란스러움이 뒤섞여 있었다. 그들은 케라를 공경하며 두려워하고 있다. 뛰어난 지성과 긍지를 겸비했으며 결코 배신할 일도 없지만, 보고에 선입관이 들어가는 경우는 있다. 아니…… 어쩌면——— 권속들도 이 상황에 대해 정확하게 이해하지 못한 건지도 모른다.

인위적인 상황인지, 자연현상인지, 대책을 세울 수 있는지 없는지.

하지만, 지금 가장 피해야만 하는 것은——— 직접 움직이는 상황이다.

케라는 완전한 상태가 아니다. 그 힘은 1할도 쓰지 못하고, 사고도 산만하다. 그리고 가장 큰 문제는 이렇게 어설픈 각성조차 지금의【근원의 신전】에는 큰 부담이라는 것이다.

의식 단계에서조차——— 케라가 소비한 힘은 최상위 권속 100마리 분량에 해당된다. 힘을 쓰면 신전의 붕괴가 더 빠르게 시작되어버릴 것이다. 판단을 내리는 데 필요한 시간은 한순간이었다.

상황의 파악은 신관들에게 맡긴다. 의식을 차단하면 우선은 신전이 금방 사라질 우려가 없어진다.

이 나무의 힘은 훌륭하다. 마나 머티리얼의 축적이 다시 시작되면 그리 오래 걸리지 않아 다시 의식을 되찾을 수 있을 것이다. 신에게 있어서는 100년이나 200년 정도는 잠깐 조는 시간에 불과하다.

다시 잠들려던 순간——— 공간에 균열이 생겨났다.

초대받지 못한 침입자. 균열에서 나타난 것은——— 거대한 지네와 인간 세 명이었다.

케라가 깨어난 탓에 공간을 단절하고 있던 결계를 유지하지 못하게 된 것이다.

반사적으로 힘을 행사해서 침입자를 확인했다. 그것은 끔찍한 신으로서 세계와 싸우다 사라지게 된 케라가 지닌 습성 같은 것이었다.

능력, 감정, 생태, 혼의 빛. 그리고 혼에 스며든 마물의 냄새.

곧바로 이해했다. 케라를 엿보던 자들이 바로 이자들이라는 것을.

최상위 신관들이 무례한 침입자들에게 일제히 의례용 지팡이를 겨누었다.

하지만, 케라는 공격을 제지했다. 케라가 있는 곳까지 쳐들어왔으니 뭔가 이유가 있을 것이다.

다른 신이 보낸 자들일 거라는 가능성은 사라졌다. 바로 앞에서 보니 알 수 있었다. 이 공간 도약 능력은 신의 기적이 아니라 돌연변이로 인한 것이다. 이 세계는 가끔 이런 장난을 친다.

느껴지는 감정은 강한 고양감과 두려움. 힘이 약하긴 하지만, 케라의 의식을 한 번 접하고도 눈앞에 설 기개를 지니고 있는 것으로 보아 이 시대에서도 상당히 뛰어난 인물이 틀림없었다.

번쩍이며 빛나는 눈. 선두에 선 흑발 여자가 입을 열었다.

"신이여, 처음 뵙겠소. 시간도 별로 없을 테니 단도직입적으로 말하지. 우리는 《천귀야행》, 현대의 마왕이야. 이해하고 있을지는 모르겠지만――― 당신들은 궁지에 몰렸어. 거래를 하고 싶군."

신과 거래를 시도하다니, 주제를 모르는 여자였다. 케라와 인간은 존재의 격이 다르다.

눈앞에 있는 여자는 분명 강하다. 인간도 진화한 건지, 케라가 존재하던 시대의 인간에 비하면 차원이 다른 힘을 지니고 있다. 그럼에도 부족하다. 이 정도 존재와 거래할 이유가 없다.

아무런 말도 하지 않고 그저 바라보기만 하는 케라에게 여자가 진한 미소를 지으며 말했다.

"지금 이 상황을 만들어낸 건――― 이 시대의 영웅이야. 정보를 주지. 그 대신에 힘을――― 당신의 병사들을 줘. 온갖 적을 쓰러뜨릴 수 있는 최강의 군세를."

…………재미있다. 잠들 생각이었지만, 생각이 바뀌었다.

그 눈 안쪽에는 두려움이 나타났다가 사라지기를 반복하고 있었다. 케라에 대한 두려움이 아니다. 그 영웅이라는 녀석에 대한 두려움이다.

인간과 거래하는 건 원래 고려해볼 가치도 없는 일이지만, 신보다 더 두려움을 사고 있는 상대라면 이야기가 달라진다.

이 시대의 영웅이라는 녀석의 힘을 봐주마.

제3장 신들의 싸움

정령인의 고향, 유그드라. 깊은 숲속에 만들어져 신비로 수호되어 온 도시. 우리에게는 자연이 풍요롭고 아름다운 도시이자 주민이 거의 없어서 적막한 도시이기도 했다.

하지만, 그 유그드라가 지금은 매우 떠들썩해졌다. 대피했다는 정령인들이 일제히 돌아왔고, 계속 아무도 없었던 거리에서는 연회를 준비하고 있다.

정령인들은 불을 싫어한다. 그 대신 연회를 장식한 것은 물과 바람, 풀과 꽃이었다. 장식 그 자체는 화려하지 않았지만, 모여든 모두가 아름다움으로 유명한 정령인이기도 했기에 마치 동화 속 나라에 들어온 것 같은 기분이 들었다. 헌터가 되고 나서 세계 각지, 여러 군데를 돌다녔지만 이런 광경은 처음 본다.

행방불명되었던 유그드라의 전사들. 그중 첫 번째 사람이 돌아온 것은 검은 세계수의 움직임이 멈추고 우리가 유그드라로 돌아오고 나서 시간이 조금 지난 뒤였다.

그 이후로 유그드라의 전사들이 차례차례 돌아왔다. 검은 세계수가 마나 머티리얼을 빨아들이고 내팽개친 사람들이다. 무사한지 확인할 여유는 없었지만, 아무래도 문제가 없었던 모양이다.

무사히 보물전의 약화에 성공한 뒤에 또 좋은 소식이 들어오자 유그드라는 단숨에 떠들썩해졌다. 모습을 거의 드러내지 않고, 가끔 얼굴을 마주치더라도 한 번도 얘기를 나누지 않을 만큼 인간을 꺼리던 유그드라의 백성들이 손바닥을 뒤집을 정도였다. 아스톨이 손바닥을 뒤집었을 때도 든 생각이지만, 그들은 너무 극단적이다.

세렌이 마치 눈부신 것을 보는 듯이 눈을 가늘게 뜨고는 완전히 밝은 분위기로 바뀐 유그드라를 바라보면서 말했다.

"기적입니다. 인간. 이건, 기적입니다. 당황하셨겠지만, 행방불명된 전사들 중에는 가족도 있었습니다. 설마, 모두 돌아올 줄이야─── 어떻게 감사의 말씀을 드려야 할지 모르겠군요."

"아하하………… 운이 좋았을 뿐이야. 고맙다는 인사는 저 검은 세계수에게 하라고."

뭐라고 해야 하나. 아무것도 하지 않은 내가 보기에는 꽤 당황스러웠지만, 끝이 좋으면 전부 좋은 거다. 미소가 돌아왔다면 다행이다. 고맙다는 인사는 필요 없어. 아니, 진짜로.

루인이 팔짱을 끼고는 한숨을 크게 쉬며 말했다.

"검은 세계수………… 불길한 이름이군. 세계수를 모방하려 하다니, 그런 천벌 받을 짓을…… 원래는 그냥 넘어갈 수 없는 일이겠지만, 도움을 받은 이상 분노는 집어삼켜야만 하겠지."

"지금은 자잘한 걸 따지지 말도록 하죠.《천변만화》. 당신을 믿어서, 엘리자가 보낸 편지를 무시하지 않아서, 정말 다행입니다. 당신은 한 달도 되지 않는 기간 만에 모든 문제를 해결해 주셨습니다. 저희 유그드라의 백성들은 모두 이 은혜를 결코 잊지 않을 겁니다."

아니…… 내가 해결한 게 있긴 한가? 뭐, 결과만 놓고 보면 잘된 건지도 모르겠지만, 무시무시하게도 생산적인 일을 한 기억이 전혀 없다. 시트리에게 고맙다고 해주세요.

"아니, 아직 전부 해결된 건 아니니까……."

우선 결과적으로 지맥의 조작은 나름대로 잘된 모양이고, 행방불명되었던 유그드라의 전사들도 돌아왔다. 하지만 세계수의 폭주 문제가 완전히 해결된 건 아니다. 뭐, 세계의 파멸 같은 경우는 아직 한참 남은 문제니까 괜찮다고는 해도 잊어버리면 안 되는 가장 큰 문제는 루크의 저주를 언제 풀어줄 수 있을지 짐작도되지 않는다는 것이다.

아니, 리즈랑 다른 사람들은 루크를 완전히 잊어버린 거 아닌가? 믿고 있는 건지도 모르겠지만 말이지.

세렌이 내 말을 듣고 진지한 표정으로 고개를 끄덕였다.

"그렇죠…………《천귀야행》의 동향도 신경 쓰이고요."

"…………아니, 그쪽은 신경 쓰이지 않아. 이제 그들의 힘도 필요 없고."

작전 도중에 겁을 먹었거나 내 무능함에 정이 떨어져서 도망쳤겠지. 흥미는 별로 없다.

…………아니, 냉정하게 생각해보니 '현인경'으로 루크를 찾아달라고 부탁했어야 했는데. 실수했다.

"…………인간, 당신이 그렇게 말한다면 그런 거겠죠. 우선 지금은 식사와 휴식을 하며 기운을 차리도록 하시죠. 유그드라의 전사들이 돌아온 지금, 저희가 동원할 수 있는 전력도 늘어났습니다. 유그드라의 전사들은 모두들 일기당천의 전사들입니다. 모두가 당신의 지휘를 따를 겁니다."

다들 행방불명되었었는데 일기당천이라니, 자화자찬이 심하네. 그래도 뭐, 지휘 같은 걸 할 생각은 없으니 굳이 따지진 않을 거다.

"응, 그래, 그렇지. 필요하게 되면 부탁하도록 할게."

"그 밖에도——— 싸우는 것 이외에도 저희가 할 수 있는 게 있다면 말씀해 주세요. 은인들에게 뭔가 해줄 게 없을지 제게 물어본 사람이 여러 명 있습니다."

"그렇구나………… 딱히 없는데."

굳이 말하자면 탐색자 협회의 지부를 만드는 거다. 그럼 거크 씨에게도 체면이 서겠지만, 계속 방문자를 거절하던 유그드라에게 그런 걸 요구하긴 힘들 것이다. 시트리나 루시아 같은 사람들에게 정령인들의 비장의 서적을 보여주기도 하는 것 같으니 더이상 욕심나는 건 딱히 없다. 애초에 우리는 딱히 너희를 구해주러 온 것도 아니거든.

과분한 평가와 사소한 죄책감 때문에 따끔거리는 가슴을 부여잡고 있자니 리즈와 엘리자를 중심으로 유그드라의 척후 부대가 합세한 보물전 조사 부대가 돌아왔다.

처음에는 티노, 리즈, 엘리자, 이 세 사람뿐이었는데 꽤 인원이 많아진 것 같다.

"크라이~, 결계가 사라졌어!"

"압박감이 줄어들었어. 보물전이 소멸하는 것까지는 바랄 수 없겠지만………… 팬텀들의 모습도 거의 보이지 않았으니까, 지금이라면 침입할 수 있어."

정말로 보물전을 약화시키다니, 시트리는 정말 대단하네.

결계가 사라졌다는 건 좋은 소식이다. 아무튼 보물전에 침입해서 루크를 되찾아야만 하니까.

보물전에 팬텀들이 다소 남아있는 정도라면 대처할 수도 있을 것이다.

문제는 나 말고 다른 사람들이 보았다는 신의 팬텀이다.

"엘리자는 신의 팬텀이 남아있을 것 같아?"

"…………사라졌을 가능성은 커. 보스는 마나 머티리얼이 부족해질 경우에 가장 먼저 사라지니까——— 하지만………."

"하지만, 뭔데?"

내가 묻자 엘리자가 드러나 있던 다리를 손바닥으로 쓰다듬고는 곤란하다는 듯한 표정으로 말했다.

"……………하지만, 매우………… 기분 나쁜 예감이 들어."

…………엘리자의 기분 나쁜 예감은 잘 맞으니까. 유그드라에 온 이후로 이런저런 일들이 있었는데, 더 이상 뭔가가 있으려나? 지금 당장 집에 가고 싶다…….

"크라이, 우리는 침입할 준비를 다 마쳤는데? 티도 의욕이 넘치는 것 같고, 오늘 밤에라도 갈 수 있거든? 이왕이면 무슨 일이 생기기 전에 재빨리 공략해버리는 게 낫지 않을까? 지금이라면 상대방도 아직 혼란스러워하고 있을 테고……."

뭐, 그렇게 생각할 수도 있겠지. 그래도 곧바로 출발하게 되면 사전 준비를 할 시간도 그만큼 줄어드는 건데………….

나는 《비탄의 망령》의 리더다. 최근에 동료들과 헌팅을 할 기회는 크게 줄었지만, 이러쿵저러쿵해도 내가 있을 때는 최종 결정을 내가 내리게 된다.

"시트리는?"

"크라이의 의견에 따르겠대."

곤란하네. 리즈도, 티노도, 유그드라 전사 여러분도, 모두가 내 결정을 기다리고 있다.

뭐, 정답이 없는 양자택일이긴 하다.

그리고 나는 이런 양자택일을 강요받을 경우 보통 뒤로 미루곤 한다.

행방불명된 사람들이 돌아와서 기뻐하고 있는 참이다. 곧바로 싸우러 나설 필요는 없을 것이다. 준비할 필요도 있고, 좀 쉬고 싶다. 뭐, 나는 침입할 때 함께 가진 않겠지만 말이지.

"그러게………… 아니, 내일 가자. 시간을 두면 상황도 호전될지 모르고…… 무슨 일이 생기더라도 문제가 없게끔 준비해둬."

리즈도 확실한 근거가 있기에 곧바로 나가자고 하는 게 아닐 것이다.

리즈는 내 결정에 의문을 품지도 않고 기운차게 말했다.

"알겠어~! 크라이, 그런데…… 내게도 활약할 기회를 줄 거야? 응? 저번에 주물 관련 소동 때는 나만 별것 없었고, 다들 치사한 거 아니야? 티 같은 경우에는 틈만 나면 크라이랑 같이 다니는 것 같은데."

"어, 언니?! 딱히 그렇지는…………."

어째서 그렇게 험한 꼴을 당하고 싶어 하는 거지? 내가 보기에는 리즈도 이번에 정찰이든 뭐든 대활약하고 있는 것 같은데, 그것만으로는 부족하다는 건가?

딱히 리즈와 함께 다니고 싶지 않은 건 아니다. 하지만, 항상 최전선에 있는 리즈와 항상 최후미에 있는 내가 들어맞을 리가 없으니까…….

나는 리즈의 머리에 손을 얹고는, 그나마 하드보일드한 미소를 지으며 말했다.

"뭐, 내일은 마구 날뛰어야 하니까…… 기대하라고."

유그드라의 연회는 차분하게 시작되어 해가 질 때까지 이어졌다.

호화로운 요리가 나오지도 않고, 마구 떠들어대는 것도 아니다. 조용하게 식사를 즐기고 친구나 가족과 이야기를 나눈다. 자연과의 조화를 존중하는 정령인 특유의 문화일 것이다. 축제를 좋아하는 리즈는 약간 아쉬운 모양이었지만, 아직 싸움이 끝난 것도 아니고 가끔은 이런 것도 괜찮을 것 같다.

겨우 몇 시간 만에 유그드라의 백성들은 우리를 오랫동안 친하게 지냈던 친구처럼 대하게 되었다. 내게도 끊임없이 사람들이 다가왔고, 리즈나 라피스 같은 사람들도 계속 둘러싸여 있었다.

이야기를 나누어 보니 유그드라의 백성들도 제도의 백성들과 별다른 차이가 없는 것 같았다.

그들은 아무래도 처음 온 인간 손님이 흥미진진했던 모양인지, 인간의 문화나 내가 살고 있는 제도, 그리고 우리 《비탄의 망령》이 지금까지 해결해온 의뢰에 대해 이것저것 이야기를 늘어놓게 되었다.

어쩌면 거크 씨에게 부탁받았던 탐색자 협회의 지부를 설치한다는 것도 꿈만 같은 이야기가 아닐지도 모르겠다.

근처를 돌아다니던 유그드라 사람에게 받은 음료(논알코올)를 마시고 있자니 얼굴이 달아오른 시트리가 다가왔다.

"크라이 씨. 즐기고 계신가요?"

"그래, 너는?"

"네! 다들 좋으신 분들뿐이라─── 참고가 될 만한 이야기도 잔뜩 들었어요! 다른 종족과의 교류는 헌터의 묘미죠."

언제나 공부하느라 여념이 없네. 그렇게 부지런한 구석이 연금술사로서의 실력을 뒷받침해주고 있는 거겠지. 나도 사실은 리더로서 유그드라의 백성들과 교섭해서 뭔가 유익한 이야기를 하나 정도는 알아 두어야겠지만, 아무래도 의욕이……

"이번에는 이것저것 실패해버렸지만, 정말로 많이 배웠어요………… 다음에는 크라이 씨를 번거롭게 해드리지 않게끔 열심히 할게요!"

"? 아니, 딱히 번거롭지는…… 폐를 끼친 것도 아니고, 오히려 나야말로 시트리에게 기대기만 해서 미안한데."

뭐, 이제 와서 할 이야기도 아니지만 말이지. 이미 《비탄의 망령》이 휘말리는 사건들은 나로서는 감당하지 못할 영역에 도달했다. 앞으로도 시트리뿐만이 아니라 다른 사람들에게도 계속 폐를 끼치게 될 것이다.

얼른 은퇴하고 싶네.

"아뇨, 아뇨, 무슨………… 맞다! 이번 건 보수 교섭은 어떻게 할까요? 세렌 씨도 크라이 씨께서 얼마나 무시무시── 대단한지를 이해한 것 같으니 어느 정도 요구는 받아들일 것 같은데요……."

……거의 아무것도 한 게 없는 내 어디를 보고 대단한지 느낀 건지 신경 쓰이는데.

"음~, 요구란 말이지. 딱히 생각나는 게 없네…… 시트리가 보기에 유그드라의 기술은 산더미처럼 쌓인 보물 같긴 하겠지만, 내가 보기에는 좀."

우선 기초 지식이 부족해서 무슨 말을 하는 건지 모르겠다. 우리 멤버들은 다들 일류이기에 이것저것 배운 적도 있긴 하지만, 제대로 익힌 건 하나도 없었다. 슬픈 재능의 차이다.

시트리는 내가 한 말을 듣고 미소를 지은 채 굳어 있다가, 잠시 후에 속닥거리는 목소리로 말했다.

"…………크라이 씨. 정 뭐하시면 물건이 아니어도 괜찮은데요? 예를 들어서………… 신부라든지요. 지금까지 미지의 나라였던 유그드라에서 배우자를 찾아서 돌아가신다면 모두가 크라이 씨를 눈여겨보게 될 거예요."

…………시트리는 가끔 터무니없는 말을 한다니까.

"아니, 아니, 아무리 그래도 그런 인신매매 같은 짓을──."

"크라이 씨께서는 유그드라의 은인이세요. 지금이라면 아무리 예쁜 애들도 마음대로 골라잡을 수 있거든요? 정령인 분들도 의외로 정열적이니까요. 뜨거운 시선이 느껴지지 않으시나요? 세렌 씨도 말리진 않을 거예요."

그 말을 듣고 주위를 보았다. 정령인들은 남녀노소 미남 미녀들뿐이다. 인간이 사는 곳에는 거의 없기에 만날 기회도 별로 없지만, 결혼하고 싶은 종족 중에서는 틀림없이 단독 1위일 것이다. 인간을 깔보는 고귀한 태도도 인기가 많은 이유 중 하나라고 하니 심오하다.

가볍게 주위를 둘러보기만 했는데도 여러 정령인들과 눈이 마주쳤다. 방긋 웃어주는 애도 있었다. 호의가 있긴 한 모양이다. 불과 몇 시간 전까지는 길에서 마주쳐도 눈을 피했는데, 변화가 너무 심해서 따라갈 수가 없다. 정령인 신부란 말이지…….

주위를 빤히 바라보고 있자니 시트리가 심통 난 표정이 되어 있었다.

아니, 신부 같은 걸 찾을 생각은 없거든?! 시트리가 이상한 말을 하니까 봐버렸을 뿐이고.

"뭐, 뭐, 흥미는 없어. 지금은, 그 왜, 할 일도 있고……."

"……저쪽은 크라이 씨에게 흥미진진한 것 같은데요. 오빠도 인기가 많을 정도니까요."

안셈은 문무양도의 나이스 가이야! 인기가 많은 게 당연하지! …………라고 말해주고 싶지만, 안셈은 몸집이 너무 크니까. 거의 초면인 사람들에게 둘러싸인 이유 중 하나는 신기하기 때문일지도 모른다.

그러고 보니 좀 전에도 꽤 열심히 나에 대해 물어보던 애가 있었지…… 전혀 눈치채지 못했는데, 지금 생각해보니 그런 거였나?

흥미를 가져주는 건 기쁘지만, 조금 곤란하다. 좀 전까지는 아무렇지도 않게 생각했는데 그렇게 말하니 시선이 묘하게 신경 쓰이게 되었다. 지나친 생각일지도 모르겠지만, 이럴 때는 재빨리 도망치는 게 제일이다.

시트리에게 양해를 구하고 재빠르게 그곳을 벗어났다. 다른 사람들이 없는 쪽을 향해 유그드라 안을 걸어갔다.

딱히 목적지를 정해둔 것은 아니지만, 나는 어느새 유그드라의 가장자리까지 와 있었다. 유그드라에서 손꼽히는 파워 스폿. 루크의 저주 해제 작전에 나서기 전에 세렌이 명상을 하던 곳이다.

조용한 물소리와 싸늘한 공기. 가로등 같은 것도 없어 자연이 넘쳐나는 그 공간에는 아무도 없었다.

만에 하나를 대비해서 뒤쪽을 확인했지만, 아무도 따라오지 않았다. 숨을 내쉬고는 앞을 보았다.

그리고――― 한순간 심장이 멎을 뻔했다.

어느새 온 건지, 어둠 속 바로 코앞에 세 사람이 서 있었다.

얼굴은 가면으로 가리고 칠흑의 외투를 걸치고 있지만 키와 몸집, 들고 있는 무기를 통해 누구인지 알 수 있었다.

"애들러……………… 살아 있었어?"

혼란으로 가득 찬 머리로 겨우 말을 꺼냈다.

《천귀야행》. 보물전 약화 작전 중에 사라졌던 팀.

시트리의 견해에 따르면 마나 머티리얼 교반장치는 애들러의 손에 파괴되었다고 한다. 나는 그들이 내게 정이 떨어져서 작전을 중간에 포기하고 도망쳤을 거라 생각했지만, 보아하니 그런 게 아니었던 모양이다.

팬텀으로 바뀐 유그드라의 전사들은 그 전후의 기억을 잃었다. 어떤 과정으로 변하게 된 건지는 모르겠지만, 나는 사람을 변모시키는 가면의 존재를 이미 알고 있다.

몸집은 그대로인 걸 고려하면 애들러 일행도 혹시 바뀌고 있는 도중인 건가?

반쯤 억지로 제자로 들어와서, 계속 사라져버리면 좋겠다고 생각했다. 하지만 마지막까지 싸우다가 팬텀이 되어버렸다고 한다면 어느 정도 가엾다는 생각도 든다.

애들러 일행은 말없이 서 있었다. 아무도 없는 곳에서 1 대 3. 틀림없이 위기지만, 세이프 링은 지금도 가지고 있고 이곳은 유그드라의 내부다. 큰 소리를 지르면 곧바로 누군가가 뛰어올 것이다.

내부에서 팬텀의 본능과 싸우고 있는 건가?

공격할 낌새가 없는 애들러를 본 나는 약간 센티멘털한 기분으로 말했다.

"그 모습…… 안타깝네, 애들러. 너희는…… 길을 잘못 들었어."

애초에 그 마물을 조종한다는 특이한 능력을 나쁜 짓에 사용하려는 게 문제였다. 범죄자가 되지 않았다면 《비탄의 망령》과 마주치지 않았을 테고, 이렇게 숲속 안쪽에서 다가오지도 않았을 것이다. 죽을 뻔한 일을 겪을 일도, 팬텀으로 바뀌게 될 일도 없었을 것이다. 인과응보라고 해야 할까?

나쁜 짓을 하지 않은 나나 유그드라 사람들도 험한 꼴을 당하곤 하니 말이 안 되지만.

내 말을 듣고 애들러가 손을 천천히 들어 올린 뒤, 자신의 가면에 댔다.

그리고——— 쉽사리 그 가면을 벗었다.

말문을 잃은 내 앞에서 그 까만 립스틱을 칠한 입술이 미소를 지었다.

"크크큭…… 이 모습을 보자마자 하는 말이 그건가? 정말 깨닫는 게 많군. 그리고——— 귀가 따가워. 하지만 당신은 알지 못할 거야. 힘을 추구하는 자들의 심정을."

어라? 설마 팬텀으로 바뀐 게…… 아닌가?

퀸트와 우노도 애들러처럼 가면을 벗었다. 그 눈은 어둠 속에서 반짝이며 빛나고 있었다.

"《천변만화》. 신산귀모인 당신은——— 우리가 이렇게 온 이유도 알고 있겠지?"

알 리가 없잖아. 무슨 일이 일어난 건지도 전혀 모르겠는데. 다들 신산귀모, 신산귀모, 아주 노래를 불러대네. 나를 신산귀모로 설정하면 신산귀모의 격이 떨어진다고.

센티멘털한 기분이 날아가 버렸다. 한숨을 쉬고는 가장 그럴싸한 말을 해보았다.

"복수…… 라든가?"

내가 스승으로서 무능했기 때문에 유그드라에서 떠나기 전에 일부러 습격하러 온 건가? 아무리 애들러라 해도 그렇게 엉망진창인 논리를 내세우진 않으려나?

"크큭…… 복수라. 어떤 의미로는 복수일지도 모르지."

……진짜로 복수였나. 말도 안 되는 녀석들이네. 《천귀야행》. 억지로 제자로 받아달라고 해놓고 아무것도 배우지 못했으니 복수를 하겠다고? 완전히 억지 앙심이잖아.

애들러가 창을 빙글빙글 회전시킨 다음 내게 겨누었다. 퀸트가 보구 검을 겨누었고, 우노도 지팡이를 내게 들이댔다. 유덴이 안 보이는데, 또 땅속에 있는 건가?

나는 죽일 가치도 없는 남자일 텐데, 어째서 다들 내 목숨을 노리는 건지 이해할 수가 없다. 사실 애들러가 마물을 한 마리도 데리고 있지 않은 상태라 해도 나 같은 건 쉽사리 이길 수 있을 거다.

어차피 저항해봤자 의미가 없기 때문에 하드보일드한 미소를 지으며 말했다.

"싸울 생각은 없어. 미안하지만, 나는 내일을 대비해야 해서."

"……신과의 싸움을 앞둔 전야인데도 정말 자신감이 대단하군. 미안하지만, 싸워줘야겠어!"

이 얼간이가 대체 무슨 소릴 하는 거지? 애들러는 모를 수도 있겠지만, 보물전의 약화 작전은 성공했다. 【근원의 신전】의 결계도 사라졌으니 신 같은 게 존재를 유지할 수 있을 리가 없다.

애들러의 창이 신속(神速)의 기세로 날아들었다. 나는 그 속도에 꿈쩍도 할 수가 없었다.

의례용 창인 줄 알았는데, 무기로서도 사용할 수 있는 물건이 었던 모양이다. 자루를 크게 회전시키며 날리는 후려치기 공격과 찌르기를 동반한 돌격. 까만 창끝이 어둠을 가르자 바람과 함께 날카로운 소리가 울렸다.

마왕 애들러. 창술 솜씨도 대단하다.

그것 하나만으로도 헌터로서 나름대로 활약할 수 있을 것이다.

그 연속 공격은 유려했고, 마치 연무 같았다. 파고들고, 찌르고, 후려친다. 애들러가 창끝을 내 눈앞에 멈추고는 욕설을 내뱉듯이 말했다.

"이렇게까지 해도…… 전혀 동요하지 않는군. 이래 봬도 창술 또한 단련했는데――― 자신감이 사라지잖아."

그건 내가 할 말이다.

그 찌르기는 몇 번이나 내 옷을 스쳤는데도, 놀랍게도 세이프 링이 한 번도 발동되지 않았다.

내가 공격당하는 동안 멍하니 서 있던 이유는 그저 반응하지 못 했기 때문이지만, 세이프 링이 발동되지 않은 건 분명 애들러가 아슬아슬하게 공격을 맞추지 않았기 때문일 것이다. 공격을 맞추 는 것보다 더 힘든 일 아닐까.

애들러가 창끝과 비슷할 만큼 날카로운 눈초리를 보이며 말 했다.

"신의 힘을――― 케라의 힘을, 얕보고 있었다. 그건 단순한 팬 텀이 아니야. 완전하지 못한 지금 상태로도 우리가 싸웠던 어떤 마물이나 팬텀보다도………… 강하다. 아무리 레벨 8이라 해도 도무지 사역할 순 없을 것 같은데."

"……어? 설마, 너, 신을 사역하려고 했었어?"

"?! 뭐……라고?!"

내 말을 듣고 퀸트가 깜짝 놀란 듯이 나를 바라보았다.

아무리 마물을 사역할 수 있는 힘이 있다 해도 신의 팬텀을 거느리려 하다니, 생각이 너무 없는 거 아닌가? 정말, 자신감도 정도가 있지. 본받고 싶은데(완전히 거짓말).

"……아니, 할 수 있는 거랑 할 수 없는 거, 해도 되는 거랑 하면 안 되는 거, 선을 딱 그어야지……."

자신들이 사역하고 싶다고 해서 모두가 그럴 거라 생각하면 곤란하다.

내가 한 말이 정말 충격적이었는지, 애들러 일행은 완전히 굳어 있었다.

대체 무슨 일이 생겼고 무엇 때문에 돌아온 건지 전혀 모르겠지만, 그렇게까지 흥미도 없다.

"뭐, 【근원의 신전】에는 내일 돌입할 예정이야. 우리에게도 목적이 있으니까."

"……케라는, 강하다."

애들러가 억누르는 듯한, 실감이 담긴 목소리로 말했다.

설마 애들러는 시트리의 작전이 어떤 의미를 지니고 있었는지 이해하지 못한 건가? 나도 어느 정도는 이해하고 있었는데, 어쩌면 내가 생각했던 것보다 바보인 건지도 모르겠다.

무엇 때문에 마나 머티리얼의 보급을 막으려 했는데, 정말.

나는 코웃음 치고는 자신만만하게 말했다.

"나도 알아. 그러니까 그 힘을 발휘하기 전에 없애려는 거지."

《천변만화》가 떠나갔다. 평소와 전혀 다를 것 없는 분위기로. 애들러는 그 모습을 그저 멍하니 지켜보았다.

아무도 남지 않게 된 지 시간이 얼마나 지났을까. 우노가 쉰 목소리로 말했다.

"가, 버렸네요…… 그런데 이번에는 큰 실수였어요. 설마, 크라이 씨가, 케라를, 사역할 생각이, 없었다니."

"정말 그렇다니까."

가면의 신, 케라. 애들러 일행이 교섭을 시도했던 신의 팬텀은 애들러 일행의 상상을 훨씬 뛰어넘은 힘을 지니고 있었다. 그 능력 중 일부라도 알고 있었다면 이용하겠다는 생각이 들지도 않았을 정도의 힘을.

생각해보니 그 남자는 케라의 힘을 처음부터 이해하고 있었을 것 같다. 그래서 현인경으로 신의 모습을 보았을 때도 눈썹 하나 꿈쩍하지 않았던 것이다. 그리고 그 생각은 그야말로 올바르다고 할 수밖에 없다.

보물전 약화 작전은 우여곡절을 거치면서도 성공했다.【근원의

신전】에 흘러드는 힘은 크게 줄어들었고, 반쯤 부활했던 케라의
의식도 잠들 예정이었다.

애들러 일행이 거래를 시도했던 그 순간까지는.

《천변만화》의 작전은 완벽했고, 가장 뛰어난 점을 하나 들자면
그것은 【근원의 신전】 쪽에서 강한 경계심을 품지 않게끔 했다는
점일 것이다.

마나 머티리얼의 축적은 자연현상이다. 그 증가와 감소도 주로
지각 변동 등의 자연현상으로 인해 발생하는 사상이며, 케라도
이상을 눈치채긴 했지만 그에 대해 온 힘을 다해 대처할 생각은
없었다.

하지만, 그 생각을 애들러 일행이 바꾸어버렸다.

욱신, 케라와 벌인 전투 때 입은 상처가 통증을 호소했다.

일단 응급처치는 했지만 온 힘을 다해 창을 휘두른 탓에 상처
가 벌어진 모양이었다. 표정에는 드러나지 않게끔 조심했지만,
분명 그 남자에게는 다 들켰을 것이다.

원래는 일격에 살해당하더라도 이상할 게 없었다. 이 정도 상
처로 그친 것은 유덴 덕분이다. 유덴이 방패가 되어주는 동안에
리퍼를 쓸 수 있었기에 겨우 목숨만은 건졌다.

하지만, 그 대가는 너무나도 컸다. 고대의 유적에서 신에 가까
운 존재로 두려움을 사던 유덴도 케라에게 생채기 하나 입힐 수
없었다. 그것은——— 진짜 괴물이다.

"우리는, 세계의 적이군."

"처음부터 적이었어요, 애들러 님. 마왕이시니까요."

"어쩔 수 없지. 인도자라는 건 그런 운명이야. 그렇지?"

인도자에게 있어서 마물의 사역은 본능이다. 그리고 그 능력은 현대 사회에서 받아들여지지 않는다.

애들러 일행은 학대당하는 것보다는 학대하는 쪽을 선택했다. 그것뿐이다.

하지만, 이번 건은 완전히 애들러의 실수였다.

거래할 수 있을 거라 생각했다. 마나 머티리얼의 공급이 줄어들고 부활이 멀어진 케라에게는 언제 어디서나 움직일 수 있는 파트너가 필요할 줄 알았다. 그리고 애들러 일행은 부활시켜버렸다. 원래는 다시 잠에 들 예정이었던 고대의 신을.

전혀 예상하지 못했던 것은 케라가 지닌 권능이었다.

마술도, 무술도 아닌 능력, 평범한 인간이었던 케라를 신으로 만들어준 그 특수 능력.

"'아우터 센스(외부 감각)'——— 설마, 그런 능력이 있을 줄이야."

애들러 일행이 《천변만화》를 찾아온 것은 미련을 남기지 않기 위해서다.

거래는 실패했다. 팬텀을 공급받지 못한 이상, 그리고 중상을 입은 이상, 《천변만화》와 싸워봤자 승산은 없다. 하지만 지금 도전하지 않으면 《천귀야행》으로서의 긍지가 땅바닥에 떨어지게 된다.

결국 상대조차 해주지 않았지만, 그것도 나름대로 속이 시원하다.

"크큭………… 그 남자, 우리 행동까지 예상하고 있었던 모양인데."

《천변만화》는 애들러 일행을 보고 이 상태에 대해 아무런 질문
도 하지 않았다.

결국, 애들러 일행은 처음부터 끝까지 그의 손바닥 위에서 놀
아나고 있었을 것이다.

《천변만화》의 제자로 들어간 것부터 멋대로 이탈한 것까지. 그
남자는 아마――《천귀야행》을 이용해서 케라를 부활시켰으
리라.

아우터 센스는 강력한 능력이다. 애들러 일행이 지닌 마물을
지배하는 힘도 인간에게 싹튼 돌연변이에 가까운 이능이지만, 케
라가 지닌 그것은 격이 다르다.

케라와 교전한 것을 후회하지는 않는다. 계약을 일방적으로 어
긴 시점에서 싸움은 필연적이었다.

하지만, 강적이라는 사실을 알면서도 싸움을 걸고 어떻게 해보
지도 못한 채 패배한 것은 장군인 애들러의 책임이다.

그 남자라면 이렇게 꼴사나운 결과를 내지 않았을 것이다. 어
떤 책략을 쓸지는 모르겠지만, 신기하게 확신이 들었다.

살짝 한숨을 쉬었다. 몸이 무거워졌다.

여기로 오고 나서―― 아니, 《비탄의 망령》과 처음 교전하고
나서 충격적인 일들이 연달아 일어났다.

전설의 정령인의 도시와 신전형 보물전의 무시무시한 팬텀들.
고대로부터 부활한 강대한 신과―― 애들러 일행과 같은 힘을,
애들러 일행과 다른 목적으로 사용하는 남자.

지금까지 자신이 나아가는 길에 의문을 품은 적은 없었지만, 어쩌면 지금이 애들러 일행에게 있어서 분기점일지도 모르겠다. 앞으로도 마왕으로서 살아갈 것인지, 아니면 《천변만화》처럼 힘을 다른 누군가를 구하기 위해 쓸 것인지.

피를 너무 많이 흘렸다. 방심하면 의식을 잃을 것 같다. 체온도 떨어졌다.

우노와 퀸트도 비슷한 상황일 것이다. 목숨이 흘러내리려 하고 있다.

살아남을 수 있을지는 모르겠지만, 도망칠 수는 있다.

우노의 머리 위에 앉은 리퍼를 보았다. 리퍼가 손에 쥐고 있던 가위는 전체적으로 커다란 금이 가서 바스라지려 하고 있다. 아직 무너져내리지 않은 게 신기할 정도다. 한 번만 더 공간을 가르면 가위가 산산조각 날 것이다. 그리고 사라진 가위가 다시 재생될지는 주인인 우노도 알지 못한다.

"하지만, 도망치기 전에——— 인간이 신을 이길 수 있을지, 그 가능성을 지켜보도록 할까."

그 남자는 케라와 싸울 생각이다. 유덴을 쉽사리 해치우고 애들러 일행에게 압도적인 차이를 보여준 그 무시무시한 신과. 그냥 생각하기에는 인간이 신을 이길 수 있을 리가 없다. 하지만, 《천변만화》 또한 괴물이다.

그 남자는 케라가 힘을 발휘하기 전에 없애겠다고 했다.

하지만, 케라는 이미 유덴을 쉽사리 해치울 정도의 능력을 되찾은 상태다.

과연 그 남자는 어디까지 예상하고 있을까?

그리고 어떤 기발한 책략으로 무적의 능력을 지닌 신을 쓰러뜨릴 셈일까?

애들러는 한동안 고통을 견디며 《천변만화》가 떠나간 쪽을 노려보고 있다가, 잠시 후에 훌쩍 일어서고는 비틀거리며 어두운 밤 속으로 사라져갔다.

꿈을 꾸었다. 그림자놀이 같은 초원의 꿈이다.

하늘에 떠오른 초승달. 어둠. 한없이 이어지는 까만 초원.

그 중심에 인간 같은 형태 하나가 서 있었다.

인간이 아니라 인간 같은 형태라는 표현을 쓴 이유는 그것이 척 보기에도 인간과는 다른 분위기를 두르고 있었기 때문이다. 고레벨 헌터는 강자 특유의 분위기를, 오라를 두른다. 하지만 그것이 두른 오라는 내가 지금까지 만났던 어떤 헌터와도 달랐다.

굳이 말하자면, 가장 비슷한 것은———【길 잃은 여관】에서 마주쳤던 팬텀이다.

용도 아니고, 악마도, 환수도 아니다. 과거에 신이라 불렸던 초월적인 존재.

위기 감각이 희박한 일반인이라도 한눈에 알아볼 수 있는 압박감.

몸집은 작지만, 그런 건 아무런 상관도 없다.

그리고 그 얼굴은——— 회색 가면으로 가려져 있었다.

신기하게도 그 내력이 머릿속에 전달되었다.

가면의 신, 케라.

마술도, 무술도 아닌 특이한 능력을 지닌 핏줄로 태어나 신을 죽이고 신이 된 고대의 전사.

그 얼굴을 뒤덮은 가면은 신의 뼈로 만들어져 있다.

그 손이 천천히 올라갔고, 집게손가락이 이쪽을 가리켰다.

기분 나쁜 바람이 불었다. 주위의 풀들이 파도치듯 흔들렸다.

그리고——— 갑자기 발치가 무너지며 커다란 구멍이 뚫렸다.

피부를 어루만지는 바람의 감촉조차 느껴질 정도로 너무나도 선명한 꿈이었다.

하지만, 나는 구멍에 떨어지지 않았다. 아무리 리얼하더라도 꿈이기 때문일 것이다.

갑자기 머릿속에 어이없어하는 듯한 목소리가 울렸다.

『이렇게 감도가 둔한 남자가 있다니………… 공격이, 빠져나간다. 안테나가…… 너무 약해. 정말로 이게 영웅인가?』

왠지 실례되는 말을 들은 것 같다.

멍하니 서 있던 내게 케라가 소리 없는 목소리로 의지를 전달했다.

『나의 신전에 대한 간섭, 훌륭하였다. 무릎을 꿇고, 충성을 맹세하거라. 그리하면 구원을 내려주마. 약한 것은 죄, 힘이야말로 나의 가르침. 패배자와 할 거래 따위는 없다.』

그렇게 따지면 나야말로 이 신에게 있어서 가장 가치가 없는 인간일 텐데…… 신 주제에 보는 눈이 없나?

애초에 이건 그냥 꿈이다. 현실이라면 모를까, 꿈속에서까지 아부를 떨 필요는 없다.

나는 다른 사람이 보고 있는 것도 아닌데 하드보일드한 척하며 말했다.

"사악한 신과 거래 같은 건 하지 않아. 애초에 한번 사라졌었다면 너 또한 패배자일 텐데."

『…………무지함이, 만용이 가엾다는 건 유구한 시간이 지난 뒤에도 변함이 없는가.』

케라가 이쪽으로 뻗고 있던 팔의 손바닥을 위쪽으로 들고는 주먹을 쥐었다.

그것만으로도 내 주위의 공기가 열기를 띠며 압축되었다.

『아우터 센스』.

이것이 케라의 능력. 마술도, 무술도, 그리고 당연히 주술도 아니다. 그들의 일족이 선천적으로 지니며 세대를 거듭하면서 단련해온 특수 능력. 손으로 물건을 잡는 듯이, 발로 디디면서 느끼는 듯이, 그들은 일반인이 지니지 못한 눈에 보이지 않는 감각 기관을 통해 사상을 조작한다.

하지만 내게는 아무런 대미지도 없었다. 모든 것이 리얼함으로 넘쳐나고 있는데도, 그 공격으로 인한 통증은커녕 충격조차 느껴지지 않는다는 것이 이게 단순한 꿈이라는 증거일 것이다.

그런데 이게 신이란 말이지…… 가면을 쓰고 있는 팬텀들만 나

타나는 보물전의 보스니까 가면을 쓰고 있다는 건 이상할 게 없지만, 있는 그대로라고 해야 하나, 뭐라 해야,하나……

애초에 왠지 몸집이 너무 작지 않아? 인간 형태라는 건 백 보 양보해서 인정한다고 치더라도 좀 더 강한 모습이어도 될 것 같은데. 내 상상력은 너무 빈약하다.

"……작네."

『…………어리석은 자가!』

지면이 터지고 불기둥이 솟구쳤다. 번개가 떨어지고, 수많은 말뚝이 온몸에 꽂힌 뒤에 얼음 속에 갇혔다.

보아하니 화나게 만들어버린 모양이었다. 뭐, 아프진 않으니까 상관없지만.

그건 그렇고 참 지독한 꿈이네. 걱정거리도 어느 정도 해소되었으니까 좀 더 좋은 꿈을 꾸면 좋을 것 같은데.

공격이 멈췄다. 머릿속에서 다시 목소리가 들렸다.

『이 세계에서는 공격이 무의미한 건가. 빠르게 대비하거라, 현대의 영웅. 곧바로 현세에서 마주하자꾸나.』

불길한 말씀은 하지 말아주세요.

신은 선전포고 같은 말을 하고는 마치 지워지듯이 사라졌다.

의식이 각성했다. 나는 햇빛이 스며드는 침실에서 몸을 일으키고는 크게 기지개를 켰다.

시원하게 깼네. 잠을 푹 자는 건 내 몇 안 되는 강점이다. 특히 요즘은 이런저런 일이 많아서 몸이 휴식을 원했던 것 같다.

그런데 이상한 꿈이었지…… 꿈을 금방 잊어버리는 나치고는 신기하게도 내용까지 선명하게 기억하고 있다.

분명 어젯밤에 애들러가 이상한 이야기를 했기 때문일 것이다. 정말, 신을 사역하니 마니, 결국 뭐 하러 온 건지도 이해가 잘 되지 않았고, 민폐가 너무 심하다.

시트리 덕분에 【근원의 신전】은 함락 직전이다. 이제 【근원의 신전】의 상황을 지켜보면서 루크를 회수하면 내 고민은 전부 해결된다. 언젠가 다시 찾아올 세계수의 폭주에 대해서는 머리가 좋은 사람이 생각하면 된다.

돌입도 리즈 같은 사람들이 주도할 테니, 내 신산귀모가 나설 차례는 없다.

…………그래도, 일단은 신의 팬텀에 대한 대책은 생각해둘까. 나는 운이 안 좋으니까…….

뭐, 대책이라고 해도 내가 할 수 있는 건 없다. 보구도 전투 때 쓸만한 건 거의 없고, 마린과 흑기사도 상대가 신이라면 너무 부담될 것이다. 이번에도 결국에는 평소처럼 동료들을 믿을 수밖에 없다.

《비탄의 망령》과 《별의 성뢰》. 세렌과 루인, 막 귀환한 유그드라의 전사들. 피니스와 미레스라는 신에 한없이 가까운 정령의 협력도 받을 수 있다. 아크를 부르지 못한 건 아쉽긴 하지만, 그야말로 최고 전력이라 부를 만하다.

걱정해봤자 소용없지……라고 생각하다가 문득 떠오른 생각이 있었던 나는 품속에서 스마트폰을 꺼냈다.

신에 대해서는 신에게 물어보는 게 제일이다.

여동생 여우와 통화를 시도해 보았다. 요즘은 조금 미움을 산 것 같지만, 여동생 여우는 금방 받았다.

"야호~, 갑자기 연락해서 미안해?"

『…………사죄에 성의가 없어.』

"물어보고 싶은 게 있어서…… 이제부터 신하고 싸울 건데, 약점 같은 건 없을까?"

『?!』

신에 대해서는 신의 권속이 가장 잘 알고 있을 것이다.

여동생 여우는 레벨 10 보물전, 【길 잃은 여관】의 팬텀이다. 【길 잃은 여관】은 【근원의 신전】이 생겨나기 전부터 존재한 보물전이 며, 최심부에 존재하는 여우신은 가면의 신과 동격의 존재라 할 수 있을 것이다. 스마트폰으로 연락을 할 수 있는 게 신이 아니라 그 권속인 먹보 여동생 여우라는 게 아쉽긴 하지만, 뭐 밑져야 본 전이다.

『뭔가, 착각하는 거 아니야? 나는………… 위기감 씨의 아군이 아닌데. 어째서 우리, 약점을 가르쳐주어야 하지?』

여동생 여우가 불쾌한 듯한 목소리로 말했다. 먹이로 꽤 길들 인 것 같은데 호감도가 전혀 올라가질 않네. 왜 이렇게 퉁명스러 운 건지, 짐작 가는 이유가 전혀 없다. 좀 더 투명해지라고.

"아…… 아니, 이번에 싸울 건 다른 신이야. 소멸 직전까지 약 하게 만들었으니까 이대로도 밀어붙일 수 있을 것 같긴 한데, 좋 은 방법 같은 게 하나 더 있으면 좋겠다~, 싶어서."

『?! ? ??? ……신에게 약점 같은 건 없어.』

"어? 그래?"

약점투성이잖아. 너. 전투 능력은 뛰어날지 모르겠지만 제약이 너무 큰데.

보아하니 별로 이야기하고 싶지 않은 모양이다. 하지만, 한동안 말없이 대답할 때까지 기다리고 있자니 여동생 여우가 말했다.

『굳이 말하자면, 신의 약점은――― 다른 신. 신은, 인간 따위에게, 지지 않아. 하지만, 만약, 만에 하나, 억에 하나, 그 빈틈을 찔러서 신을 이길 수 있다면…… 그 힘의 일부를 손에 넣을 수 있을 거야. 어머님의――― 꼬리처럼.』

"……그렇구나."

우리가【길 잃은 여관】과 마주쳐서 살아남을 수 있었던 건 행운의 결과이긴 하다. 팬텀과는 한 번도 싸우지 않았고, 만약에 그때 전투를 벌였다면 지금쯤 살아있었을지 어떨지는 모른다.

케라의 능력은 미지수다. 교전하게 되면 이번이 신과 제대로 벌이게 되는 첫 전투다.

분명 고전하게 되겠지. 하지만, 여동생 여우는 약점 같은 걸 가르쳐주지 않겠다고 하면서도 억누르는 듯한 목소리로 힌트를 주었다.

신은 인간 따위에게 지지 않는다. 신의 약점은 다른 신이다.

그리고, 우리는 이미 신의 힘의 일부를 지니고 있다.

【길 잃은 여관】의 보스, 여우신이 떠넘긴 '여우신의 끝꼬리'는 어마어마한 힘을 지니고 있었다. 무진장의 마력 덩어리. 지금은

루시아가 가지고 있는데, 보구로도 재현할 수 없는 그야말로 신의 힘이다.

다시 말해서………… 만에 하나 싸우게 된다면 열쇠가 되는 건 루시아겠구나.

"…………그렇구나. 덕분에 살았어, 정보 고마워. 이제 어떻게든 할 수 있겠네."

『어? 아―――.』

통화를 끊고 스마트폰을 집어넣었다. 구체적인 약점을 알아내진 못했지만, 그렇게까지 기대한 건 아니었다. 뭐, 만에 하나의 경우가 일어나지 않으면 되는 거니까…………

재빠르게 옷을 갈아입고 바깥으로 나갔다. 오늘은 중요한 날이다.

루크를 어떻게든 구해낸다. 가능하다면 시트리의 작전의 영향으로 【근원의 신전】의 팬텀들이 줄어든 사이에 저주 해제까지 끝내버리고 싶다. 얼른 끝내지 않으면 또 무슨 일이 일어날지 모르니까…….

리즈와 다른 사람들은 방에 있지 않았다. 분명 어제 부탁했던 보물전에 침입하기 위한 준비를 하고 있을 것이다.

루크, 이 녀석………… 저주를 해제하는 데 성공하면 뭐라고 불평해줄까. 정말, 셰로에게 이상한 짓을 하지 않았다면 이렇게 고생하지도 않았을 텐데, 정말 골치 아픈 짓을 하네.

그때, 내게 하늘의 계시가 내려왔다.

루크의 저주………… 어쩌면 셰로 본인에게 풀어달라고 하면 되는 거 아닌가?

마린도 소멸하지 않았으니 셰로가 아직 소멸하지 않았을 가능성도 꽤 클 것이다.

내가 부탁하면 풀어주지 않을지도 모르겠지만, 세렌은 셰로의 친척인 것 같으니 그녀가 부탁하면 해주지 않을까? 적어도 시험해보는 것만이라면 공짜다.

어째서 눈치채지 못했던 걸까, 정말. 처음부터 눈치채고 있었다면 이렇게 귀찮은 일에 휘말리지도 않았을 텐데, 신산귀모는 얼어 죽을.

그래도 늦진 않았다. 셰로 본인이 저주를 풀 경우, 일반적인 저주 해제가 아니라 근본적으로 해결하는 거니까 루크가 그곳에 없더라도 석화를 풀 수 있을지도 모른다. 위험한 보물전 안에서 어디 있을지 모를 루크를 찾는 것보다는 훨씬 안전하다.

최종적으로 보물전으로 가는 건 마찬가지겠지만, 곧바로 세렌에게 부탁해 봐야겠다.

겨우 한 달 만에 상황이 꽤 많이 바뀌었구나.

연회를 마치고 하룻밤이 지난 뒤. 저택에 집합한 유그드라의 전사들을 본 세렌은 감탄하며 한숨을 쉬었다.

어젯밤에 했던 연회도 정말 오랜만이었다. 유그드라의 전사들이 행방불명된 이후 유그드라에는 오랫동안 밝은 화제가 없었다. 싸우지 못하는 자들 중 대부분을 유그드라 바깥으로 대피시킨 다음에는 거리가 조용해졌지만, 지금 유그드라에는 희망의 빛이 넘쳐나고 있다.

희망이 돌아온 것은 보물전의 약화에 성공했기 때문이기도 하지만, 가장 큰 요인은 행방불명되었던 유그드라의 전사들이 살아 돌아왔기 때문일 것이다. 세계수의 폭주를 막기 위해 힘든 훈련을 거듭한 그 멤버들은 유그드라의 자랑이자 희망 그 자체다.

유그드라에 도착한 직후에는 지쳐서 쓰러져 있던 전사들도 가족들과 재회하자 다시 전의를 되찾았다. 다음 싸움에 나서는 것을 거부한 자는 아무도 없었다.

이미 목표는 달성했다고 해도 무방하다.

신이 완전히 나타나기 전에 보물전을 약화하는 데 성공했다. 행방불명되었던 멤버들도 돌아왔다.

시트리가 만든 마나 머티리얼 교반장치를 유그드라에서 개량하면 보물전을 없애는 것도, 어쩌면 세계수가 더 이상 성장하지 못하게 막는 것도 가능할지 모른다.

《비탄의 망령》은 세렌이 상상했던 것 이상으로 훌륭한 헌터들이었다.

지금까지 세렌과 다른 정령인들은 도움을 받기만 했다. 다음에는 세렌 일행이 그 은혜에 보답할 차례다.

【근원의 신전】에서 행방불명된 루크 사이콜의 석상을 찾아낸 다음, 이번에야말로 확실하게 저주를 해제하자.

보물전은 아직 위험하다. 검은 세계수의 힘으로 인해 마나 머티리얼의 유입량이 줄어들긴 했지만 내부에는 아직 팬텀들도 남아 있을 것이다. 그러나 유그드라의 전사들 모두가 나서면 반드시 찾아낼 수 있다.

저택에 모여든 유그드라의 전사들도 모두 각오를 다진 듯한 눈빛을 보이고 있었다. 정령인과 인간의 악연을 신경 쓰는 자는 아무도 없었다.

세렌의 이야기를 듣고 전사 중 한 명이 고개를 크게 끄덕였다.

"한번 죽은 몸입니다. 이 생명, 새로운 벗을 위하여 쓰는 것에 망설임이 있을 리가 없습니다."

맞장구를 치는 주위 멤버들. 그중 한 명이 문득 생각난 듯이 말했다.

"그러고 보니 그 석상…… 어렴풋하게나마………… 기억이 납니다.【근원의 신전】에 침입자가 나타났다며 팬텀들이 떠들어댔고——— 그렇습니다. 보물 창고로 옮겼을 겁니다."

"?! 팬텀이었던 무렵을 기억하고 계신가요?"

"전부 기억하고 있는 건 아닙니다만———."

"상관없습니다. 말씀해 주세요."

전사들이 팬텀이었던 무렵의 이야기를 듣고, 정리했다. 아무래도 팬텀이었던 무렵의 기억은 제각각 다른 것 같았다. 며칠 정도라면 어느 정도 선명하게 기억하고 있는 사람이 있는가 하면, 거의 기억하지 못하는 사람도 있었다.

하지만, 이런 상황에서는 약간의 정보도 고맙게 느껴진다. 각자의 증언을 끼워맞춰서 【근원의 신전】의 대략적인 지도를 만든 다음, 목표 지점을 정했다.

석상 침입자의 존재는 충격적이었는지 기억하고 있는 사람이 여러 명 있었다. 보아하니 루크 사이콜의 석상은 보물전 중간까지 침입했고, 다시 움직이지 못하게 되자 팬텀들이 회수해서 신전의 보물 창고에 넣어버린 모양이었다. 보물 창고의 위치는 【근원의 신전】의 안쪽 깊숙한 곳이었다. 제단의 방 근처다.

"신의 알이 존재하는 제단 근처………… 마나 머티리얼의 공급을 줄였다고는 해도 아직 팬텀들이 남아있겠죠."

"요격 명령을 받은 것은 사라지더라도 타격이 없는 버림말들입니다. 지리적 우세는 상대방에게 있습니다. 치열한 전투가 벌어지겠죠."

팬텀들이 자연적으로 소멸할 때까지 기다릴 시간은 없다.

그 석화 주문은 강력하다. 어서 저주를 해제하지 않으면 두 번 다시 돌아올 수 없게 된다.

세렌 일행, 유그드라 쪽의 준비는 끝났다. 가라고 하면 언제든 갈 수 있다.

그때, 타이밍을 재고 있었던 것처럼 크라이가 왔다.

준비를 마친 세렌 일행과는 달리, 지팡이 하나도 들지 않은 가벼운 차림새. 뒤에는 미믹 군을 데리고 있었다. 그 모습에는 대단해 보이는 낌새가 전혀 없고, 그 육체에는 마력도, 마나 머티리얼도 거의 흐르지 않았다. 미리 알고 있는 게 아니라면 그 청년이 엄청난 실력을 지닌 헌터라는 건 절대로 모를 것이다.

하지만, 그 능력을 의심하는 자는 이미 없다. 유그드라의 백성들은 그 청년에 대한 이야기를 계속 물려줄 것이기에.

"인간, 유그드라의 백성 일동, 싸우러 갈 준비를 마쳤습니다. 다행히도 돌아온 동료들의 증언에 따라 석상의 위치도 짐작할 수 있었습니다. 다음 저주 해제는 반드시 성공하겠어요!"

이 인간도 겉으로 드러내지는 않지만, 석화된 동료를 걱정하고 있을 것이다. 세렌이 첫 번째 저주 해제를 성공시켰다면 은인에게 그런 마음을 품지 않게끔 할 수도 있었을 텐데.

각오를 드러낸 세렌에게《천변만화》가 방긋방긋 웃으며 말했다.

"아, 그거 말인데…… 이제 시간도 별로 없으니까 저주를 풀어달라고 셰로와 교섭하는 건 어떨까?"

"?! 교…… 교, 섭…………?"

머릿속이 새하얗게 물들어, 무심코 그 말을 곱씹어보았다.

그것은 저주 해제에 있어서 기본 중의 기본이었다. 아무리 솜씨가 좋다 하더라도 외부에서 저주를 푸는 것보다는 사용자 본인과 교섭해서 풀어달라고 하는 편이 훨씬 더 강할 게 틀림없다.

옆에 있던 루인이 세렌의 반응을 보고는 굳은 표정을 지었다.

루인은 세렌의 주술, 그리고 마술 스승이다.

"서, 설마…… 처음에 교섭을 시도하지 않았던 건가?"

"……저, 저는, 셰로가 이미 세상을 떠난 줄 알고———."

애초에 본인과 교섭해서 풀 수 있다면, 세렌에게 저주를 해제해달라고 할 필요조차 없다.

"시험 정도는 해봐야겠지. 셰로는 우리의 친척이다. 인간의 말에 귀를 기울이지 않더라도 세렌 황녀가 하는 말이라면 들어줄 가능성도 충분히 있어. 뭐, 애초에 유그드라의 현 황녀가 저주 해제에 실패했다는 게 한심하다만——— 요즘은 쓰지 않아서 기술이 녹슨 것 아닌가?"

귀가 따갑다. 너무 정론이라 반론의 여지가 없다.

하지만, 어째서 이 인간은 이 타이밍에 그런 이야기를 꺼내는 걸까?

그런 건 첫 번째 저주 해제 때 실패한 시점에서 지적했어야 했다. 지금부터 목숨을 걸고 은혜에 보답하려던 세렌에게 있어서 사다리를 걷어차 버리는 수준이 아니었다. 동료들도 세렌에게 눈을 흘기고 있었다.

"……인간. 그런 건 처음부터 말해야 합니다. 어째서 지금까지 말하지 않았던 건가요?"

"아~, 아니…… 뭐라고 해야 하나, 세렌의 저주 해제가 성공했다면 그게 제일 나았을 것 같아서."

곤란하다는 듯이 볼을 긁는 《천변만화》. 대답이 되진 않았지만, 그렇게 말한다면 세렌도 사과할 수밖에 없다.

곧바로 얌전히 고개를 숙이려다, 세렌은 그 인간이 작전을 마친 직후에 시트리의 작전을 비꼬는 듯한 말투로 칭찬했던 게 생각나서 움직임을 멈췄다.

당황한 듯한 시선 속에서 머리를 굴렸다.

애초에 시트리의 작전과는 별개로 행동하던 《천변만화》의 작전은 완벽했다. 시트리의 작전은 필요가 없었을 것이다. 그럼에도 불구하고 《천변만화》는 시트리에게 지휘권을 내주고 작전을 맡겼다.

《천변만화》의 역량은 일류들만 모인 《비탄의 망령》 중에서도 특히 뛰어나다. 리즈와 시트리, 루시아도 분명히 대단하긴 하지만, 크라이 안드리히는 아예 영문을 알 수가 없는 수준이다. 지휘나 작전 입안 같은 것도 다른 사람에게 맡기는 것보다는 자기가 맡는 게 더 편할 것이다.

하지만, 《천변만화》는 그러지 않았다. 아마 그건 전부―――― 동료들을 성장시키기 위해서.

빼어난 영웅 한 명은 동료들의 성장을 방해한다. 편한 방법을 선택하는 건 잘못된 것이 아니지만, 그것만 선택하다가는 여차할 때 큰 문제가 생길 것이다.

유그드라가 궁지에 몰린 원인 중 하나도 일부 멤버들에게만 의존했기 때문이다.

재능이 있기에 전사 역할을 맡고 있던 자들이 초기에 사라짐으로써 유그드라는 멸망한 것도 아닌데도 제대로 움직일 수 없게 되었다. 그대로 내버려 두었다면 솜으로 목을 조르는 것처럼 조금씩 약해지다가 언젠가는 어떻게 해볼 수도 없이 팬텀에게 함락되었을 것이다.

이번에는 어떻게든 뛰어넘을 수 있었지만 그것은 《천변만화》의 탁월한 작전 덕분이었고, 세렌 같은 유그드라의 백성들의 실력 덕분이 아니다. 그리고 이 인간은 계속 유그드라에 머무르지 않는다. 다음에 어떤 사건이 발생한다면 세렌 일행만으로 대처해야만 하는 것이다.

어쩌면 《천변만화》가 처음부터 셰로와의 교섭 이야기를 꺼내지 않았던 것도 세렌을 성장시키기 위해서였을까? 기묘한 이야기이긴 하지만, 그렇게 생각하니 모든 것이 설명된다.

만약에 처음부터 그 선택지를 골랐다면 루크의 저주는 아무런 일도 없이 해제되었을 것이다. 저주를 해제하기 위해 보물전으로 가지도 않았을 테고, 모든 것을 반쯤 포기하고 있던 세렌이 지금처럼 힘차게 일어서지도 않았을지 모른다. 지금도 동료들은 은인을 위한 일이기 때문이라며 나서려 하고 있다.

《천변만화》 쪽에는 루크의 저주 해제를 늦출 이유가 없다. 전부 계산하고 있었을 것이다.

세렌 같은 유그드라의 백성들이 자신의 힘으로 나아갈 수 있게끔.

──그리고, 그 작전은 끝을 맞이하려 하고 있다.

불평할 생각은 들지 않았다. 하지만 이제 와서 셰로와 교섭하는 건 사양이다. 그래선 세렌 일행이 너무나도 꼴사나워진다. 일단은 문제도 있다.

세렌은 살짝 헛기침을 하고는 심술궂은 은인에게 말했다.

"그건 최후의 수단으로 미루어두죠. 루크는 꽤 강한 저주에 걸린 상태입니다. 교섭이 확실하게 성공하리라는 보장도 없고, 애초에 석상은 【근원의 신전】 안쪽에 있는 것 같습니다. 그런 곳에서 석화가 풀리더라도 위험하겠죠."

"오~, 석상이 있는 곳을 알아냈구나?"

감탄한 듯이 눈을 크게 뜬 인간. 그 말은 자연스러웠고, 그렇기 때문에 수상쩍었다. 시트리의 작전이 진행되는 와중에도 독자적으로 작전을 진행하던 남자다. 루크의 위치 정도는 파악하고 있더라도 이상할 게 없다.

일단은 이치에 맞는 제안일 것이다. 셰로와의 교섭에 위험 부담이 있다는 건 사실이고, 이제 여기까지 왔으니 보물전에 돌입해서 직접 저주를 해제한다 하더라도 크게 달라질 것은 없다.

하지만, 《천변만화》는 생각에 잠긴 듯한 표정으로 말했다.

"음~, 그래도 루크니까 말이야. 시간도 별로 없고⋯⋯."

"시간이⋯⋯ 없다고요? 오늘 보물전으로 돌입하자고 결정한 건 인간, 당신 아닌가요?"

돌입 자체는 어제도 가능했다. 이번에 일정을 정한 것은 《천변만화》 본인이다.

말의 의도를 알 수가 없다. 《천변만화》에게는 또 숨겨둔 계획이라도 있는 걸까?

눈을 크게 뜨려던 순간, 동료들이 정신이 나간 듯한 기색으로 뛰어 들어왔다.

보물전을 감시하고 있던 부대다.

"세렌 님, 큰일입니다.【근원의 신전】에――― 붕괴 조짐이 보입니다."

"⋯⋯⋯⋯⋯네?"

있을 수 없는 이야기였기에 무심코 동포들을 빤히 바라보았다.

검은 세계수의 힘을 통해 마나 머티리얼의 공급을 줄이긴 했다. 하지만 마나 머티리얼의 유입량을 제한시킬 수 있었던 것은 남쪽뿐이고, 애초에 보물전이라는 것은 그리 쉽게 붕괴하는 것이 아니다.

시트리가 세운 작전도 보물전의 약화를 목표로 삼고 있긴 했지만, 그 붕괴까지는 포함되어 있지 않았다. 마나 머티리얼이 부족해질 경우 보물전은 팬텀과 보구를 힘으로 환원시켜 자신을 유지하려 한다. 만약 힘의 공급이 완전히 사라진다 해도 보물전은 그렇게 간단히 붕괴하지 않는다.

보물전에 돌입해서 루크의 석상을 찾는다거나, 그런 걸 따지고 있을 때가 아니게 되어버렸다.

"……【근원의 신전】에 무슨 일이 일어난 건지 확인하러 가겠습니다. 모두 전투 준비를 하세요. 유그드라가 세계수의 폭주에 대해 이렇게까지 대처한 적은 없었습니다. 지금부터는 무슨 일이 일어날지 모릅니다."

【근원의 신전】의 붕괴는 유그드라에 있어서 틀림없이 좋은 소식이다. 보물전이 붕괴될 정도로 마나 머티리얼이 줄어들었다면 팬텀들도 모조리 소멸되었을 테니————.

문득 신경이 쓰여서 《천변만화》의 표정을 보았다. 그 인간의 표정은 평소와 달라진 게 아무것도 없었다.

초조함도, 긴장도 없는 그 표정은 마치 지금이 어떤 상황인지 완전히 이해하지 못한 것 같았지만, 물론 그럴 리는 없다. 이 상황도 예상한 범위 안에 있는 걸까?

시선을 눈치챈 건지 《천변만화》가 방긋방긋 웃으며 느긋하게 말했다.

"그렇구나~, 보물전이 붕괴한단 말이지. 왠지 예상보다 빠르네. 운이 좋은데."

있을 수 없다. 붕괴할 리가 없다. 그럴 리가 없는 것이다.

하지만, 그걸 지적할 생각은 들지 않았다. 세렌은 몸을 한 번 떨고는 일어섰다.

보물전을 감시하고 있던 팀의 보고를 받고 유그드라는 단숨에 소란스러워졌다.

겨우 십몇 분만에 무장한 유그드라의 전사들을 포함하여 싸울 수 있는 멤버들이 전부 모였다.

나는 세렌 일행과 함께 느긋하게 그 모습을 바라보고 있었다.

보물전 붕괴. 그것은 지각 변동처럼 지맥이 대폭으로 바뀌지 않는 이상 발생하지 않을 정도로 드문 현상이다. 나도 지금까지 신기한 것들을 이것저것 봐 왔지만, 보물전이 붕괴하는 건 아직 본 적이 없다.

시트리의 설명에 따르면 보물전을 약화시켜서 결계를 제거하겠다고 했는데, 설마 보물전 그 자체를 붕괴시켜버릴 줄이야. 정말로 무시무시한 연구 성과다. 만약 이 기술이 세상에 드러난다면 두 번 다시 편히 잠들 수 없게 될 것이다. 보물전을 자유자재로 컨트롤할 수 있는 힘이라니, 너무나도 위험하다.

시트리가 당황한 듯한 표정으로 중얼거리고 있었다.

"…………이상하네요. 힘을 소모하는 결계도 해제되었으니 그 정도로【근원의 신전】이 붕괴할 리가 없는데…… 내부에 마나 머티리얼을 소모하는 무언가가 있었던 걸까요?"

보아하니 보물전의 붕괴는 시트리에게도 예상하지 못했던 일인 모양이었다.

뭐,【근원의 신전】은 골칫거리다. 소멸해준다면 그보다 더 좋을 순 없을 것이다.

"평소에 착하게 살아서 그런 건지도 모르겠네."

"……인간의 농담은 이해하기 힘들군, 입니다."

농담 같은 건 안 했는데, 크류스가 무뚝뚝한 표정으로 나를 보았다.

왠지 축제가 끝난 뒤를 보고 있는 듯한 기분이었다.【근원의 신전】이 사라진다는 건 팬텀들도 대부분 사라진다는 뜻이다. 그리고 세계가 파멸할 우려도 한동안은 없어진다는 뜻이다.

적어도 100년이나 200년 안에 새로운 신이 나타나진 않을 것이다. 이제 루크의 석상을 회수해서 이번에야말로 세렌에게 저주를 해제해달라고 하면 이제야 유그드라에 온 목적도 달성할 수 있게 된다.

얼른 제도로 돌아간 다음 클랜 마스터실에서 뒹굴거리고 싶다고. 하는 김에 세계가 파멸할 위기가 닥쳤는데 여기 있지도 않았던 아크에게 불평을 해줘야지(말도 안 되는 앙심).

그때, 뒤에서 부드러운 것이 내 몸에 얹혔다.

볼을 간지럽히는 머리카락과 뜨거운 피부의 감촉. 리즈가 달콤한 목소리로 말했다.

"크라이!! 보물전이 사라져버리는 거야? 내 적은?! 어제 약속했잖아?!"

"어, 언니?!"

그러고 보니 그런 이야기도 했었지…… 아니, 약속 같은 건 안 했어. 그냥 마음껏 날뛰라고 했을 뿐이지━━━.

리즈는 내 말은 잘 들어주는 편이지만, 그건 참는 거지 약속을 어겼을 때 아무것도 못 느끼는 건 아니다. 함부로 대답하면 그 반동이 다른 곳으로 가게 된다. 주로 티노에게.

나는 체온이 높은 팔을 툭툭 두드리며 말했다.

"그렇게 말하긴 했지. 그런데, 리즈. 보물전이 붕괴했다고 해서 날뛸 수 있는 기회가 사라진다는 건 너무 성급한 생각 아닐까?"

나를 꽉 끌어안고 있던 팔의 힘이 약간 느슨해졌다. 리즈가 토해낸 숨결이 볼을 간지럽혔다.

루시아와 시트리, 유그드라의 백성 여러분들의 시선이 따가우니까 슬슬 떨어졌으면 좋겠다.

"…………하긴, 그럴지도 모르지이? 그래도 보물전이 붕괴하면 팬텀들이 줄어들어 버리잖아? 난 그거 싫은데? 계속 조사만 했거든? 레벨 10 보물전과 조우해서 팬텀하고 한 번도 제대로 싸우지도 않고 돌아가다니, 헌터 실격 아닐까?"

리즈…… 아무래도 불만이 많이 쌓인 모양이구나. 장치를 지키면서 팬텀하고 싸우지 않았나? 아니었나 보네.

리즈는 프로지만, 그러면서도 제멋대로 군다. 역할을 내팽개치지는 않아도, 【만마의 성(나이트 팰리스)】을 공략하는 도중에 혼자만 돌아와 버렸던 것처럼 할 일을 하고 난 뒤에는 마음대로 움직인다.

나는 잠깐 생각하다가 시간을 벌기로 했다.

"리즈. 양보다는 질이야. 괜찮아, 싸울 기회는 있을 거라고."

"…………크라이, 정말 좋아."

정말 좋아, 잘 받았습니다. 나도 정말 좋아해. 그러니까 얌전히 있어.

리즈가 기분이 좋아졌는지 물러났다. 좀 전과는 달리 콧노래를 흥얼거리기 시작할 정도로 신이 난 리즈.

이제 한동안은 버틸 수 있을 것이다. 적어도 오늘 하루가 끝날 때까지는.

세렌이 살며시 다가와서 작은 목소리로 물었다.

"……인간, 싸울 기회라는 게 무슨 뜻이죠? 뭐가 오는 건가요?"

그런 걸 물어보지 말아줘. 리즈는 귀가 밝단 말이야.

"……위험한 잔당. 그래도 괜찮아. 분명 어떻게든 될 거야."

붕괴한 보물전에도 팬텀이 한두 마리 정도는 남아있을 것이다. 만약 전투가 전혀 발생하지 않는다면 기대하던 반동으로 리즈가 매우 불쾌해하겠지만, 뭐 그건 그때 가서 생각하도록 하고.

나는 더 이상 골치 아픈 일에 휘말리지 않고 얼른 돌아가고 싶단 말이야.

엘리자가 비틀거리며 내 쪽으로 다가왔다. 항상 느긋한 그녀치고는 신기하게도 얼굴에 핏기가 가신 상태였다.

"크…………… 다, 다리가, 도망치고 싶어 하고 있어…….."

"…………네 다리는 항상 도망치고 싶어 하는구나. 이제 세계수의 폭주도 끝나가는데———."

나보다 백 배(적게 잡아서)는 강하면서, 너무 도망치고만 싶어 하는 것 같다.

좀 당당하게 있어, 캐릭터가 겹치잖아!

엘리자가 내 팔을 잡고 지금까지와는 달리 진지한 표정으로 말했다.

"크………… 도망쳐도 돼? 잘 모르겠지만, 이건…… 확실히 위험해."

"……뭐, 이제 끝나가니까 엘리자가 없어도 문제는 없겠지만…… 도망친다니, 어디로 도망칠 생각인데?"

엘리자는 눈에 잘 띄지는 않지만 제대로 활약해 주었다. 도적이 하는 일은 원래 헌터 중에서도 위험 부담이 크다. 전투를 피할 수 있다 하더라도 뭐가 나타날지 모르는 보물전 조사는 간단하지 않다.

어째서 보물전이 붕괴하기 시작한 지금 그런 말을 꺼내는 건지 이해할 수가 없다.

내 말을 들은 엘리자가 눈을 크게 뜨고 있다가 잠시 후에 어깨를 축 늘어뜨렸다.

"!! …………도망칠 곳 따위는, 없었어. 크하고 함께 있으면 항상 그래."

"…………내 감은 아무 일도 일어나지 않을 거라고 하는데?"

"……………크의 감은 썩었어."

호오~, 감이라는 게 썩기도 하는구나…… 그런 말은 처음 듣는데. 오늘의 엘리자는 매섭네.

결국, 엘리자를 포함한 모두가 세계수로 가게 되었다.

이렇게 걸어가다 보니 처음에 루크의 저주를 해제하러 세계수로 갔을 때가 떠올랐다.

그때도 인원이 많긴 했지만, 행방불명되었던 유그드라의 전사 여러분이 합류한 지금 우리는 마치 군대 같다. 피니스도 있으니 어지간한 팬텀이 나타나봤자 문제없이 해치울 수 있을 것이다.

세렌의 표정도 그때에 비해 조금 부드러워진 것처럼 느껴진다. 행운이 잔뜩 겹친 덕분이라고는 해도 이렇게 유그드라의 사람들을 구해냈고, 세계가 파멸할 위기를 막아낼 수 있었던 것은 틀림없이 시트리 같은 사람들이 행동한 결과다. 이번 건은 이용한 기술이 너무 위험했기 때문에 세계에 널리 알려지진 않겠지만, 나는 친구들의 공적을 자랑스러워해야겠지.

수십 분 정도 걸어갔을 때, 나는 그제야 아득히 먼 곳에 솟아있는 세계수의 이변을 눈치챘다.

예전에는 끊임없이 떨어지던 나뭇잎이 멎었다. 지면이 보이지 않을 정도로 쌓여 있던 낙엽 융단도 찾아볼 수가 없었다.

그 나뭇잎은 세계수에 마나 머티리얼이 지나치게 축적된 결과라고 했을 텐데. 시트리의 작전은 보물전을 붕괴시킨 것뿐만이 아니라【근원의 신전】을 만들어낸 원인이었던 세계수의 폭주까지 해결해버린 건가? 옆에 있던 세렌이 굳은 표정으로 말했다.

"설마 세계수의 낙엽이 멈추다니——— 이건, 검은 세계수의 힘? 아니, 그래도 저건———."

"하지만 실제로 세계수가 두르고 있는 힘은——— 마나 머티리얼은 분명히 감소했다."

루인도 그렇고 세렌도 큰일이네…… 상황이 좋아졌는데도 인상을 찌푸리고 있다니.

마나 머티리얼 교반장치의 효과에 대해 시트리는 어디까지나 이론상이라고 했다. 실제로 사용한 적이 없었으니 예상보다 더 일이 잘 풀렸던 거겠지. 시트리는 실력이 좋으니까.

그리고, 30분 정도 더 나아가자 우리는 아무 일도 없이【근원의 신전】에 도착했다.

앞으로 나아가던 유그드라의 전사들이 우리에게 길을 양보하려는 듯이 좌우로 갈라졌다.

눈앞의 광경을 보고 나도 모르게 깜짝 놀랐다.

세계 각지에 혈관처럼 깔린 지맥의 중심——— 세계수. 그 뿌리를 둘러싸듯 전개되어 있던 보물전이 반쯤 무너져 있었다. 한없이 이어져 있던 칠흑의 벽은 기억에 남아있는 높이의 절반도 되지 않았고, 겨우 남아 있는 것들도 현재진행형으로 풍화되고 있다.

무너져 내린 잔해는 공기에 녹아드는 듯이 사라져서 남지 않았다. 보물전이 나타났을 때는 단숨에 주위의 경치가 바뀌던데, 보아하니 붕괴는 천천히 진행되는 모양이다. 어쩌면 새로운 발견 아닌가?

세렌이 눈을 한껏 크게 뜨고는 긴장한 목소리로 말했다.

"보물전이………… 무너져———."

"호오………… 대단하네."

유그드라의 전사들도, 《별의 성뢰》도, 그리고 내 소꿉친구들도, 모두가 멍하니 서서 그 광경을 바라보고 있었다. 주위에 팬텀이 보이지 않는다는 걸 확인한 다음, 앞으로 가보았다.

반쯤 무너진 외벽 건너편에는 남아 있는 게 거의 없었다. 분명 좀 더 일찍 왔다면 아직 형태를 유지하고 있던 【근원의 신전】을 볼 수 있었을 것이다.

나는 위험한 보물전을 정말 싫어하지만, 보물전 자체를 싫어하는 건 아니다. 이래 봬도 헌터를 목표로 삼았던 입장이다. 고레벨 보물전을 안전한 상태로 볼 기회가 귀하다는 건 안다.

과거의 문명을 반영한 기묘한 문양이 새겨진 조각이, 이상한 형태의 신을 모시며 세워진 기둥이 사라져가고 있다. 나는 눈을 크게 뜨고는 그 광경을 기억에나마 새겨두려 했다.

"강자들의 꿈의 흔적, 이라고, 생각하는 건가?"

"뭐, 그렇지. 한 번 정도는 느긋하게 내부를 구경하고 싶었어. 하지만 어쩔 수 없지."

"그러하다. 신전은 신이 존재하는 곳. 신 없이 신전은 이루어질 수 없다."

…………어라?

어느새 분위기가 바뀌었다.

소리가 사라지고, 바람이 사라지고, 정체를 알 수 없는 압박감이 피부를 어루만졌다.

"크………… 물러나."

엘리자가 억누르는 듯한 목소리로 말했다.

나는 그 말을 듣고서야 어느새 나타난 인간의 형태를 인식했다.

나보다 머리 하나 정도 작은 키에 작은 몸집. 입고 있는 옷은 나와 마찬가지로 전투에는 별로 어울리지 않을 법한 경장비였고, 소매 끝으로 뻗은 하얀 팔다리는 가늘어서 당장에라도 부러질 것만 같았다.

그리고──── 머리는 커다란 회색 가면으로 뒤덮여 있었다.

"자신의 팔다리를 먹는 것이나 마찬가지로 어리석은 행동이지. 이곳에 겨우 뿌리를 내린 신전을 없애다니, 비효율적이기 짝이 없어. 하나, 그러지 않으면 육체를 되찾을 수가 없었으니."

뻗은 손 앞에 있던 잔해가 후두둑, 무너졌다. 그 목소리에는 전의도 살의도 존재하지 않았다.

그런데도, 그 목소리는 말로 표현하기 힘든 무시무시한 느낌을 주었다.

세렌이 마치 열이 나서 들뜬 듯한 말투로 중얼거렸다.

"신전이 힘으로 환원——— 흡수——— 있을 수 없어. 팬텀이, 어머니인 보물전을 무너뜨리다니!!"

"피니스!!"

루인이 짤막하게 소리쳤다. 그와 동시에 뻗은 까만 팔이 눈앞에 있던 인간 형체를 휩쓸었다.

모든 존재를 고갈시키는 피니스의 힘. 물리적인 파괴력은 없지만, 그 힘은 장벽, 마나 머티리얼, 생명까지 모든 것을 흡수한다.

그러나 신에 가까운 그 정령의 힘 앞에서 그것은 전혀 초조한 기색을 드러내지 않았다.

피니스의 칠흑의 힘이 보이지 않는 벽에 가로막힌 것처럼, 형체에 닿기 직전에 사라졌다.

그리고 그것은 마치 아무 일도 없었다는 듯이 말했다.

"기뻐하라. 신의 잠을 방해하는 건, 어지간한 영웅에게도 불가능한 일이다."

설마 이거…… 케라 아닌가? 꿈에서 봤던 모습하고 똑같은데.

케라는 나만 바라보고 있었다. 여기에는 나 말고도 마나 머티리얼을 잔뜩 흡수한 녀석들이 있는데. 완전히 나만 표적이 되었다.

"도발에 넘어가 주마. 이 세상의 영웅의 힘, 보여보거라."

"크, 크, 무슨 짓을 한 거야?!"

……보아하니 그건 그냥 꿈이 아니었던 것 같네.

예언자와 점쟁이, 그리고 신관. 이 세계에는 꿈속에서 초월적인 존재와 교신할 수 있는 자가 있다.

어쩌면 내게 정말로 그런 쪽 재능이 숨겨져 있었던 건지도 모르겠다. 타이밍이 최악이긴 하지만.

"…………나도 쓸 만하네."

"오빠!!"

뒤쪽에서 루시아가 나를 불렀다. 거의 동시에 일제히 공격이 시작되었다.

《별의 성뢰》와 유그드라의 마도사들이 루인보다 늦게 공격 마법을 날린 것이다.

수많은 바람이, 물이, 빛이, 케라를 덮쳤다. 케라는 살며시 한숨을 쉬었다.

"전채도 되지 않는군. 나의 힘을, 알리지 않은 것인가."

유그드라의 전사들이 깜짝 놀랐다. 나도 무심코 눈을 크게 떴다.

공격이 케라에게 닿기 직전에 멈췄기 때문이다. 튕겨낸 것도, 흘린 것도 아니다.

"마술이………… 아니야?"

세렌의 목소리. 공중에서 멈춰 있던 마술이 일제히 반전해서 사용자에게 날아들었다.

짤막한 비명이 사라지기도 전에 리즈가 케라 뒤쪽에 나타났다.

미지의 힘을 지닌 상대를 앞두고도 망설임 없는 선제공격.

얼굴은 새빨갛게 달아올랐고, 눈은 타오르는 듯이 빛나고 있었다.

보구에 감싸인 그녀의 다리가 한순간 흐릿해졌다. 꼼꼼하게도 고마워하는 목소리가 들렸다.

"크라이, 고마워!"

내게는 아무것도 보이지 않았지만 아마도 그것은 발차기였을 것이다. 신속의 발차기.

공기를 뚫은 묵직한 소리. 케라의 모습이 공중으로 미끄러졌다.

"해치웠나?!"

"?! 맞지…… 않았어!"

티노의 짤막한 목소리에 대답한 리즈. 어이없어하는 듯한 목소리가 공기를 타고 전파되었다.

"어리석군…… 발차기 같은 게 통할 것 같은가."

케라가 미끄러지듯이 선회해서 공중에 멈췄다. 그 몸에는 생채기 하나 없다.

애초에 날개나 보구, 마술도 쓰지 않고 하늘을 나는 건 대체 어떻게 된 영문이지?

아니, 알겠다. 어제 꿈에서 보았던 그 부조리한 신의 능력.

나는 자연스럽게 어제 꿈에서 들었던 단어를 말하고 있었다.

"그게 신을 죽인 아우터 센스, 인가……. 무시무시하네."

"?! 알고 있어? 크라이?!"

…………미안. 알고 있다고 하면 알고 있는 거고, 모른다고 하면 모르는 거야. 애초에 그 꿈에서 있었던 일 중에 어디까지가 진짜고 어디까지가 꿈인지 애매하니까.

후두둑, 잔해가, 【근원의 신전】의 파편이 티끌로 바뀌어 사라졌다.

케라는 수많은 시선을 받으면서도 태연했다.

내 말을 긍정하지도, 부정하지도 않는데……. 내 말, 맞았던 거야?

"힘을 흡수하지 못하도록 해! 미레스!"

"피니스! 한 번 더!"

지면이 뒤집혔고, 흙덩어리의 창이 케라를 덮쳤다. 피니스의 힘을 굳힌 고갈의 화살이 케라를 날려버리기 위해 쇄도했다.

하지만, 양쪽 모두 마찬가지로 케라에게 닿기 직전에 멈췄다.

공간이 지직거리며 일그러졌다. 케라의 영역과 두 사람의 마법이 충돌을 벌이다가 소실되었다.

미레스와 피니스의 힘을 동시에 받아내고도 상처 하나 입지 않다니.

아마 무효화시킨 건 아닐 것이다. 그것은 단순히 지닌 힘의 차이다.

케라가 따분하다는 듯한 말투로 말했다.

"세계와의 경계가 애매했다. 태어날 때부터, 세계는 나의 일부였다. 주위 사람들은 이것을 착각이라고, 병이라고 했다. 그 세계를 자신의 육체 일부처럼 다룰 수 있다는 걸 알기 전까지는 말이지."

확장된 감각 기관. 그에게 있어서 세계란 자연스럽게 조작할 수 있는 자신의 기관 중 하나였다.

그것이 어제 꿈에서 보았던 케라가 지닌 힘의 전모다. 그리고 그 힘으로 케라는 신이라 불리던 초월적인 존재를 죽이고 대신 신이 되었다. 그렇다——— 미지의 병에 걸린 일족에서 초월적인 존재로.

자신의 힘을, 그 경위를 자랑하는 것은 그것이 신도를 얻기 위해 가장 좋은 수단이기 때문일 것이다.

안셈이 소속된 교회가 모시는 광령도 수많은 신도들을 모은 결과 신이라 불리게 되었다.

그렇다면 그와 마찬가지로 힘을 과시하며 많은 신도를 모았던 케라를 신이라 단정하는 데 무슨 문제가 있을까?

그가 존재하던 문명에서는 아마 그게 당연한 사실이었을 것이다.

안셈이 빛을 두르며 거대한 검을 한 손으로 든 채 돌진했다.

안셈의 역할은 파티의 수호지만, 그 완력은《비탄의 망령》에서도 제일이다. 광령의 힘으로 강화된 검이 케라의 보이지 않는 힘과 충돌했다. 그 충격에 대지가 갈라졌고, 케라가 웃었다.

"꽤 괜찮은 힘, 이다. 좀 더 출력을 올리거라, 인간. 그리고 내 밑으로 들어오거라. 이렇게 만난 것도 무언가의 인연일 터, 현세의 신 밑으로 들어가는 것이나, 이 케라 밑으로 들어오는 것이나 별다른 차이는 없을 테지."

으음………… 어쩌면 가능하려나?

생각했던 것보다 이야기는 통하는 것 같으니, 날뛰지 않게끔 교섭할 수 있을지도 모르겠다.

무엇보다 너무 강하다. 모든 공격을 막아내고도 케라에게는 여유가 있었다.

예전에도 신전형 보물전을 공략한 헌터는 몇 명 존재했지만,

보스인 신과 정면으로 맞서 싸워서 없앤 자는 없다. 하지만, 케라는 과거에 신을 죽이는 위업을 이루어냈다. 아마도 혼자서.

돌연변이로 인해 사람에서 갈라져 나온 괴물. 마나 머티리얼도 참 터무니없는 걸 끄집어낸 모양이다.

하지만 레벨 8 헌터가 팬텀에게 항복해도 되는 걸까…… 망설이고 있자니 안셈이 소리쳤다.

"웃기지 마라!《비탄의 망령》이 힘에 굴복하는 건 있을 수 없는 일!"

…………많이 뜨거워지셨네. 꼭 이럴 때 '으음' 말고 다른 말을 할 필요는 없을 텐데.

연달아 휘두른 검이 대지를 거세게 갈랐다. 안셈은 검술 실력이 그렇게까지 뛰어난 편은 아니지만, 그 일격에는 루크도 쉽사리 재현할 수 없는 위력이 담겨 있었다.

미치지 않은 광전사. 루크 사이콜은 안셈의 방식을 보고 검을 가르치는 걸 일찌감치 포기했다.

《부동불변》의 힘의 근원은 신앙이다. 파티를, 사람들을 지킨다는 자신에 대한 신앙.

여동생들에게 약하다는 것을 제외하면 이 소꿉친구는 완벽한 수호기사다.

대지를 헤집은 일격을 아슬아슬하게 피한 케라가 나를 보았다.

"어리석군…… 하나, 흥미롭다. 영웅, 네 대답도 마찬가지였지."

"…………뭐, 어쩔 수 없으니까."

안셈이 그렇게 말한다면 어쩔 수 없다. 세계와 신이라면 신을 선택할지도 모르겠지만, 소꿉친구와 신이라면 소꿉친구를 선택할 거라고, 나는. 그게 레벨 8 헌터, 《천변만화》의 신조다.

케라가 뿜어내는 압박감은 엄청나다. 하지만 그 압박감을 안셈의 포효가 튕겨냈다.

맹공을 가하는 안셈. 공격을 멈춘 동료들을 격려하듯 엘리자가 소리쳤다.

"아직, 저건 완전하지 않아! 완전했다면 힘을 흡수할 필요도 없었을 거야! 승산은——— 있어!"

"총력전입니다! 케라를 쓰러뜨리면 세계를 구할 수 있어요! 상대는 그냥 팬텀이에요!"

항상 축 처져 있던 엘리자의 뜨거운 외침. 시트리도 또렷한 목소리로 뒤를 이었다.

영웅담에 나와도 이상하지 않을 만한, 너무나도 강대한 적과의 교전.

몸이 떨렸다. 공포가 아니라 고양감으로.

안셈이 크게 검을 휘두르며 적을 견제하고, 뒤에서 리즈와 티노(너도 참 듬직하구나)가 회피하는 케라를 뒤쫓았다. 유그드라의 전사들과 엘리자, 《별의 성뢰》들이 뒤에서 끊임없이 공격을 보조했다.

숨돌릴 틈도 없는 공방. 그 광경은 헌터를 포기한 나에게도 너무나 눈부셨다.

아무도 죽음을 두려워하지 않았다. 소리. 바람. 휘몰아치는 모래 먼지와 찌릿찌릿한 전의.

그러나 케라의 분위기는 영웅의 무리를 앞두고도 전혀 변하지 않았다.

"그러하다. 이 존재는 아직 빈약하지. 나의 아우터 센스로도 힘을 되찾는 건 쉽지 않으니."

그 손이 크게 움직였다. 만연한 모래 먼지를 보이지 않는 무언가가 밀쳐냈다.

보물전을 마나 머티리얼로 분해 및 흡수하고, 유그드라의 전사들의 마법을 튕겨내고, 리즈의 발차기를 피하고, 미레스와 피니스의 동시 공격을 쉽사리 막아낸 그 무언가. 그것은 눈이자, 귀이자, 팔이자, 다리이자, 검이자, 지팡이자, 세계 그 자체이기도 한 신의 기관이었다.

강한 충격이 솟구쳤다. 안셈이 뒤로 크게 물러났고, 둘러싸고 있던 유그드라의 전사들이 마치 벌레처럼 날아가 버렸다. 거리를 벌리고 있던 마도사들에게까지 닿은 충격. 세이프 링이 없었다면 나 같은 건 틀림없이 즉사했을 것이다.

하늘에서 수많은 나뭇잎이 떨어졌다. 마치 요새와도 같은 위용을 자랑하던 세계수가 떨리고 있었다.

케라가 어깨를 살짝 으쓱이고는 웃었다.

"보아라. 지금 나는——— 겨우 나무 한 그루를 부러뜨리지도, 못한다."

일격을 맞춘 것인가. 그것만으로도 마나 머티리얼이 축적되어 강화된 세계수를 뒤흔들었다.

불완전한 상태인데 이 정도라면, 힘을 되찾았을 때는 세계수를 파괴할 수 있다 해도 이상할 건 없다.

이것이——— 세계의 파멸. 이것이, 신.

여동생 여우가 그렇게까지 인간은 이길 수 없다고 딱 잘라 말한 이유를 지금이라면 이해할 수 있을 것 같다.

온갖 공격을 막는 방패이자, 세계수조차 뒤흔드는 검. 신의 기적은 인간이 감당할 수 없다.

"말도…… 안 돼. 이럴 수가———."

유그드라의 절대적인 신앙의 대상인 세계수. 그것을 침범하는 신의 기적 앞에서 세렌이 창백한 표정으로 물러섰다. 아니, 세렌뿐만이 아니었다.

좀 전까지 있었던 열기가 사라졌다. 나도 느낄 수 있을 만큼 힘의 차이가 절망적이다.

이미 서 있는 사람은 별로 없었다. 안셈이 물러날 정도로 강한 여파였다. 티노나 리즈도 날아가 버렸다. 어쩔 수 없다고는 해도 일격에 이렇게까지 괴멸적인 상황이 되어버리다니, 신의 힘은 이렇게까지 차원이 다른 건가.

케라가 갑자기 이쪽을 돌아보았다.

신의 뼈로 만들어진 가면 너머에서 담담한 목소리가 들렸다.

"영웅. 너는——— 신기한 힘으로 몸을 지키더군. 신기한 남자다, 아우터 센스로도 파악할 수 없다니."

아, 네. 신기한 힘. 그건 세이프 링입니다.

자랑은 아니지만, 이래 봬도 내 목숨은——— 열 네 개 더 있다고.

우선 세이프 링은 통하는 것 같으니 평소처럼 앞으로 나섰다.

도망쳐도 의미가 없다면 앞으로 나서서 미끼라도 맡는 게 이득이다.

어느새 하늘이 불길한 먹구름으로 뒤덮여 있었다. 비가 뚝뚝 떨어지기 시작했다.

좀 전까지 맑았는데, 가는 날이 장날이구나.

나는 자조하며 어색한 미소를 짓다가 눈치챘다.

비………… 물…… 이상한 속도로 피어오른 먹구름. 설마 이건………… 루시아가 그 꼬리를 써서 대규모 공격 마법 준비를 하고 있는 건가?

루시아는 잘난 여동생이다. 아무런 말 없이도 해야 할 때 해야 할 일을 제대로 해준다.

이제 와서 평범한 공격 마법이 아우터 센스에 통할 것 같진 않지만, 루시아는 신의 힘의 일부를 지니고 있다. 기적이 일어난다면 그것뿐일 것이다.

그렇다면 내가 해야 할 것은——— 시간을 버는 것이다. 루시아가 공격을 날릴 때까지 케라의 눈길을 끈다.

나는 하드보일드한 미소를 짓고는 케라의 눈앞에 섰다.

공격은——— 오지 않는다. 이 신은 내 내용물을 알아내려 하고 있다. 텅 비었는데.

"케라, 너는 분명 강해. 하지만 안타깝게도, 예전에는 최강이었을지도 모르겠지만 지금은 최강이 아니야. 나는 네 약점을 알고 있어. 이래 봬도, 저기…… 인간 세계에서는 신산귀모로 불리거든."

"……………."

케라는 아무런 말도 하지 않았다. 그저 터무니없는 압박감만이 내게 쏠리고 있었다.

이럴 줄 알았다면 퍼펙트 배케이션을 입고 올 걸 그랬다. 세렌이 돌려주지 않아서 입지 못했는데, 뭐랄지 그, 토할 것 같다.

얼른………… 얼른 날려줘, 루시아. 오랫동안 붙잡아둘 순 없다고!

"나는 사실…… 저기, 그게, 훨씬 전부터 네 부활을 예측하고, 준비를 하고 있었어. 아우터 센스는 강력한 이능이니까. 이 세계에는 애들러 같은 이상한 능력이 꽤 있지만 네 능력은 특히 강력해. 응, 쓰러뜨리기 위해 정말 많은 궁리가 필요했다고."

"…………흥미롭군, 영웅. 말해 보거라."

아직? 아직 멀었나요? 루시아 양. 조금 더?

나는 천천히 시간을 들여서 심호흡을 하고는, 되는대로 말하기 시작했다.

"아~, 뭐라고 해야 하나, 그래. 이상한 이야기일 수도 있고 기분이 상할까 봐 미안한데, 저기…………. 그래. 내게도, 이능이 있어."

사실은 이능은커녕 그냥 무능이지만, 상관없지.

내 허풍을 들은 케라는 꿈쩍도 하지 않았다. 하지만, 그 대신 멀찍이 떨어져서 우리를 지켜보고 있던 주위 사람들이 웅성거리기 시작했다. 크류스가 분위기를 파악하지도 못하고 이상한 목소리로 외쳤다.

"?! 그, 그랬던 거냐, 약한 인간, 입니다!"

"나의 아우터 센스는 그렇게 말하지 않는군. 네 안에는 아무것도 없다."

거봐~, 케라가 더 냉정하네. 아니, 내 안에 아무것도 없어? 정말로? 신이 보장해 버리는 거야?

좀 더 잘 봐! 그리고, 루시아는 얼른 공격하고! 평소에는 재빠르게 날려버리잖아! 너!

"이해할 수 있는 것만이 진실이라는 보장은 없지. 내 이능은 그 누구도 이해하지 못해. 이해받지 못하는 힘………… 지금 당장 잠든다면 너도 그걸 보지 않아도 될 텐데, 어때? 내 입으로 말하는 것도 좀 그렇지만, 내 힘은 꽤 위험하거든?"

위험해, 위험해. 진짜로 위험해. 너무 위험해서 토할 것 같다.

"오, 오빠, 무슨 짓을 할 셈이에요?!"

………이상하네, 방금 루시아의 목소리가 들린 것 같은데…… 착각인가? 주문을 영창하는 도중에 그런 목소리로 말할 리가 없잖아.

하지만, 허풍이든 뭐든 상대방을 후퇴하게 만들면 내 승리다. 조심조심 신을 바라본 내게 케라가 매우 차분한 목소리로 말했다.

"강한 공포가 느껴진다. 공포와, 불가사의한 여유. 영웅, 너는 아직 어떻게든 할 수 있다 생각하는군. 그리고 네 동료들도. 대체 어떤 이유로 강한 유대감이 생긴 것인지, 나는 매우…… 흥미롭다."

이런, 이 신, 내가 지금까지 만난 적들 중에서 제일 냉정하다.

케라는 나를 전혀 두려워하지 않았다. 그리고 조용한 목소리로 말했다.

"좋다. 선수는 양보해주마. 네 위험한 이능이라는 것을, 보여보거라."

"⋯⋯⋯⋯⋯⋯⋯⋯⋯⋯⋯⋯⋯⋯어, 어쩔 수 없지. 사실, 이건, 하고 싶지 않았는데⋯⋯."

천천히 심호흡을 하고는 두 팔을 벌렸다.

물론 내게 이능 같은 건 없다. 하지만 시간은 벌 수 있다.

내게는 강한 동료들이 있다. 말로 전할 수는 없지만, 시간만 벌면 이심전심인 소꿉친구들이 신도 어떻게든 해줄 것이다.

나는 진지한 표정을 지으며 케라에게 말했다.

"네 약점은——— 신이야. 그리고 내 이능은, '포에버 댄스(진정한 승자는 그저 춤춘다)'. 그래!! 네 이능이! 신의 기관이라면! 내 이능은! 모든 시련에 승리하는! 승리의 방정식! 최소 다섯 시간 이어지는 이 신의 댄스를 전부 보았을 때, 너는——— 사라질 거다(자포자기)."

"?! 뭐라고?"

"마지막까지, 느긋하게 즐겨달라고!"

이래 봬도 나는 한때⋯⋯ 춤추는 음유시인(댄싱 바드)이 되고 싶었던 적이 있었다(흑역사). 결국 노래도 그렇고 춤도 그렇게까지 좋아하는 편은 아니었기에 그만두었지만.

아무리 신의 힘이라 해도 내가 한 말을 예상하진 못했는지, 아니면 오랫동안 춤을 추겠다고 선언했기 때문인지, 케라가 뚜렷한 동요를 보였다. 지금부터 지옥이 시작된다.

【길 잃은 여관】의 여우는 자신이 한 말에 속박되었다. 케라도 똑같은 성질을 지니고 있을 가능성이 있다.

케라는 선제공격을 내게 양보하겠다고 했다. 춤을 추는 동안에는 손을 대지 않을 것이다.

이제 내가 춤을 추다가 쓰러지는 게 먼저일지, 케라의 인내심이 바닥나서 공격을 가하는 게 먼저일지, 아니면 루시아나 다른 사람이 어떻게든 해주는 게 먼저일지——— 자, 정정당당하게 승부다!!

팔을 높게 들어 올려서 케라를 가리켰다. 딱히 동작은 생각하지 않았다. 내가 생각해야 할 것은 최대한 천천히 움직이면서 체력을 아껴두는 것이다.

자, 이《천변만화》의 신산귀모를 받아라!

그래, 처음에는 해파리 같은 움직임으로 가자.

강한 번개가 세계를 비추었다. 연체 생물이 된 기분으로 꿈틀거리며 팔을 내린 순간——— 눈앞에 있던 케라가 옆에서 날아든 하얀 무언가와 충돌해서 튕겨 나갔다.

"?!"

굉음. 케라의 자그마한 몸이 땅바닥에 몇 번 튕긴 다음, 공중에서 자세를 바로잡았다.

케라를 힘껏 날려버린 것은——— 하얗고 푹신푹신하고 두꺼운 것이었다.

아니, 이건………… 꼬리다. 순백의 여우 꼬리. 하지만, 루시아가 가지고 있는 꼬리는 아니다.

내 춤에 정신이 팔려 있다가 날아가 버린 케라가 처음으로 놀란 듯한 목소리로 말했다.

"이것은——— 신기(神氣). 무슨 짓을 한 거지?"

눈앞에 늘어져 있던 꼬리가 슈륵슈륵, 원래대로 돌아와 그 너머에 서 있는 케라보다 더욱 자그마한 몸집을 이루었다.

어느새 그곳에 나타난 것은 여동생 여우였다. 여우를 본떠 만든 하얀 가면과 정수리에 돋아난 하얀 귀. 그 엉덩이에는 크고 작은 꼬리 두 개가 돋아나 있다. 케라를 날려버린 것은 그중 큰쪽 꼬리였다.

상상도 못 했던 등장에 깜짝 놀랐다.

설마………… 내 이야기를 듣고는 도와주러 온 건가?!

미움을 산 줄 알았는데, 정말 의리 있는 팬텀이다.

"먹구름…… 재앙을 막을 수 있는 자, 폭풍과 번개를 두르고 온다———."

주위를 두드리듯 세차게 내리는 비. 세렌이 여동생 여우를 바라보며 멍하니 중얼거렸다.

그러고 보니 예언이 있다고 했었지. 설마 그건 아크가 아니라 여동생 여우였나?

여동생 여우 주위에 소리도 없이 자그마한 불꽃이 떠올랐다.

감동으로 말문이 막힌 나를 보고 여동생 여우가 심장까지 얼어붙을 것처럼 싸늘한 목소리로 말했다.

"⋯⋯⋯⋯거짓말쟁이. 소멸하기 직전까지 약화시켰다고, 했으면서."

자세히 보니 어깨를 부들부들 떨고 있었다.

⋯⋯⋯⋯그러고 보니 그랬지. 왠지 미안해.

케라가 지면으로 내려섰다. 보아하니 대미지는 없는 것 같았다.

"짐승의 신성을 다루는가, 영웅. 따분하진 않을 것 같군."

케라가 공세에 나섰다. 떨치는 듯한 동작과 함께 보이지 않는 힘이 여동생 여우를 덮쳤다. 여동생 여우는 꼬리를 방패로 내세우며 보이지 않는 공격을 막아냈다. 충격이 찌릿찌릿 공기에 전파되었고, 세이프 링이 그것을 막아냈다.

"허? 다룬다⋯⋯⋯⋯고? 위기감 씨가, 우리를⋯⋯ 다룬다고?"

설마 신의 일격을 막아낼 줄이야. 여동생 여우가 싸우는 모습을 보는 건 무제제 이후로 처음인데, 왠지 예전보다 더 강해진 것 같네. 꼬리도 원래 하나밖에 없지 않았나⋯⋯.

"나는⋯⋯ 위기감 씨가, 약하게 만든, 먹잇감을, 신의 힘을, 가로채려 했을, 뿐이야!!"

도와주러 온 게 아니었구나⋯⋯⋯⋯ 뭐, 상관없지. 나는 떨리는 목소리로 소리치던 여동생 여우에게 엄지손가락을 치켜들며 말했다.

"오케이~, 그런 거라면 이번에는 양보할게. 굿 잡!!"

"───윽!! 그런 반응, 원하지 않아!"

꼬리로 지면을 찰싹찰싹 내리치며 따지는 여동생 여우. 어떤 반응을 원하고 있었던 건지 가르쳐주면 나도 그 반응을 보여줄 자신이 있는데.

"얕보인 모양이로군. 어느 정도 힘을 얻은, 요괴 녀석. 약점은 알고 있다."

케라가 힘을 행사했다. 땅바닥이 솟구쳤고, 흙덩이가 떠올랐고, 점토처럼 형태를 바꾸었다.

그렇게 이루어진 것은———한 자루의 총이었다. 총신이 날씬하고 긴 엽총. 단순한 총이라면 여동생 여우 정도의 팬텀에게 통할 리가 없다. 하지만, 여동생 여우는 그 무기를 보고 몸을 움찔거리며 떨었다.

케라가 익숙한 동작으로 엽총을 겨누었다. 일반적인 마수 상대로도 위력이 부족할 것 같은 단발식 엽총을.

"짐승 요괴들이 두려워하는 납탄이다. 오랜만에 사냥을 하도록 하지. 더 이상 가면은 필요 없다. 뼈는 버리고, 네 모피는 코트로 만들어주마."

"…………무례해. 인간 출신의 신 녀석. 위기감 씨 다음으로, 무례해."

여동생 여우의 목소리는 굴욕으로 떨리고 있었다. 그 꼬리가 펼쳐지고, 떠올라 있던 불꽃의 기세가 단숨에 강해졌다.

어두운 하늘. 바람은 더더욱 거세게 불기 시작했다. 끊임없이 내리는 비 속에 떠오른 불꽃은 정신이 어지러워질 정도로 환상적이었다. 크기 자체는 그렇게까지 크지 않지만, 단순한 불꽃이 아니라는 건 명백했다.

그런데 나는 여동생 여우로 코트를 만들려고 생각해본 적도 없는데, 내가 그것보다 무례한 짓을 저질렀던가?

나는 재빨리 여동생 여우에게 아부를 떨었다.

"이기면 유부 초밥을 줄 테니까, 힘내!"

"정말 무례해!!"

여동생 여우의 수많은 불꽃에 악귀의 얼굴이 떠올라, 일제히 케라를 향해 날아갔다.

케라가 그에 맞서 한 행동은 방아쇠를 한 번 당기는 것뿐이었다.

한 발의 총성. 그저 그것만으로도 불꽃이 전부 흩어져버렸다. 여동생 여우의 꼬리가 단숨에 앞으로 뻗어 방패가 되었다.

그냥 생각하기에는 케라의 공격을 한 번 막아낸 꼬리가 겨우 총알 한 발에 뚫릴 리가 없다.

몸이 움직여버린 것은 그저 운이 없었던 결과였다.

나는 허약하다. 게다가 지금은 보구의 쾌적한 보조도 없다. 예상하지 못했던 일들이 끊임없이 발생하자 다리에 힘이 풀리고 있었다. 강한 바람이 내 등을 밀었다. 그리고 나는 세이프 링에 너무 익숙해져서 다른 사람을 감싸며 앞으로 나서는 행동이 몸에 배어 있었다.

모든 조건이 갖춰진 결과, 나는 쓰러지듯이 여동생 여우와 꼬리 사이에 파고들고 있었다.

"윽?!"

여동생 여우의 표정이 바뀌었다.

뻗은 꼬리가 크게 솟구쳤다. 튄 피거품과 작게 들린 고통의 목소리. 총알이 꼬리를 관통한 것이다.

겨우 한 발의 납탄이 기세를 죽이지도 않고 여동생 여우의 가슴 쪽으로 날아들었다.

재빨리 손을 뻗었다. 세이프 링의 힘은 손가락 끝까지 닿는다. 뚫을 수 있는 것은 존재하지 않는다.

…………어, 아슬아슬하게 안 닿겠는데.

거리가 부족하기도 했지만, 손을 뻗은 곳이 너무 위쪽이었다. 아차 싶었지만 이미 늦었다. 총알은 내 팔에 스치지도 않고 지나쳤다. 변명할 여지도 없었다.

내 방어를 피한 총알이 여동생 여우의 가슴팍에 맞았다.

그리고——— 여동생 여우의 모습이 마치 환상이었던 것처럼 사라졌다.

기세를 이기지 못하고 땅바닥에 굴렀다. 케라는 얼빠진 짓을 한 나를 보지도 않고 여동생 여우가 있던 곳을 가만히 바라보고 있었다.

"도망쳤나…… 내 지각 범위로부터 단숨에 사라지다니, 방심할 수 없는 짐승이로군."

아무래도 죽은 건 아닌 모양이다. 정말, 도망칠 수 있다면 감싸 줄 필요도 없었는데.

그리고, 신의 권속으로는 신을 당해낼 수 없는 모양이다. 【길 잃은 여관】의 팬텀도 어떻게 해보지 못하다니, 내 힘은 전혀 달라진 게 없는데도 적의 힘에 인플레이션이 너무 심해! 이 세계도 참 용케 멸망하지 않았네.

자, 어떻게 할까. 일어서서 별생각 없이 케라를 향해 손바닥을 내밀자, 소리가 울렸다.

『도망칠 필요 따윈, 없다. 새롭게 이 별에 나타난 고대의 신이여. 우리는 싸움을 원하지 않는다만——— 엽총을 들이댄다면, 무시할 수는 없겠지.』

거센 빗소리 속에서도 또렷하게 들리는 신기한 목소리. 들어본 적이 있는 소리다.

화륵, 화륵, 불꽃이 다시 떠올랐다. 그 숫자는 여동생 여우가 띄웠던 것과는 비교도 되지 않았다.

『또, 이용당했구나. 어리석은 아이야. 두 번 다시 관여하지 말라고 했을 텐데——— 이런 곳에 끌려 나오다니…… 게다가 도움을 받다니, 【길 잃은 여관】의 탄생 이래 가장 큰 추태다.』

『위기감 씨가, 거짓말을 했어. 그건 규칙 위반. 그리고…………도움을 받지는 않았어. 위기감 씨는, 총알에 닿지 않았으니까.』

불꽃이 일렁이며 마치 떠오르듯 팬텀들이 나타났다.

여우 가면을 쓴 팬텀들. 전 세계를 돌아다니는 전설의 보물전, 【길 잃은 여관】의 주민들이다.

한두 마리가 아니다. 수없이 정렬한 팬텀들. 좌우로 갈라진 그 사이를 걸어온 것은 예전에 【길 잃은 여관】에서 만나 이야기를 나누었던 키가 큰 팬텀——— 오빠 여우였다.

옆에는 좀 전에 총을 맞았던 여동생 여우도 있었다. 오빠 여우는 타이르듯이 말했다.

"인간은 거짓말쟁이다. 처음부터 알고 있었던 사실이야. 그리고, 너는 신이 있다는 걸 알면서도 방심했지. 혼자 가선 안 되었던 거다. 미처 도움을 받지 못했다 하더라도——— 감싸주었다는 건, 매우 큰 문제야."

"…………"

풀 죽어서 눈을 내리깐 여동생 여우. 급하게 나서서 변명해 주었다.

"나는 거짓말 같은 건 안 했어! 그리고 도와주지도 않았고!"

"위기감 씨는 조용히 해."

"아, 네."

여동생 여우에게 말하던 것과는 전혀 다른 싸늘한 목소리.

이제 볼일이 없는 것 같으니 슬쩍슬쩍 뒤로 물러났다. 이대로 돌아가도 괜찮으려나?

케라는 잔뜩 나타난 다른 신의 권속들 앞에서 당황한 기색이 섞인 목소리로 말했다.

"아우터 센스는…… 아무것도 포착하지 못하고 있다. 여기에는, 아무것도, 없을 텐데."

"그런 것까지 아는 건가. 모든 것을 내다보고 모든 것에 간섭하는 신의 기관——— 무시무시한 능력이군."

오빠 여우는 소매에 손을 집어넣고 고개를 끄덕인 다음, 감탄한 듯이 말했다.

"세계의 중심에 태어난 고대의 신. 어쩌면 당신은 우리보다 강했을지도 모르지."

케라가 팔을 크게 움직인 다음 손바닥을 쥐었다.

공간이 일그러졌고, 오빠 여우를 비롯하여 정렬해 있던 【길 잃은 여관】의 팬텀들이 무언가에 짓눌린 듯이 납작해졌다. 하지만 오빠 여우의 목소리는 멈추지 않았다. 그는 짓눌린 채로도 계속 말했다.

"당신이 자신의 힘을 신의 기관이라 정의한다면——— 우리 어머니의 힘은 별조차 속이는 거짓말이다. 당신이 한 말은 옳아. 여기에는 아무것도 없지. 하지만, 이 세계는 여기에 우리가 있다고 착각하고 있다."

오빠 여우였던 것 위에 불꽃이 떠올라 이동했다. 짓눌린 팬텀들이 불꽃으로 바뀌었다.

그것은——— 길이다. 멍하니 서 있던 케라에게 오빠 여우의 목소리가 말했다.

"어전이다. 오늘 어머니는, 딸이 또 인간에게 속아 심기가 불편하시다. 이대로는 화풀이 삼아 누군가를 먹어버릴지도 모르겠군. 부디 즐겁게 해달라고, 인간의 신."

아, 이거 큰일이네.

엘리자가 아니어도 알 수 있다. 마음이, 혼이 웅성거린다. 지금 여기에 내려서려 하는 자의 크기 때문에.

보아하니 그들은 보물전 전체가 총출동한 모양이다. 위쪽에 있는 먹구름 안에 있겠지.

나는 완전히 구경꾼이 되어버린 동료들을 보고는 손을 크게 흔들며 철수 신호를 보냈다.

마나 머티리얼은 때때로 무시무시한 괴물을 불러낸다.

수많은 나라들을 멸망시킨 용과 세계정복 직전까지 갔던 마왕. 그리고——— 고대의 사악한 교단이 숭배하던 신. 보물전이 재현한 문명 중 일부가 멸망한 이유가 마나 머티리얼이 불러일으킨 재앙 때문이라는 설은 진실일지도 모른다. 그렇다면 우리 세계가 아직 멸망하지 않은 것은 정말 운이 좋은 것 아닐까.

【길 잃은 여관】과 함께 다가왔던 폭풍은 하루 종일 그치지 않았다.

우리가 유그드라로 돌아온 뒤로도 번개는 끊임없이 쳤고, 땅이 간헐적으로 흔들렸다.

나는 알 수가 없었지만, 숲의 정령들이 신들의 싸움에 웅성거렸고 힘의 충돌로 인해 발생한 에너지가 몇 킬로미터 거리를 넘어 유그드라까지 닿아 결계를 뒤흔들었던 모양이다.

모두가 불안해하던 하룻밤이 지나고 나서야 폭풍은 약해지고, 진동도 사라졌다.

창문 너머로 하늘을 올려다보고 있자니 돌아오고 나서 계속 잔소리를 하던 루시아가 옆에 서서 말했다.

"힘이 충돌하는 기척이 사라졌네요. 아무래도 승부가 난 모양이에요."

"······어느 쪽이 이겼을 것 같아?"

이렇게까지 했는데 케라의 승리라면 최악이다.

도망치듯이 유그드라로 돌아오고 나서 나를 기다리고 있었던 것은 잔소리 지옥이었다.

루시아와 크류스는 기본이고, 일단은 은인이라는 입장으로 대해주던 세렌과 루인, 유그드라 여러분, 마지막에는 안셈까지. 안셈에게까지 혼나다니, 크라이 안드리히, 뼈아픈 무능이다. 일단 나도 의도치 않게 그렇게 된 거라며 반론했지만 아무도 믿어주지 않았다. 뭐, 애초에 여동생 여우가 오게 된 계기가 내 스마트폰인 시점에서 어떻게 해볼 수도 없는 문제다.

보아하니 시간이 지나자 루시아의 어이없어 게이지도 떨어진 모양이었다.

루시아가 눈살을 찌푸리며 잠시 생각하다가 대답했다.

"글쎄요. 그 수준 정도가 되면 상성이라든가, 그때의 컨디션으로 승패가 뒤집힐 수 있을 거예요. 그게 인간 출신이라니, 세계는 넓네요."

"우리도 열심히 해야겠지~."

그래도 루시아가 그렇게 강해지면 곤란한데. 오빠의 위엄이 완전히 멸종해버린다고.

"실제로 그렇게까지 초월적인 힘을 지니고 있다면 이미 저희와는 장르가 다른 생물이죠·········· 언니나 오빠의 공격도 전혀 통하지 않았고요."

"보이지 않는 무언가가 쿠션처럼 끼어 있었다고. 어쩔 수 없잖아! 진짜! 짜증 나!"

"으음⋯⋯."

곧바로 강적을 분석하기 시작한 시트리를 보고 리즈가 짜증 난다는 듯이 혀를 찼다. 싸울 때는 기쁜 것 같더니, 지금은 기분이 꽤 안 좋은 것 같다.

"왜 짜증이 난 건데?"

"크라이의 기대에 부응하지 못했던 나 자신 때문에! 망할, 감촉이 남아 있어서 기분 나빠! 뭐라고 해야 하나, 말로 표현하기 힘든데——— 단단함과 부드러움, 가벼움과 무거움이 동시에 존재하는 것처럼 이상한 물질을 공격한 느낌이야! 다음에 나타났을 때를 대비해서 뭔가 생각해 봐야겠는데———."

그러십니까⋯⋯⋯⋯ 아니, 그런 괴물이 그렇게 자주 나타나면 안 되지!

"마법도, 발차기도, 검도, 타격도, 전부 받아냈죠. 충격도 전달되지 않았고——— 오빠와 언니가 공격했을 때는 케라 본체가 움직여서 흘렸던 걸 보면 마술보다는 물리 공격 쪽이 그나마 통할 것 같지만, 아무렇지도 않게 막아내던 걸 또 보면 크게 다를 것도 없고요."

"⋯⋯⋯⋯그 신에게는 공수 양면으로 빈틈이 없었어. 주위 전체에 눈과 귀, 팔이 달려 있는 거나 마찬가지야. 아마 그걸 뚫으려면 아우터 센스의 허용량을 뛰어넘을 정도로 압도적인 힘을 때려 넣을 수밖에 없겠지."

팬텀의 약점을 간파하는 게 특기인 엘리자의 평가.

압도적인 힘이라면 안셈보다 더 강한 힘이라는 뜻이지? 정말 까다로운 상황이다.

티노는 입을 다물고 있다. 여동생 여우 일행이 패배하면 또 우리가 싸우게 될 것이다. 자, 어떻게 되려나——— 그렇게 생각하던 나는 품속에서 스마트폰을 꺼냈다.

그래…… 굳이 겁내고 있을 필요도 없이 여동생 여우에게 연락해서 결과에 대해 물어보면 되잖아.

연락처 일람에서 여동생 여우를 선택했다. 통화를 시작하려던 와중에 가까이에서 목소리가 들렸다.

"…………함부로, 연락하지 마."

"윽?!"

단숨에 전투태세에 들어간 리즈와 다른 사람들. 나는 곧바로 손바닥을 내밀어서 싸우려던 사람들을 말렸다.

여동생 여우를 보고는 일단 친근한 미소를 지었다.

"…………너, 정말로 신출귀몰하구나."

훌쩍 나타났다가, 훌쩍 사라진다. 오빠 여우가 한 말을 감안하면 이건 환술 같은 건가?

간신히 멈추긴 했지만, 루시아 같은 사람들도 엄청나게 경계하고 있다. 정말…….

"케라를 쓰러뜨렸구나. 꽤 하는데."

"……바보 취급하지 마. 어머님께서, 꼼수도 없는데, 질 리가, 없어."

말은 그렇게 했지만 여동생 여우는 꽤 만신창이였다. 숨기지 않은 꼬리는 붉게 물들었고, 하얀 기모노도 더러워진 상태. 그 모습을 잠깐 관찰하다가 고개를 들자 어느새 여동생 여우 옆에 오빠 여우가 서 있었다.

갑자기 나타나면 놀라잖아…… 뭐, 나는 무언가가 갑자기 나타나는 것에는 익숙하지만.

"정말로 강했어. 그건 싸움의 결과로 생겨난 신이야."

"응, 그래, 그렇지."

"우리와는 태생이 달라. 설마, 이제 막 나타난 상태로 어머니의 꼬리를 세 개나 잃게 만들다니. 위기감 씨 일행은………… 아직, 이길 수 없었을 거야."

"응, 그래, 그렇지. 정말 덕분에 살았어. 와줘서 고마워!"

"………………위기감 씨는 정말 도발하는 솜씨가 좋구나. 이 애를 감싸주지 않았다면 이 몸이 소멸할 각오로 갈기갈기 찢어놓았겠지만, 정말로, 매우, 안타깝게도─── 우리 존재에는 은혜를 갚는 성질이 새겨져 있어서 말이지………… 보복을 할 수가 없어. 그냥 공격하는 게 아니라, 복수가 되어버리는 게 문제지."

보아하니 절대적인 능력을 자랑하는 【길 잃은 여관】의 팬텀도 고생이 많은 모양이다. 진심을 담아서 감사했는데 진짜로 싫어하는 듯한 표정을 지으면 마음의 상처라고…………. 그건 그렇고 은혜 갚기라.

감싸줬다고 해도 그건 그냥 우연이고, 실제로 내가 뭔가 해낸 것도 아니다. 보답을 해야 하는 건 오히려 내 쪽일 텐데. ……앞으로도 도움을 받을 일이 있을지도 모르니까!

"은혜를 갚는다니, 그게 무슨 소리야. 보답하고 싶은 건 오히려 우리 쪽인데——— 맞다, 지금은 힘들겠지만, 나중에 클랜 전체가 나서서 맛있는 유부를 마련할게!"

"!!"

여우 가면 때문에 얼굴 위쪽 절반이 가려져 있긴 하지만, 여동생 여우의 꼬리가 마구 흔들렸다.

내가 말하기는 좀 그렇지만, 너 정말 유부를 좋아하는구나.

"⋯⋯⋯위기감 씨, 내 여동생이 바보인 줄 아는 거 아니야? 뭐, 그것도 오늘까지지만———."

"어?"

"더 이상 이용당하면 신의 격이 떨어져. 입은 은혜는 그 신을 물리친 것으로 전부 갚았어. 자."

오빠 여우가 등을 살짝 밀자, 여동생 여우가 비틀거리며 앞으로 나섰다.

여동생 여우는 한동안 나를 지긋이 올려다보고 있다가 갑자기 내가 들고 있던 스마트폰을 손가락으로 가리켰다.

"속았다."

"?!"

눈을 한 번 깜빡이고 나니 내가 들고 있던 스마트폰이 광택이 있는 종이로 바뀌었다. 만져보니 약간 찐득찐득했고 고소한 유부 냄새가 풍겼다. 여동생 여우가 한숨을 쉬며 고개를 끄덕였다.

"이제 됐어."

"?! 어째서?! 돌려줘!"

"윽! 그건, 원래 포장지였어! 위기감 씨는 계속 속은 거고! 너무 둔해!"

"그런 거야. 쓰레기를 둔갑시켜서 만든 도구를 그렇게 오래 쓸 수 있다니, 거의 재능이지. 시간이 지나면 허술해지는 부분도 생길 텐데———."

영문을 알 수가 없다. 내 스마트폰, 돌려줘…………

충격을 받고 굳어버린 내게 오빠 여우가 한숨을 쉬며 말했다.

"이제 전부 정상으로 돌아왔어. 좋은 경험이라고 하기에는 피해가 너무 컸지만…… 뭐, 됐지. 그 '신'을 지금 정리할 수 있었던 것은 행운이야. 어머니의 힘도 언젠가 회복되겠지. 100년이든 200년이든, 우리에게는 한순간이야. 작별이다, 《천변만화》."

"………………바이바이."

여동생 여우가 손을 살랑살랑 흔들었다. 뭔가 말할 틈도 없었다. 두 사람의 모습이 훌쩍 사라다.

너무나도 갑작스러운 작별이었다. 남은 것은 스마트폰이었던 종이뿐이다. ……아니, 잘 생각해보니까 이거, 예전에 여동생 여우에게 줬던 유부 포장지잖아?

"떠나는 것도 빠르네…… 유부를 대접하겠다고 했는데."

"…………왠지 질색하는 것 같던데요."

그때까지 조용히 지켜보고 있던 루시아가 어이없다는 듯이 말했다. 뭐, 조금 미안한 짓을 했을지도 모르겠다. 이제야 조금 사이가 좋아진 줄 알았는데.

인생은 길고, 헌터에게는 항상 이별이 따라붙기 마련이다.

인연이 있다면 또 만날 수도 있겠지. 나는 그렇게 생각하며 손가락을 튕기고는 말했다.

"그래! 번호는 기억하고 있으니까, 다른 스마트폰을 손에 넣게 되면 연락처를 등록해야겠어."

"오빠············ 상대방이 레벨 10 보물전의 팬텀이라는 걸 잊었어요?"

"역시 신을 죽이려면 신이 될 수밖에 없는 걸까? 안 그래? 티."

"············마스터어는 꽤 예전부터 신이셨어요."

여동생 여우, 꽤 애교가 있단 말이지. 케라도 처음에는 복종을 요구했으니 레벨 10 보물전의 팬텀들은 의외로 교섭이 통할 상대일지도 모르겠다.

원래 스마트폰이었던 포장지를 가슴 쪽 주머니에 넣었다. 세렌 일행은 케라와 여우들의 전투를 밤새 경계하고 있었을 것이다. 얼른 결과를 가르쳐줘야겠다.

【길 잃은 여관】의 팬텀들과 케라가 벌인 전투 결과를 알리러 갔다.

세렌의 저택에는 유그드라의 백성들이 잔뜩 모여 있었다. 보아하니 유그드라에서는 황족과 일반 시민들 사이에 울타리가 없는 모양이다. 인원이 그렇게까지 많지 않기 때문인가 보다.

세렌은 나와 만난 직후와 비교해도 손색이 없을 정도로 지독한 표정이었다. 모처럼 한때는 부드러운 표정을 지을 수 있게 되었는데, 어제 전투로 인해 전부 리셋되어 버린 것 같다.

사람들 앞에서 보고했다. 케라와【길 잃은 여관】의 전투는 후자의 승리로 끝났다는 것. 왔던【길 잃은 여관】의 팬텀들은 원래 있던 곳으로 돌아가서 평화가 돌아올 거라고.

좋은 보고를 한 것 같은데, 환호성은 들리지 않았다.

그 대신 세렌이 한숨을 크게 쉬고는 말했다.

"⋯⋯⋯⋯⋯⋯이제, 당신께는 뭐라 말씀을 드려야 할지 모르겠습니다, 《천변만화》. 《별의 성뢰》와 엘리자에게 이야기를 들었습니다만, 지금까지도 꽤 많은 일을 해온 모양이더군요. 설마 다른 신을 세계수로 불러들여서 싸우게 하다니, 정말 말도 안 되는⋯⋯⋯⋯ 아니, 애초에 대체 어떻게———."

"⋯⋯⋯⋯⋯⋯인덕?"

"⋯⋯약한 인간, 너, 우리가 바보인 줄 아는 거 아니냐? 입니다."

"나는 그런 것보다 네놈이 지니고 있다는 그 이능이라는 것이 신경 쓰인다만."

라피스의 싸늘한 눈초리. 그건⋯⋯ 잊어줬으면 하는데. 부끄러움이 많은 헌터 인생에 새로운 부끄러움을 새겨버렸다. 아니, 그래도 그걸로 시간을 번 결과 여동생 여우 일행이 늦지 않게 와줬다는 걸 고려하면, 그 춤은 내가 여기 와서 했던 행동 중에서 가장 도움이 된 거 아닌가?

사실대로 말해도 상관은 없지만 어차피 믿어주지 않겠지.

나는 하드보일드한 미소를 지으며 말했다.

"지금은 비밀로 해둘까. 언젠가 자세히 이야기할 때도 올 거야."

"…………흥. 여전히 비밀주의인가. ……뭐, 됐다. 수단이 어찌 됐든, 네놈이 유그드라를 구했다는 건 엄연한 사실이다."

엄연한 사실은 아닐 것 같은데. 구해준 건 내가 아니라 여동생 여우 일행이고, 그런 상황까지 이어갈 수 있었던 건 《별의 성뢰》나 《비탄의 망령》, 세렌 일행 등, 나를 제외한 멤버들이니까.

뭐 그런 건 상관이 없는 모양이다. 라피스가 여전히 싸늘한 눈초리를 보이며 말했다.

"클랜을 설립하겠다고 찾아왔을 때는 어떻게 되려나 싶었다만——— 루시아 건을 제외하더라도 소속될 만한 가치는 있었다. 자랑스럽게 여기거라. 우리 정령인에게 도저히 갚지 못할 정도로 큰 빚을 지게 만들었다는 것을."

말투는 거만해도 내용은 기특하네. 빚을 지웠다고 생각하진 않지만 말해봤자 들어주지도 않을 거다. 함께 클랜을 만들고 나서 몇 년이 지났기에 그녀들이 고집이 세다는 걸 나는 뼈아플 정도로 잘 알고 있다.

"라피스 말이 맞습니다. 자잘한 것들은 제쳐두도록 하죠. 세로를 되찾고, 행방불명되었던 동포를 구하고, 신을 쓰러뜨리고, 세계수를 구해냈습니다. 저희의 사명은 이루어졌습니다. 《비탄의 망령》과 《별의 성뢰》. 유그드라는 당신들께 도저히 갚을 수 없을 만큼 빚을 졌습니다. 인간, 당신들은 수명이 짧습니다. 하지만, 저희는 당신들에게 입은 은혜와 그 용기를 대대로 잊지 않을 것입니다."

"딱히 대단한 걸 한 것도 아니니까 잊어도 돼."

"인간, 겸손도 지나치면 거만해진다. 인간 중에서 정령인에게 빚을 지게 만들 수 있는 자는 그리 많지 않아. 그 혼을 자랑스러워해야 한다."

아스톨이 곧바로 나무랐다. 다른 《별의 성뢰》 멤버들도 고개를 끄덕이고 있었다.

처음에는 다들 퉁명스러웠는데, 정말 많이 바뀐 것 같다.

라피스가 선언하자 그제야 모든 것이 끝났다는 걸 이해했는지, 긴장되었던 분위기가 느슨해졌다.

"뒤처리는 저희만으로도 충분할 겁니다. 정말 감사합니다. 제대로 환영도 해드리지 못했습니다만——— 지금은 느긋하게 피로를 풀어주세요. 필요한 게 있으시다면 뭐든지 마련해드리겠습니다. 인간, 종은 다르지만, 당신들은 틀림없이 저희 동포입니다."

왜 정령인들은 툭하면 뭐든지 해주겠다고 하는 거지?

시트리가 눈을 반짝이고 있다. 완전히 쥐어 짜낼 셈이다. 나는 마음속으로 합장했다.

이제야 짜증이 좀 가라앉은 것 같은 리즈가 말했다.

"이번 건으로 크라이는 레벨 9로 올라갈 수 있는 거 아니야? 거크도 꽤 기대하는 것 같던데."

"…………아니, 아니, 레벨 9라니, 나는 아직 멀었어. 그리고 제도에는 나보다 실력이 훨씬 좋은 헌터들이 잔뜩 있으니까."

좀 봐주세요. 레벨 8인 지금도 이렇게 지독한 일에 휘말리고 있는데, 레벨 9가 되면 어떻게 되어버릴지 모른다고.

그래도 정말 힘들었지만, 이번에야말로 전부 끝났구나.

연달아 벌어진 전투와 뜻밖의 사태. 마지막에는 아크 신에게 전부 해결해달라고 할 생각이었는데, 설마 여우신을 맞부딪히게 될 줄이야. 몇 번이나 어떻게 되려나 싶었지만 결과적으로는 죽은 사람도 없었고, 문제도 대충은 해결할 수 있었다. 꽤 나쁘지 않은 결과 아닌가?

유그드라는 좋은 곳이었다. 이번에는 할 일도 많아서 느긋하게 즐길 여유가 없었지. 기회가 생기면 다음에는 바캉스로 오고 싶다.

슬쩍 한숨을 쉬고는 동료들을 둘러보았다.

그리고 나는 정작 중요한 걸 잊고 있었다는 사실을 떠올렸다.

····························아! 루크!

방심하지는 않았다. 온 힘을 다했고, 미치지 못했다.

열한 개의 꼬리를 지닌 순백의 요괴 여우. 오랜 세월을 살면서 힘을 모아 신성을 얻는 경지에 도달한 마성.

짐승 요괴는 기본적으로 꼬리 숫자에 비례해서 강해진다. 그 신은 케라가 지금까지 싸워 본 어떠한 짐승보다 많은 꼬리를 지니고 있었다.

첫눈에 그 힘을 알아챘지만, 화해할 길은 없었다. 납탄은 짐승 출신의 신성에게 있어서 역린이다.

그리고 애초에 신은 다른 존재와 영합하지 않는다.

이 세계에서 차지할 자리를 두고 서로의 존재를 깎아낸다. 그것은——— 신들의 싸움이다.

공터가 되어버린 일대를 케라는 혼자 비틀거리며 걷고 있었다.

치열한 싸움을 벌인 결과, 이제 막 생겨난 육체에는 수많은 금이 가 있었다. 힘을 유지할 수가 없다.

마나 머티리얼이 현재진행형으로 몸에서 계속 빠져나가고 있는 게 느껴졌다.

능력은 케라가 더 강했다. 하지만, 축적된 힘의 전체적인 양은 차원이 달랐다.

그 여우는 아마 먼 옛날부터 이 세계에 군림했을 것이다.

꼬리를 세 개나 날려버렸지만 케라는 혼에 상처를 입었다. 현생에서는 결코 지워지지 않을 상처를.

요괴 여우가 한 말이 머릿속에 달라붙어서 떨어지지 않는다.

꼬리를 세 개나 잃고, 힘이 크게 줄었는데도 불구하고 변함이 없던 그 당당한 모습.

『죽이지는 않겠다. 패배한 신. 어리석은 인간이여. 그 상처는, 두 번 다시 지워지지 않는다. 이 세계의 한구석에서 그 굴욕과 함께 영원히 살아가거라.』

100년이다. 100년 뒤였다면, 꼬리를 대부분 날려버릴 수 있었을 것이다. 최악의 경우에도 동귀어진까지는 끌고 갈 수 있었다. 그런 확신이 든다. 케라는 완전한 상태가 아니었다. 신전을 먹고, 권속을 먹고, 세계수의 힘을 일부 흡수하고도 완전한 힘에는 미치지 못했다.

싸운 것은 후회하지 않는다. 그저, 아쉽다. 그렇게 강한 신과 온 힘을 다해 싸우지 못했다는 것이.

힘이다. 힘이 필요하다. 다행히 이곳은 세계의 요지다. 그 중심인 나무 근처에서 쉬면 소멸하지 않을 정도로는 회복될 것이다. 그 요괴 여우가 말한 대로.

지금 신의 기관은 마음대로 움직일 수가 없다. 신성을 띤 그 꼬리와 요술은, 결코 상처를 입지 않는 케라의 능력에 상처를 입혔다. 한번 혼에 입은 상처는 아우터 센스로도 완전히 회복되지 않을 것이다. 적어도 그 요괴 여우를 죽일 때까지는.

꼬리와 여우불, 그리고 케라의 힘으로 인해 헤집어진 대지를 걸어갔다. 거대하고 신비한 나무는 그 영웅의 책략 때문에 흘러드는 힘이 줄어든 상태였지만, 충분하다.

세계수에 도착했다. 나무에 손을 대고 주저앉으려던 케라는 나무 근처에 서 있던 것을 보았다.

───그것은, 석상이었다. 당장에라도 움직일 것처럼 약동감이 넘치는 검사의 석상.

눈을 크게 뜬 채 손에는 검 한 자루를 쥐고 있다.

이 나무는 어제까지 케라의 신전에 완전히 삼켜진 상태였다. 누군가가 가지고 온 게 아니라면, 이 석상도 신전에 저장되어 있던 물건일 것이다.

신전 안에 있던 것들 중에 변환할 수 있는 것은 보구도, 팬텀들도, 전부 힘으로 변환해서 흡수했다. 어째서 석상이 남아있는 거지? 신도들이라면 알고 있었을지도 모르겠지만, 그때 케라는 모든 것을 확인할 여유가 없었다.

그때 석상이 들고 있던 검을 보았다.

"……이 검은, ……나의 신전에 저장되어 있던 물건, 인가. 어째서 환원되지 않은 것이지?"

물질의 구성을 '아우터 센스'로 분해해서 흡수한다. 신전의 건물도, 팬텀도, 보구도, 전부 강제로 분해했다. 그런 과정으로부터 벗어났다면 그것은━━━.

마나 머티리얼은 의지를, 정보를 파악하는 성질이 있다. 힘으로 환원시키는 것은 케라의 능력으로도 꽤 무리한 작업이었다. 그래서 아마도 '사용자'가 있는 무기는 환원하지 못했을 것이다.

하지만 무기를 들고 있는 건 그냥 석상이거늘.

대미지로 인해 산만해진 의식. 그 안쪽에 약간의 경계심이 되살아났다.

만신창이가 된 신의 기관을 겨우 움직여서 석상에 접촉했다.

그리고 케라는 석상 안쪽에서 울리는 그 목소리를 들었다.

『━━━사하………………나도, 싸우━━━.』

이 석상…… 원래는 인간이었나?

케라는 생물을 돌로 만드는 힘에 대해 알고 있다.

본 적도 있고, 치료해준 적도 있고, 돌로 만든 적도 있다.

그렇다면 이 목소리는 뭐지? 어째서 돌이 된 생물이 목소리를 내고 있지? 어떻게 낼 수 있지?

힘을 사용해서 자세히 살펴보았다. 그 석상은 표층만 석화시켜 흉내 낸 것이 아니라, 강력한 저주로 인해 안쪽까지 완전히 돌로 변한 상태였다. 석화되지 않은 것은——— 그 혼뿐이었다.

『워줘………… 라이………… 사…….』

만약 혼만 남은 상태로 의지를 전하려 하고 있다면, 이 얼마나 강인한 혼인가.

남겨진 힘을 총동원해서 그 내부에서 전해지는 목소리에 귀를 기울였다.

대충 걸쳐 입은 옷과 타오르는 눈. 그 눈에 홀린 듯이 한 발짝 다가선 순간, 좀 전까지 띄엄띄엄 들리던 목소리가 이어졌다.

"치사, 하다! 나도, 싸우고 싶어! 끼워줘! 크라이!!"

"?!"

이건——— 혼의 목소리가 아니다. 현실의 목소리다.

석상에 금이 쩍쩍 가더니 온몸으로 퍼져나갔다.

혼이 저주를 완전히 능가하고 있었다. 마나 머티리얼이 그 의지를 파악했기 때문이기도 하겠지만, 설마 의지만으로 이 석화를 해제하다니——— 그것은 기적이라 할 만한 현상이었다.

"있을 수 없는 일이다."

"우오오오오오오오오오오오오오오오오옷!"

석화가 풀렸다. 다시 태어난 울음소리가, 뜨거운 포효가 세계수를 뒤흔들었다.

오랜 세월을 살며 신의 경지에 도달한 케라조차 본 적이 없는 기적. 사고가, 잠시 얼어붙었다.

케라가 마지막으로 본 것은 한순간도 망설이지 않고 내려친 하얀 칼날이었다.

"…………이제, 끝인가. 조금 자극적인………… 구경거리였어."
《천변만화》의 책략을 전부 확인한 애들러는 한숨을 쉬었다.

멀리 떨어진【근원의 신전】흔적의 상황을 비추고 있던 '현인경'
이 빛을 잃었다. 힘을 전부 쥐어 짜낸 모양이다. 어쩔 수 없다. 케
라와《천변만화》가 불러낸 거대한 여우신이 벌인 싸움은 그야말
로 신들의 싸움이었다.

유덴을 손에 넣었을 때는 최강이 되었다고 착각했지만, 아무래
도 세계는 애들러의 상상보다 넓었던 모양이다. 함께 싸움을 지
켜보던 우노와 퀸트도 지쳐서 늘어져 있다.

애들러 일행은 유그드라에서 멀리 떨어진 시골 마을에 있었다.
리퍼의 남겨진 힘을 전부 사용해서 날아온 곳, 세계수에서 가장
멀리 떨어진 마을이다. 제블디아에서도 멀리 떨어진 이곳에서는
《천변만화》의 소문조차 들리지 않는다.

그것은 사실상의 패배라는 의미였다. 하지만, 그것조차 아무래
도 상관없다.

"설마, 다른 신의 팬텀을 맞부딪힐 줄이야…… 정말 소문 이상
이었네요~."

"그 녀석, 아무리 봐도 우리와 손을 잡을 필요가 없었잖아……."

매우 지친 듯한 퀸트의 목소리. 정말 그렇다고 할 수밖에 없다.

관여하지 않았어야 했다. 아니――― 힘을 모으기 전에 관여해서 다행이라고 생각해야 할까.

적어도 그 힘을 알게 된 지금, 《천변만화》를 적대시할 기회는 오지 않을 테니까.

퀸트가 애들러를 보았다.

"애들러, 이제부터 어떻게 할 거야?"

"그러게……."

거느리고 있던 마물들 중 대부분은 죽었다. 《천귀야행》에게는 딱히 전력이라고 할 만한 게 남아 있지 않다.

물론, 마물은 보충할 수 있다. 재기를 꾀할 수는 있을 것이다. 《천변만화》는 말 그대로 괴물이었지만, 아직 이 세상의 헌터들 중 대부분보다 강할 거라는 자신감은 있다.

그러나 애들러는 한동안 생각하다 머리를 벅벅 긁으며 말했다.

"좀 피곤하네. 다음에는 다른 사람들이라도 도우면서 살까."

"……아니, 뭐, 무슨 말인지는 알겠는데, 우노는 그렇다 쳐도 우리가 다른 사람들을 도울 것처럼 생겼나?"

"그렇지 않아요~. 헤어스타일이나 차림새 같은 걸 이것저것 조정하면 애들러 님도 다른 사람들을 도와줄 수 있을 거예요~. 이제 와서 무슨 소리냐는 느낌도 들긴 하지만, 힘이 필요한 시대니까 우리도 할 수 있는 게 있지 않을까요~."

보아하니 퀸트와 우노도 《천귀야행》으로서 이대로 계속 활동할 생각은 없는 모양이었다.

갑작스럽게 지금까지와는 정반대되는 제안을 듣고도 당황하지도 않고 이러쿵저러쿵 토론하기 시작한 퀸트와 우노를 보며, 애들러는 한숨을 쉬었다.

Interlude   레벨 9

　탐색자 협회 제블디아 제도 지부. 각 나라의 어지간한 도시에는 전부 존재하는 탐색자 협회의 지부 중에서도 톱클래스의 규모를 자랑하는 그곳의 지부장실에서, 거크 벨터가 오늘도 막대한 업무를 부지런히 처리하고 있었다.

　탐색자 협회 지부장은 매우 바쁘다. 인간을 뛰어넘는 힘을 지닌 팬텀, 마물들과 맞설 수 있는 전투 능력을 지니며, 현대 기술로는 재현할 수 없는 수많은 보구와 소재를 가지고 돌아오는 트레저 헌터를 총괄하는 탐색자 협회는 귀족이나 상회에 있어서 중요한 존재. 당연히 그 지부장쯤 되면 이른 아침부터 밤늦게까지 스케줄이 꽉 차 있다. 귀족들과의 회식과 마물들을 솎아내는 기사단과의 정보 공유, 마물들에게 얻은 소재나 보구의 매매 루트 확보 및 범죄자 헌터의 동향 조사 지휘까지.

　그리고 그런 바쁜 활동이 헌터들 사이에서 높게 평가되는 경우는 없다.

　별명을 가진 헌터에서 탐색자 협회 제도 지부장이 된 거크에게 그러한 업무는 현역 시절에 참가했던 어떤 헌팅보다 골치가 아팠다. 특히, 제도 지부는 규모가 큰 만큼 들어오는 의뢰도 많아서 생겨나는 이익도 절대적이다. 그리고 덤으로 문제가 있는 헌터도 많다.

활발하게 활동하는 헌터라면 내버려 두더라도 어느 정도는 문제가 없지만, 그중에는 실력이 매우 좋은 주제에 시키지 않으면 얼마 안 되는 달성량조차 위태로운 헌터 같은 존재도 있다. 그런 녀석들은 여러 가지 의미로 한눈을 팔 수 없고, 한눈을 팔게 두지 않는 존재였다.

거크는 부하가 건넨 서류를 대충 확인하면서 최근 일과인 다른 확인을 했다.

"카이나, 크라이 녀석은 아직 유그드라에서 돌아오지 않은 거야?"

"네. 문하고 클랜 하우스에 사람을 붙여두었으니 틀림없을 거예요. 연락도 없고요. 후후…… 소식이 들어오면 전해드릴게요."

"부탁하마. 그 자식, 방심하고 있다가는 돌아온 뒤에도 보고를 하지 않으니까."

팔짱을 낀 채 의자 위에서 몸을 뒤로 젖힌 거크가 이마에 주름을 지으며 한숨을 쉬었다.

전설의 도시, 유그드라. 인간은 결코 출입을 용납하지 않는다는 정령인의 도시로 《천변만화》가 간 것은 벌써 한 달 정도 전이다.

제도 전체를 뒤흔들었던 저주 사건. 중요 참고인인 크라이 안드리히를 제도 밖으로 내보낸 것으로 인해 거크는 최근 한 달 동안 막대한 항의와 업무를 떠안게 되었다. 때로는 그 눈빛으로 겁을 주고, 때로는 레벨 8에게 휘둘리는 불쌍한 자신을 연출하며 동정을 호소하고, 때로는 고개를 연달아 숙이고, 때로는 고레벨 헌터에게 의뢰를 떠넘겼다. 모든 것은 전설의 정령인의 도시, 유그드라와 연결고리를 만들기 위해서다.

유그드라는 인간이 발을 내딛지 못한 지역이다. 헌터뿐만이 아니라 상회나 귀족도 유그드라와의 연결고리를 원하고 있지만, 경계심이 매우 강한 건지 아무도 성공하지 못했다. 유그드라의 정령인은 좀처럼 바깥세상에 나오지 않는 데다 도시의 위치도 알 수 없으며, 초대를 받지 않으면 절대로 들어갈 수 없다는 이야기까지 있다.

고위 정령인인 황족이 다스리며 고도의 문명과 독자적인 문화를 지니고 있다는 그 도시. 거기에 만에 하나라도 탐색자 협회의 지부를 세울 수 있다면 얼마나 큰 이익이 될 것인가. 그리고 물론, 정령인 황족과 인간이 교류를 시작하면 현재 존재하는 종족 간의 마찰도 완화될 것이다.

그것들이 전부 이제 막 스무 살이 넘은 청년의 손에 맡겨져 있었다.

크라이 안드리히는 지극히 실력이 뛰어난 헌터다. 아크 로댕을 제치고 제도에서 가장 빠른 속도로 레벨 8에 이르렀고, 하나만 놓고 보더라도 제도를 뒤흔들 만큼 큰 사건을 여러 번 해결했다. 하지만 그렇게 실력이 뛰어난 남자는 동시에 제도에서 손꼽히는 기분파이기도 하며, 권력이나 돈에 휘둘리지 않는 남자이기도 하다.

유그드라와의 교류 구축은 지금까지 아무도 달성하지 못했던 위업이다. 그래도 그 청년이 온 힘을 다하면 절반보다는 약간 높은 확률로 관계를 개선시킬 수 있을 것이다.

지금 거크가 할 수 있는 것은 그 청년이 의욕을 보이기를 기도 하는 것뿐이다.

"내가 귀찮은 일을 전부 떠맡아서 시간을 만들어줬으니까. 대충했다가는 그냥 내버려 두지 않을 테다."

"어떻게 하실 생각이신가요?"

"그야 물론, 레벨 다운⋯⋯⋯⋯은 기뻐할 것 같군, 그 녀석."

애초에 별명을 지닌 헌터의 레벨을 이유도 없이 낮출 수는 없지만, 헌터에게 있어서 가장 불명예스러운 일이라는 레벨 다운을 당하고도 그 청년은 한탄조차 하지 않을 것이다.

돈에도, 권력에도 휘둘리지 않는다. 당근과 채찍이 둘 다 통하지 않는 헌터라니, 정말 골치 아픈 존재다.

마음속의 불안한 생각을 얼버무리려 혀를 쳤다. 그때, 거크의 눈앞에서 공간이 빛을 뿜어냈다.

강력한 마력의 기운을 느끼고 반사적으로 일어나 카이나를 감쌌다.

여긴 표적이 되는 경우도 많은 탐색자 협회 제도 지부의 우두머리가 쓰는 방이다. 보안은 꽤 철저한데━━━.

보아하니 적어도 공격 마법은 아닌 것 같았다. 본 적이 없는 그 반응에 더욱 경계하던 거크 앞쪽 공간의 빛 속에서 사람 같은 형태가 나타났다.

그것은 믿기지 않을 정도로 아름다운 묘령의 여자였다. 날씬한 실루엣과 머리에 쓴 식물 서클릿. 귀는 뾰족했고, 정령인의 특징을 갖추고 있다. 그 옆에는 성별을 알 수가 없긴 하지만, 비슷할 정도로 아름다운 정령인도 있었다.

그자들이 평범한 정령인이 아니라는 건 명백했다. 융성함을 자랑하는 제도에도 정령인은 별로 없다.

"전이 마법, 이라고? 말도 안 돼."

공간 전이는 매우 고도의 술식이다. 현대 마도 기술로는 미리 술식을 새겨서 정해진 곳으로 전이시키는 것만으로도 한계일 텐데. 그것조차도 제도에는 쓸 수 있는 사람이 거의 없다.

다행히 살의는 느껴지지 않았다. 거크가 묻자 서클릿을 쓴 정령인이 예쁘게 생긴 눈을 몇 번 깜빡이고는 거크를 빤히 바라보며 말했다.

"이곳이 그 인간이 말한 제도인가요? 저는 자랑스러운 유그드라의 황족——— 세렌 유그드라 프레스텔. 이 사람은 제 호위를 맡은 루인입니다. 당신이, 권력자인가요?"

"뭐라고?!"

유그드라의…… 황족, 이라고?!

뒤에 있던 카이나를 힐끔 보았다. 카이나도 눈을 크게 뜨고는 깜짝 놀라고 있었다.

예약도 하지 않고 쳐들어와서 갑작스럽게 자기소개라니. 원래는 그런 말 따위 믿지 않았겠지만, 전이 마법과 그 아름다움이 그 말에 설득력을 주고 있었다.

무엇보다, 유그드라에는 그 《천변만화》가 갔다. 무슨 일이 일어나더라도 이상할 게 없다.

단어를 잘 선택해서 자극하지 않게끔 말을 걸었다.

"정중한 인사, 감사하군. 나는 거크 벨터. 권력자라고도 할 수 있지. 그런데 물어보고 싶은 게 있다만──── 크라이는 그쪽으로 갔나?"

크라이의 이름을 듣자 그녀의 표정이 분명하게 흔들렸다. 보아하니 연기는 별로 능숙하지 못한 듯하다.

진짜로 유그드라의 황족일 가능성은………… 충분히 있다.

"간 모양이로군. 그래서, 갑자기 찾아온 용건을 가르쳐다오. 길어질 것 같으면 식사 자리도 마련하겠다만────."

설마…… 항의하려고? 유그드라의 황족의 항의…… 그 남자라면 충분히 그럴 수 있어!

이것저것 안 좋은 예상이 머릿속을 스쳐 갔다.

그 남자는 헌팅의 달인임과 동시에 악의 없이 다른 사람을 화나게 만드는 달인이다.

전전긍긍하며 말을 꺼내기를 기다리는 거크. 자칭 유그드라의 황녀는 거크의 말을 듣고 안심한 듯이 가슴을 쓸어내리고는 방울을 울리는 듯한 목소리로 말했다.

"저희 용건은 한 가지뿐입니다. 저희는 그 인간에게 매우 큰 신세를 졌습니다. 아무리 보답을 하더라도 부족할 정도로 큰 빚을 져버렸지요. 그렇기에, 유그드라의 대표로서 요구합니다. 그 인간을──── 레벨 9로 만드세요."

그 자식…… 진짜, 이번에는 대체 무슨 짓을 저지른 거야?

비탄의 망령은 ──────── 은퇴하고 싶다

외전 　　정령인의 미래

"저희도 슬슬 바뀌어야 한다고 생각합니다."

모든 문제가 해결되어 제도로 돌아갈 때까지 방에서 느긋하게 지내고 있자니 유그드라의 황녀, 세렌 유그드라 프레스텔이 갑자기 찾아와서는 그렇게 말했다.

무슨 이야기를 하는 건지 전혀 모르겠다. 나도 모르게 조언이 필요하다는 생각으로 방안을 두리번거렸지만, 공교롭게도 방에는 나밖에 없었다. 다들 숲을 탐험하러 가버렸기 때문이다.

유그드라 주변은 인간들에게 오랫동안 발을 내디디지 못했던 지역이다. 세계수의 폭주 사건을 겨우 해결하고 루크도 돌아온 지금, 뼛속까지 트레저 헌터인 리즈 일행의 흥미가 숲의 탐험으로 넘어가는 건 어쩔 수 없을 것이다. 그게 트레저 헌터로서 앞날에 도움이 되는 거라면 말릴 수도 없다. 오히려 나까지 납치당하지 않았던 것을 고마워해야 한다.

루크 같은 경우에는 석화가 풀린 직후인데 기운이 넘쳐났고……

세렌이 갑자기 찾아온 이유로 짐작 가는 게 전혀 없었다.

우리가 왔을 때는 사람이 거의 없었던 유그드라도 피난 갔던 주민들이 돌아오고, 팬텀이 되어 있던 전사들이 돌아와서 활기가 넘치고 있다. 그들의 우두머리인 세렌은 한가하지 않을 것이다.

게다가 나를 불러낸 것도 아니고 일부러 여기까지 찾아오다니———.

"미안한데, 시트리는 자리를 비웠어. 나중에 다시 오지 그래?"

"유그드라는 세계수의 폭주를 막기 위해 오랫동안 출입을 제한하고 있었습니다."

세렌이 내 말을 완전히 무시하며 계속 말했다.

"그리고 결국 저희들만으로는 세계수의 폭주를 미리 방지하지도 못했고, 폭주를 막지도 못했습니다."

"……아니, 열심히 했던 것 같은데."

"정령인의 황녀로서 부끄러운 결과이긴 합니다만…… 이건, 좋은 기회입니다. 지금은 유그드라의 백성들이 인간들에게 품고 있던 안 좋은 인상도 많이 누그러졌습니다. 지금이야말로——— 바깥으로 나가 인간들과 교류할 때인 것입니다!"

왠지 내 주위에는 남의 말을 잘 안 듣는 사람이 많은 것 같네. 그건 그렇고 교류할 때라.

우리를 유그드라로 초대하거나, 시트리의 작전을 받아들인 걸 보면 세렌은 의외로 보수적이지 않단 말이지. 뭐, 나로서도 그 의견에 반대할 이유는 딱히 없다.

"아뇨, 안 좋은 인상이 어느 정도 있다 하더라도 정령인의 능력은 인간을 대부분 능가합니다. 유그드라의 백성이라면 인간의 사회에서도 잘 지낼 수 있을 겁니다!"

"뭐, 괜찮지 않을까? 라피스 같은 사람들도 아무런 문제 없이 제도에서 잘 지내고 있으니까."

정확히 말하자면 문제를 일으키고 있긴 하지만, 치명적인 문제는 아니니까 괜찮을 것 같다. 애초에 처음부터 잘 풀리는 일은 별로 없기도 하고.

의욕을 전혀 보이지 않고 있는 내게 세렌이 결심한 듯이 말했다.

"세계수의 폭주는 막을 수 있었습니다만, 다음에 또 다른 위기가 찾아오지 않을 거라는 보장은 없습니다. 똑같은 실수는 저지르지 않을 겁니다. 이번 일을 통해 많은 것들을 배울 수 있었습니다. 저는 정령인, 그리고 물론 인간들의 더 나은 미래를 위해 유그드라의 황녀로서 책임을 다하겠습니다."

"응, 그래, 그렇지. 세렌이라면 분명 할 수 있을 거야! 내가 할 수 있는 게 있다면 협력할 테니까, 힘내! 힘내!"

세렌은 부지런하구나. 큰 문제를 해결한 직후인데도 일부러 그런 선언을 하려고 여기까지 온 건가?

그때, 세렌이 볼을 붉히며 반해버릴 것 같은 미소를 짓고는 방심하고 있던 내게 말했다.

"그렇게 말씀해주실 거라 생각했습니다. 협력에 감사드립니다, 인간. 저는 인간의 사회를 잘 알지 못합니다. 그래서…… 함께 의논해주셨으면 합니다만."

…………인간 사회에서는 방금 한 말을 빈말이라고 하는데.

내가 어이없어하는 동안, 세렌은 테이블에 가지고 온 자료를 펼치기 시작했다.

곤란하네………… 시트리 같은 사람들이 있다면 역할을 떠넘길 수 있었을 텐데. 설마 나밖에 없을 때 의논하러 오다니…….

실제로 나만큼 의논하는 데 부적합한 남자는 없을 것이다. 내 일조차 제대로 하지 못하는데 다른 사람의 고민 같은 걸 해결할 수 있을 리가 없잖아.

뭐, 아무도 내 말을 진지하게 받아들여 주지 않지만…… 신산귀모라는 소문도 참 골치가 아프다.

"과거의 셰로 사건 때문에 저희의 사회적인 지위가 향상되었다는 건 유그드라에도 알려졌습니다만, 아직 인간에게 거부감을 드러내는 동포도 많습니다. 그런 부분부터 개선하고 싶어요."

"그거 꽤 괜찮은 아이디어인데."

내가 관여하지 않아도 된다면 더 괜찮고.

"인간의 문화에 익숙해지기 위해서는 실제로 체험해보는 게 가장 좋겠죠. 그래서 인간의 나라에 몇 명 정도를 파견할 생각인데요———. 유그드라에 사는 자들은 다들 좋은 사람들뿐이고 인간보다 뛰어나기 때문에 큰 문제는 일어나지 않을 것 같습니다만, 성격이나 특기라는 게 있죠. 인간의 나라는 많이 있다고 들었는데, 어디에 누구를 보내는 게 좋을지, 의견을 꼭 좀 말씀해주셨으면 합니다."

다시 말해서………… 전부 나한테 떠넘기겠다는 거 아닌가? 꽤 하는데…… 나도 그런 식으로 떠넘기긴 않는다고.

어디에 누구를 보내면 좋을지 내가 알 수 있을 리가 없다. 그야 인간의 나라에 대해서 세렌보다는 잘 알고 있겠지만, 나도 세상 물정은 잘 모르는 편이거든. 게다가——— 좋은 사람들뿐이라.

《별의 성뢰》 멤버들도 좋은 사람들뿐이지만, 클랜에 가입한 직후 무렵은 오해를 사곤 했다…… 아니, 확실히 말하자면 골치 아픈 일만 일으키곤 했다.

지금도 골치 아픈 사건으로 발전하는 경우가 있긴 하지만, 그래도 예전에 비해 차분해진 건 익숙해졌기 때문이다. 제도의 인간들이 정령인에게 익숙해진 것이 아니라, 그녀들이 인간 사회에서 생활하는 것에 익숙해졌다. 그리고 그런 단계에 이르기까지 엄청나게 고생했다는 사실은 굳이 말할 필요도 없다(가장 고생했던 건 에바와 거크 씨다).

내가 보기에는 어디에 누굴 보내더라도 문제가 생길 것 같다. 문화가 다르기 때문이다. 물론, 동포를 무엇보다 소중히 여기는 세렌에게는 이런 말을 할 수가 없지만———.

문제를 일으키지 않는 정령인은 항상 느긋하게 지내는 엘리자뿐이야!

나는 살짝 헛기침을 하고는 말을 돌리기로 했다.

"이건 그냥 제안인데 말이지, 예를 들어서 그렇다는 건데———인간의 마을로 나가는 것도 좋지만, 여기로 인간들을 불러오는 건 어때?"

"…………!! 말씀해 보시죠."

이러쿵저러쿵해도 인간들의 도시에는 위험이 잔뜩 있다. 정령인들은 신기한 존재고, 실제로《별의 성뢰》가 일으키는 문제도 3할 5푼 정도는《별의 성뢰》의 잘못이 아니었다. 그렇다면 먼저 정령인의 홈그라운드에 인간을 초대해서 인간에게 익숙해지게 하는 게 나을 것 같다.

여기까지 올 수 있을 정도로 실력이 뛰어난 사람은 보통 성격이 좋을 테고, 게다가―― 지금 생각난 거지만, 나는 거크 씨에게 이 도시에 탐색자 협회 지부를 설치할 수 있게끔 부탁해달라는 말을 들었단 말이지.

세렌의 표정은 심각했다. 유그드라는 전설의 도시이자 정령인에게도 특별한 도시다. 끔찍하게 여기며 싫어하던 인간을 불러들인다면 문제도 많이 생길 것이다. 그러니까 그냥 제안이다.

뭐, 안 될 것 같다고 해도 딱히 문제는 없다. 지부를 설치하지 못한다 해도 내게는 딱히 손해도 아니고, 일단은 제안했다는 태도를 취할 수 있다. 건성이라고도 할 수 있지.

"인간을 불러오면 유그드라 사람들도 익숙해질 테고, 그들을 통해 전 세계에 너희의 태도가 바뀌었다는 걸 알릴 수도 있을 거야. 문제가 발생할지도 모르겠지만, 탐색자 협회의 지부를 설치하면 어느 정도는 해결할 수 있을 테고. 실은 여기 오기 전에 부탁을 받았거든…… 세렌이 괜찮다면 말이지만――."

"좋습니다, 인간. 당신이 그렇게 말한다면, 탐색자 협회의 지부? 라는 것을 설치하도록 하죠. 그리고, 그 제안도―― 괜찮은 것 같습니다."

곧바로 대답한 세렌. 판단이 너무 빠르다.

그렇게까지 빠르니 오히려 무섭네…… 좀 더 생각하라고.

멍하니 있자니 세렌의 표정이 어두워졌다.

말은 했지만, 잘 생각해보니 불안해진 건가?

응, 그래, 그렇지. 내가 말했다고 그대로 결론 내리지 말고 제대로 생각해서 발언해야지. 제일 글러먹은 판단 기준이라고, 그거.

방긋방긋 웃고 있자니 세렌이 한숨을 크게 쉬고는 말했다.

"그런데 불러온다고 해도 인간이 올까요? 여기로 오려면 마수가 우글거리는 숲을 빠져나와야만 하고, 자연과 함께 살아가는 유그드라의 문명은 인간이 보기에 따분할 것 같습니다."

……무슨 걱정을 하는 거야.

"…………세계수가 있잖아."

"그렇죠…… 세계수는 웅대하긴 합니다. 하지만, 이렇게 말하는 건 좀 그래도…… 결국 나무잖아요?"

설마 하던 발언이다. 뭐, 그야 결국에는 커다란 나무에 불과할지도 모르겠지만, 일단은 유그드라의 백성들이 관리하고 있는 거니까 말을 좀 포장해서 하는 게 낫지 않을까.

세렌도 참 특이하네………… 아니, 진지하게 생각한 결과라고 해야 할지도.

"그렇게 비하하지 말고………… 유그드라도 좋은 곳이야. 자연이 아름답고, 음식도 맛있어."

"그것 말고는요?"

그, 그것 말고…………?

"……다들 예쁘고, 마법 기술도 발전되었고……."

"미적 감각은 사람마다 다를 테고, 정령인의 마법을 인간이 이해할 수 있을 것 같진 않습니다. 그리고 시트리가 내놓았던 마법진을 보아하니——— 바깥의 기술과도 그렇게까지 큰 차이가 없을지도 모릅니다. 인간이 올 이유로서는 약간 부족할 것 같네요."

골치 아픈 이야기가 시작됐네…… 너무 진지하지 않아?

그래도 된다고. 유그드라에 오고 싶어 하는 사람들은 잔뜩 있어…… 전설의 도시니까.

세렌은 주먹을 쥐고는 나를 올려다보며 말했다.

"인간…… 솔직하게 대답해 주세요. 당신은 여기에 한 번 더 오고 싶다고 생각하나요?"

"…………걸어서 올 수 있는 거리에 있다면."

"………………."

아니, 여기는 머니까…… 애초에 내 행동 범위는 매우 좁다고. 이유가 없으면 클랜 마스터실 밖으로 나오지도 않을 정도니까. 그러니 이 도시가 별로라는 건 아니다.

"…………어떤 유그드라여야 몇 번이나 오고 싶어 할까요?"

"……뭐, 지금 유그드라는 외부에서 사람들을 받아들이는 걸 전제로 삼고 있지 않으니까…… 여관도 없고."

고생해서 왔는데 숙박할 곳조차 없다면 꽤 힘들지도 모르겠다.

"그러고 보니 저번에 무투대회가 개최되었던 도시는 사람들이 엄청나게 몰렸었지………… 특산품 같은 것도 이것저것 팔았고――."

무제제는 지명도가 높은 무투대회인 데다 도시의 규모나 입지 조건 같은 것도 있으니까 단순히 비교할 수는 없지만, 사람들을 많이 불러모으는 건 쉬운 일이 아닐지도 모르겠다.

잠시 그렇게 생각하고 있자니 세렌이 진지한 표정으로 말했다.

"그렇군요…… 알겠습니다. 하죠, 무투대회."

"?!"

"그리고 여관과 특산품 말씀이시죠. 다행히 유그드라 주위의 숲에는 다양한 자원이 있습니다. 지금은 특산품이 딱히 없습니다만——— 매력적인 특산품을 만드는 것도 가능할 겁니다. 잘 생각해보니 지금 아무것도 없더라도 만들면 되겠네요!"

말도 안 되는 소리를 하는 세렌. 취지가 엇나간 듯한 느낌도 들지만, 눈이 반짝이고 있다.

사실 쾌적해져서 글러먹은 상태가 된 건 보구 때문이 아니라 세렌 본인의 문제였는지도 모르겠다.

"무투대회라는 건 조금 야만스럽긴 하지만, 어쩔 수 없지요. 정령의 힘을 빌리면 도시의 정비도 간단하고, 인간의 도시와는 달리 유그드라 특유의 장점을 내세울 수 있을 게 틀림없어요! 유그드라까지 오는 길도 생각을 좀 해보는 게 낫겠네요…… 신수 미로의 술식을 멈출 수는 없으니, 숲의 환수들의 힘을 빌려서 마중과 배웅을 맡기는 건 어떨까요? 그렇게 하면 인간들이 많이 와줄 테고………… 그렇지!"

세렌이 갑자기 큰 소리로 외쳤기에 나는 무심코 몸을 떨었다.

"각지의 정령인들에게 연락해서 호객을 시키죠! 지금이야말로 유그드라의 장점을 전 세계에 알릴 때입니다! 정령인들은 실력이 좋으니 인간의 어떤 도시보다 훌륭한 도시를 만들 수 있을 겁니다!"

딱히 아무런 의도 없이 무심코 한 내 말이 세렌에게 불을 붙여버린 모양이다.

크류스 같은 사람에게 들킨다면 혼나지 않을까…… 호객이니 하는 걸 보면 목적을 잊어버린 것 같고.

사고방식이 유연하다고는 생각했지만 너무 유연하잖아. 언젠가 금속을 이용한 공업 같은 것도 해금할 것 같네.

"인간! 바깥의 도시에 대해 알 수 있는 자료 같은 게 있나요?"

"…………………관광지 가이드북이라면."

미믹 군 안에 이것저것 담아왔으니까. 마음대로 도시 밖으로 나갈 수 없는 사람들에게 관광지의 가이드북은 더할 나위 없는 오락이다.

"!! 역시 대단하시군요! 바로 그게 지금 저에게 필요한 거랍니다!"

정말로 그게 지금 필요한 건지 잘 생각해보는 게 좋지 않을까…….

하지만 소리 내어 말해버리면 또 골치 아픈 이야기를 할 것 같았기에 순순히 건네주었다. 유그드라 사람들에게는 미안하지만, 당신들 황녀니까 당신들이 말려줘.

가이드북을 받아든 세렌은 컬러로 인쇄된 책을 내려다보며 눈을 반짝였다.

"이게………… 바깥 세계!"

"…………혹시 흥미가 있어?"

"세계수 문제에 대처하느라 그럴 겨를이 없었으니까요. 저는 정령인을 이끄는 자로서 다각적인 시야를 지녀야만 합니다. 언젠가는 제 눈으로 직접 보고 돌아다녀야겠죠."

정령인………… 앞날이 걱정되네. 뭐, 그래도 황녀라면 어두운 표정을 짓는 것보다는 눈을 반짝이며 폭주하는 게 더 나을 것 같다.

팸플릿을 빤히 바라보면서 중얼거리는 세렌.

"온천………… 여기서도 파면 나올까요?"

"…………땅속에는 위험한 게 묻혀 있는 경우도 있으니까 조심하는 게 좋을 거야."

그래, 예를 들어 지저인 같은 거.

일단 세렌의 의식은 완전히 팸플릿 쪽으로 쏠린 모양이었다. 왠지 위험한 짓을 저질러버린 것 같기도 하지만, 주의를 다른 곳으로 돌렸으니 넘어가자.

"온천을 파내고 무투대회를 개최하면 우선 도시 두 군데는 제칠 수 있겠네요."

"응, 그래, 그렇지."

그 두 개는 섞는 게 아닌……………… 아니, 아무 말도 안 해야지.

왠지 즐거워 보이기도 하고. 이런 생각을 할 수 있게 된 것도 평화가 돌아온 덕분이다. 아마 시간이 좀 더 지나면 조금이나마 냉정해질 것이다. 너무 말이 안 되는 계획은 루인이 말릴 테고.

어떤 방향으로 나아가든, 유그드라의 우두머리가 이런 느낌이니 앞으로 정령인들도 바뀌어 가지 않을까. 나는 지금 정령인 역사의 전환기를 보고 있는 건지도 모른다.

우리는 이제 제도로 돌아가야만 하지만, 함께 싸운 유그드라의 앞날에 영광이 있기를 기원할 뿐이다.

눈을 가늘게 뜨고 세렌을 보고 있자니, 갑자기 팸플릿을 보던 그녀가 고개를 들었다.

"그러면, 인간. 어디에 누구를 보낼지 선정하는 건 맡기겠습니다. 저는 유그드라를 일대 관광지로 만들기 위해 계획을 세울 테니까요."

"?! 아, 아니, 먼저 유그드라에 인간들을 불러 온다고———."

"그런 건 양쪽 다 동시에 하면 되잖아요!"

"아, 네……."

세렌은 자기가 하고 싶은 말만 늘어놓고는 가벼운 발걸음으로 방을 나섰다. 남은 것은 기세에 떠밀린 나와 세렌이 가지고 온 유그드라의 주민 리스트뿐이었다.

유그드라를 일대 관광지로 만들겠다니…… 언제 그런 이야기가 나온 거지?

한동안 멍하니 리스트를 보고 있었지만, 이렇게 보고 있기만 해도 리스트는 사라지지 않는다.

그야 유그드라를 어떤 도시로 만들지 생각하는 건 즐거운 일이겠지. 하지만 아무리 그래도 즐겁지 않은 일을 남에게 떠넘기다니———.

나는 한동안 고개를 갸웃거리다가 생각하는 걸 포기했다.

뭐, 어찌 되든 상관없어. 정령인은 툭하면 문제를 일으키는 성격만 제외하면 뛰어난 능력을 지니고 있으니까.

《시작의 발자국》의 초기 멤버에 《별의 성뢰》를 영입한 것도 광고용 목적이었고, 유그드라 사람들도 시간이 지나면 바깥 세계에 적응할 것이다. 그리고 너그럽게 봐달라고 편지를 써서 들려주고 아는 사람에게 부탁하면 어떻게든 해줄 게 틀림없다.

인원이 많아 봐야 유그드라에 사는 정령인들의 숫자는 어차피 뻔하다. 다행히 내게는 이런 일을 잘 처리할 만한 지인이 몇 명 있다.

에바와 거크 씨, 아크는 정석이고, 프란츠 단장도 귀족이니까 이런 일은 잘 처리할 것이다. 그러고 보니 등화기사단의 토우카도 정령인을 파티로 영입하고 싶다고 했던 것 같은데. 그라디스 경 같은 사람도 에크렐 양을 도와준 적이 있으니 거절하진 않을 것이다. 무투대회를 개최하거나 온천을 파낸다면 무제제가 개최된 검과 투쟁의 도시, '크리트'나 온천 도시 '스루스'로 보내는 것도 괜찮을 것 같네. 저번에 소동에 휘말린 직후라 내 이름을 대면 잘 보살펴줄 테니까. 이렇게 생각해보니 연달아 사건에 휘말리기만 하고 있구나…….

뭐, 결론도 나왔고, 쇠뿔도 단김에 빼랬으니까.

나는 콧노래를 흥얼거리며 편지를 쓰기로 했다.

비탄의 망령은  은퇴하고 싶다

작가 후기

오랜만에 뵙습니다. 다시 만나 뵙게 되어 영광입니다. 지은이 인 츠키카게입니다.

드디어 『비탄의 망령은 은퇴하고 싶다』도 염원하던 두 자릿수 권이 되었습니다. 『비탄의 망령은 은퇴하고 싶다』의 제1권이 간 행된 지 5년, 생각해보면 길게 써온 것 같습니다.

코미컬라이즈까지 합치면 시리즈 누계 100만부를 돌파했다고 하니, 많은 분들께서 즐겨주신 것 같아 지은이로서 행복합니다. 앞으로도 더더욱 기합을 넣고 크라이 일행의 모험을 쓰도록 할테 니 부디 잘 부탁드립니다.

10권은 8권부터 이어진 주물 소동편의 후편입니다. 적으로서 앞을 막아선 것은 특이한 능력을 지닌 고대의 신이고, 가장 강한 적이라고 할 수 있습니다. 1권부터 점점 커지던 스케일도 10권이 라는 기념비적인 권에서 올 데까지 왔다고 할 수 있겠죠. 자세한 내용에 대해서는 평소처럼 생략하도록 하겠습니다만——— 이번 권의 숨겨진 주제는 '함께 싸우는 것'입니다.

동료와 함께 싸우는 것, 적대하던 상대와 함께 싸우는 것, 그리 고 예전에 싸웠던 적과 함께 싸우는 것.

이 작품에는 캐릭터가 많습니다. 10권이나 나왔으니 적도 그렇고 조연도 나름대로 숫자가 많습니다. 한 권에만 나온 캐릭터도 있기에 언젠가 다시 스토리에 등장시키고 싶다는 생각을 하고 있었습니다(문제는 읽어주시는 독자 여러분께서 기억하고 계실지 여부지만요).

이번 권에서는 조금이나마 하고 싶었던 걸 할 수 있었던 것 같습니다. 크라이의 이능도 등장했고요!

이번 권도 즐겁게 썼으니 즐겁게 읽어주신다면 기쁘겠습니다.

자, 싸움의 규모가 점점 커지기만 하던 흐름도 이번 권에서 일단 멈추게 되었습니다. 최근엔 저주나 신 같은 강적과 싸우는 경우가 많았습니다만, 트레저 헌터의 강적은 반드시 그런 자들뿐만이 아닙니다. 다음에는 또 다른 싸움을 쓸 수 있으면 좋을 것 같다고 생각하고 있으니 기대해 주세요!

마지막은 항상 하던 감사의 말씀으로 마무리하려 합니다.

일러스트레이터인 치코 님. 항상 작품과 잘 들어맞는 멋진 일러스트를 그려주셔서 감사합니다. 표지에 나온 세렌의 표정이 마음에 드네요! 앞으로도 잘 부탁드립니다.

담당 편집자인 카와구치 님, 타카하시 님. 그리고 GC 노벨즈 편집부 여러분과 관계자 여러분. 이 작품이 10권까지 이어질 수 있었던 것은 틀림없이 여러분께서 힘써주신 덕분일 겁니다. 정말 감사합니다. 앞으로도 여러분께서 즐기실 수 있는 소설을 팍팍 써나가려고 생각하고 있으니 잘 부탁드리겠습니다!

그리고 무엇보다, 두 자릿수 권까지 함께 해주신 독자 여러분께 진심으로 감사의 말씀을 드립니다. 감사합니다!

2023년 4월 츠키카게

嘆きの亡霊は引退したい
ついに！**10**巻発売！！！！
おめでとうございます!!

蛇野らい

비탄의 망령은 은퇴하고 싶다
마침내! 10권 발매!!!!
축하드립니다!!

헤비노 라이

NAGEKI NO BOUREI HA INTAI SHITAI Vol.10
© 2023 by Tsukikage / Chyko
All rights reserved.
First published in Japan in 2023 by MICRO MAGAZINE, INC.
Korean translation rights reserved by Somy Media, Inc.

비탄의 망령은 은퇴하고 싶다 10

2024년 12월 15일 1판 2쇄 발행

저　　　　자	츠키카게
일 러 스 트	치코
옮　 긴　 이	천선필
발　 행　 인	유재옥
총 괄 이 사	조병권
출판본부장	박광운
담 당 편 집	박치우
편 집　1 팀	박광운
편 집　2 팀	정영길 조찬희 박치우
편 집　3 팀	오준영 이소의 권진영 정지원
디자인랩팀	김보라 이민서
디지털사업팀	김경태 김지연 윤희진
라이츠사업팀	김정미 이윤서
콘텐츠기획팀	박상섭 강선화
영업마케팅팀	최원석 윤아림 이다은
물　 류　 팀	허석용 백철기
경영지원팀	최정연
인쇄제작처	㈜코리아피앤피
발　 행　 처	㈜소미미디어
등　　　　록	제2015-000008호
주　　　　소	서울시 마포구 토정로222, 502호 (신수동, 한국출판콘텐츠센터)
판매 및 마케팅	(070) 8822-2301

ISBN 979-11-384-8050-5
ISBN 979-11-6507-865-2 (세트)